D1369837

ludwig von bertalanffy

Théorie générale des systèmes

Traduit par
jean benoîst chabrol
Chargé d'enseignement à l'Université d'Alger

dunod

Traduction autorisée de l'ouvrage publié en langue anglaise
sous le titre :

« GENERAL SYSTEM THEORY »

par George Braziller, Inc. New York

© 1968 by Ludwig von Bertalanffy

DUNOD, Paris, 1973 pour la traduction française - 021 876 0211

ISBN 2-04-007504-6

PRÉFACE A L'ÉDITION PENGUIN

Il y a une trentaine d'années que j'énonçai le postulat et lançai le terme même de « théorie générale des systèmes ». Depuis lors, sous ce nom ou sous des noms analogues, cette théorie a été reconnue comme une discipline : cours universitaires, textes, livres, revues, séminaires, groupes de travail, bureaux, tout l'assortiment qu'on peut trouver dans un domaine académique d'enseignement et de recherche. Le postulat d'une « science nouvelle » que j'avais alors présenté, est devenu une réalité.

Je me fondais sur de nombreux développements qui seront présentés dans ce livre. Le point de vue « systémique » a pénétré un grand nombre de domaines scientifiques et technologiques; il s'est montré indispensable. Ceci, accru du fait qu'il représente un nouveau « paradigme » dans la pensée scientifique (selon l'expression de Thomas Kuhn), a pour conséquence que le concept de système peut se définir et se développer de différentes manières, selon les objectifs de la recherche et selon les aspects divers de la notion que l'on désire refléter.

Dans ces circonstances, on peut introduire ce domaine de deux manières. On peut accepter un des modèles, une des définitions valables des systèmes et en dériver rigoureusement une théorie. De telles présentations sont heureusement réalisables, et nous en citerons par la suite quelques-unes.

La seconde approche, que ce livre suivra, consiste à partir des problèmes qui ont surgi dans les diverses sciences afin de montrer la nécessité du point de vue systémique et de le développer plus ou moins dans les détails, en choisissant quelques bons exemples. Ce procédé ne présentera pas un développement théorique rigoureux; les exemples donnés seront modifiables, c'est-à-dire qu'on pourra en fournir d'autres, quelquefois meilleurs, en illustration. Cependant, une telle vue panoramique présente aux étudiants une bonne introduction à une nouvelle manière de penser qui est reçue avec avidité et même avec enthousiasme; l'auteur en a fait l'expérience, et si l'on se fie à l'audience reçue par ce livre, pas mal d'autres l'ont fait aussi;

c'est aussi pour l'étudiant plus avancé le point de départ de travaux poussés. Le grand nombre de recherches inspirées par cette œuvre en est un témoignage.

Un critique compétent (Robert Rosen dans « Science », 164, 1969, p. 681) a trouvé « étonnamment peu d'anachronismes qui méritent d'être corrigés » dans cet ouvrage, alors même que certains des chapitres qui suivent remontent à 30 ans. C'est un grand éloge, si on considère que les monographies scientifiques actuelles « méritent fréquemment d'être corrigées » avant même d'avoir paru. Ce n'était pas, ajoutait cet auteur, le résultat d'une rédaction habile (la rédaction se limitait en fait à un strict minimum d'embellissements stylistiques); apparemment, l'auteur avait « eu raison », au sens où il avait énoncé des fondements sains et correctement prévu les développements futurs. On peut par exemple considérer les problèmes de systèmes tels que ceux cités dans le paragraphe « Isomorphisme en Science », de ce livre; une réponse leur est maintenant apportée (ainsi qu'à d'autres questions), par la théorie des systèmes dynamiques et par la théorie de la commande. L'isomorphisme des lois est présenté dans ce livre sur des exemples choisis volontairement comme de simples illustrations; cela s'applique néanmoins à des cas bien plus compliqués qui sont loin d'être triviaux sur le plan mathématique. Par exemple, « il est frappant que des systèmes biologiques aussi divers que le système nerveux central et le réseau biochimique régulatoire des cellules puissent être strictement analogues... Il est encore plus remarquable de réaliser que cette analogie particulière entre des systèmes différents situés à différents niveaux d'organisation biologique, n'est qu'un membre d'une classe plus large de telles analogies » (Rosen, 1967).

D'un point de vue plus général, « le parallélisme des principes généraux de la connaissance dans divers domaines » a été présenté dans cet ouvrage, sur de nombreux cas. Mais on ne prévoyait pas encore que la théorie générale des systèmes jouerait un rôle aussi important dans l'orientation moderne de la géographie, qu'elle évoluerait parallèlement au structuralisme français (par exemple, Piaget, Levi-Strauss) et qu'elle exercerait une influence aussi considérable sur le fonctionnalisme américain en sociologie.

Avec l'extension croissante de la pensée et des études systémiques, la définition de la théorie générale des systèmes a subi un examen minutieux. On peut donc donner quelques indications nouvelles sur son sens et sur son domaine. Le terme de théorie générale des systèmes a été introduit par l'auteur de façon volontairement universelle. On peut bien sûr le limiter à une signification « technique » au sens de « théorie mathématique » (comme cela est souvent fait) mais cela semble une erreur dans la mesure où beaucoup de problèmes de « systèmes » appellent une « théorie » qui ne peut être formulée ultérieurement en termes mathématiques. Ainsi le nom de « théorie générale des systèmes » est-il utilisé ici au sens large, de même que ce que nous entendons par « théorie de l'évolution » contient presque tout, de la recherche des fossiles, à l'anatomie et à la théorie mathématique de la sélection, ou par « théorie du comportement » qui va de l'observation des oiseaux à des théories neurophysiologiques très compliquées. C'est l'introduction d'un nouveau paradigme qui compte.

En gros, on peut indiquer trois aspects principaux, non séparables en contenu mais distinguables en intention. Le premier peut être décrit comme la *science des systèmes*, c'est-à-dire l'étude scientifique et la théorie des systèmes dans les diverses sciences (par exemple, physique, biologie, psychologie, sciences sociales) et une théorie générale des systèmes comme ensemble de principes s'appliquant à tous les systèmes (ou à certaines sous-catégories bien définies).

Des entités d'une espèce essentiellement nouvelle pénètrent la sphère de la pensée scientifique. La science classique par ses diverses disciplines, que ce soit la chimie, la biologie, la psychologie ou les sciences sociales, essayait d'isoler les éléments de l'univers observé : composés chimiques et enzymes, cellules, sensations élémentaires, individus en libre compétition, que sais-je encore ; elle espérait en outre qu'en les réunissant à nouveau, théoriquement ou expérimentalement, on retrouverait l'ensemble ou le système, cellule, esprit ou société, et qu'il serait intelligible. Nous savons maintenant que pour comprendre ces ensembles, il faut connaître non seulement leurs éléments mais aussi leurs relations : par exemple, le jeu des enzymes dans une cellule, celui des processus mentaux conscients ou non, la structure et la dynamique des systèmes sociaux, etc. Ceci nécessite l'étude des nombreux systèmes de l'univers observé dans leur ordre et leurs spécificités propres. Il apparaît en outre que des aspects généraux, des correspondances et des isomorphismes sont communs aux « systèmes ». C'est ce qui constitue le domaine de la *théorie générale des systèmes* ; bien sûr, ces parallélismes et ces isomorphismes apparaissent, et c'est quelquefois surprenant, dans des « systèmes » par ailleurs totalement différents. La théorie générale des systèmes est ainsi une étude scientifique des « tout » et des « totalité » qui, il n'y a pas si longtemps, étaient considérés comme des notions métaphysiques dépassant les limites de la science. Des conceptions nouvelles, des modèles et des disciplines mathématiques se sont développés pour s'y ajuster : la théorie des systèmes dynamiques, la cybernétique, la théorie des automates, l'analyse des systèmes par les ensembles, la théorie des réseaux, des graphes, etc.

Le second domaine est la *technologie des systèmes*; ce sont les problèmes qui surgissent dans la technologie et dans la société modernes, incluant à la fois le « hardware » des calculateurs, l'automation, la mécanique auto-régulée, etc. et le « software » des nouveaux développements et des nouvelles disciplines théoriques.

La technologie et la société modernes sont devenues si complexes que les voies et les moyens traditionnels ne suffisent plus; des approches de nature holistique ou systémique, générale ou interdisciplinaire deviennent nécessaires. Ceci est vrai de nombreuses façons. A beaucoup de niveaux les systèmes réclament une intervention scientifique : les systèmes écologiques, perturbés par les problèmes urgents de pollution; les organisations formelles comme la bureaucratie, les institutions éducatives et l'armée; les problèmes graves qui surgissent dans les systèmes socio-économiques, dans les relations internationales, dans la politique et la dissuasion. Sans chercher à savoir jusqu'où peut aller la compréhension scientifique (qui contraste avec l'admission de l'irrationnalité des événements culturels et historiques), et dans quelle mesure l'intervention scientifique est réalisable ou même souhaitable, il ne fait aucun doute qu'il s'agit essentiellement de problèmes de « systèmes », c'est-à-dire de problèmes posés par un grand nombre de « variables » en interrelation. Il en va de même pour les problèmes plus limités de l'industrie du commerce et de l'armement. Les exigences technologiques ont amené des conceptions et des disciplines nouvelles, en partie originales et qui introduisent des notions fondamentales neuves, comme la commande et la théorie de l'information, la théorie des jeux et de la décision, la théorie des circuits et des files d'attente, etc. La caractéristique générale est qu'en outre les premières tiraient leur origine des problèmes spécifiques et concrets de la technologie, mais que les modèles (conceptualisation et principes), comme par exemple les concepts d'information, de rétroaction, de commande, de stabilité, de théorie des circuits, etc. dépassaient de loin les possibilités des spécialistes, étaient de nature interdisciplinaire, indépendants de leurs réalisations particulières; par exemple, les modèles de rétroaction isomorphes des systèmes mécaniques, hydrodynamiques, électriques, biologiques, etc. De même les développements issus de la science pure et appliquée convergent comme dans la théorie des systèmes dynamiques et la théorie de la commande. De même un grand ensemble s'étend de la théorie mathématique très complexe à la simulation par les calculateurs où on peut traiter les variables quantitativement mais où manquent les solutions analytiques, et à la discussion plus ou moins informelle des problèmes de nature systémique.

En troisième lieu, il y a la *philosophie des systèmes*, c'est-à-dire la réorientation de la pensée et de la vision du monde issue de l'introduction du concept de « système » comme nouveau paradigme scientifique (au contraire du paradigme analytique, mécaniste et mono-causal de la science classique). Comme toute théorie scientifique ayant un grand domaine d'application, la théorie générale des systèmes possède des aspects « métascientifiques », philosophiques. Le concept de « système » constitue un nouveau « paradigme » selon la phrase de Thomas Kuhn ou comme je l'ai énoncé (1967), « une nouvelle philosophie de la nature », opposée aux « lois aveugles de la nature », de la vision mécaniste du monde et du processus du monde vu comme une histoire de Shakespeare racontée par un idiot, avec une vision organique du « monde comme une grande organisation ».

Ceci se divise essentiellement en trois parties. En premier lieu nous devons regarder la « nature de la bête ». C'est *l'ontologie des systèmes*, c'est-à-dire ce que nous entendons par système, et comment les systèmes sont réalisés aux divers niveaux du monde observé.

Ce qu'il faut décrire par un système; la réponse à cette question n'est ni évidente, ni triviale. On admettra facilement qu'une galaxie, un chien, une cellule ou un atome sont *des systèmes réels*, c'est-à-dire des êtres perçus par l'observation ou déduits de celle-ci et qui existent indépendamment de l'observateur. D'un autre côté, il y a des *systèmes conceptuels* comme la logique, les mathématiques (mais aussi la musique) qui sont essentiellement des constructions symboliques; les *systèmes abstraits* (science) sont une sous-classe de cette dernière, c'est-à-dire les systèmes conceptuels correspondant à la réalité.

Cependant la distinction n'est pas aussi aiguë et aussi claire que cela. Un système écologique ou social est assez « réel », comme nous pouvons désagréablement le constater par exemple, quand le système écologique est perturbé par la pollution ou quand la société se présente à nous avec tant de problèmes irrésolus. Néanmoins il ne s'agit pas d'objets soumis à la perception ou à l'observation directe; ce sont des constructions conceptuelles. Ceci est aussi vrai des objets du monde de tous les jours qui ne sont absolument pas simplement « donnés », comme des données sensorielles ou de simples perceptions, mais sont véritablement formés d'un grand nombre de facteurs « mentaux » qui vont de la dynamique de la forme et des processus d'instruction, à la linguistique et aux facteurs culturels qui déterminent largement ce que nous « voyons » réellement ou ce que nous percevons. Ainsi, la distinction entre d'un côté les objets « réels » et les systèmes fournis par l'observation, d'un autre côté les constructions et les systèmes conceptuels ne peut être présentée d'une façon triviale. Ce sont des problèmes difficiles, et nous ne pouvons ici que les indiquer.

Ceci nous amène à l'*épistémologie des systèmes*. Comme il ressort de ce qui précède, elle diffère profondément de l'épistémologie du positivisme logique ou de l'empirisme, même si elle partage leur attitude scientifique. L'épistémologie (et la métaphysique) du positivisme logique était fondée sur les idées de physicalisme, d'atomicité et sur la « théorie de la caméra » pour la connaissance. Au regard des connaissances actuelles, ceci est périmé. Vis-à-vis du physicalisme et du réductionnisme, les problèmes et les modes de pensée de la biologie, des sciences sociales et du comportement nécessitent une égale considération, et une simple « réduction » à des particules élémentaires et aux lois de la physique conventionnelle ne semble plus possible. Face à la procédure analytique de la science classique, décomposition en composants élémentaires et mono-causalité ou causalité linéaire comme catégorie fondamentale, l'étude des ensembles organisés à beaucoup de variables nécessite de nouvelles catégories d'interaction, de transaction, d'organisation, de téléologie, etc.

Beaucoup de problèmes surgissent alors du point de vue épistémologique, ou au niveau des modèles et des techniques mathématiques. En outre, la perception n'est pas une réflexion des « choses réelles » (quel que soit leur statut métaphysique), et la connaissance n'est pas une simple approximation de la « vérité » ou « réalité ». C'est une interaction entre celui qui connaît l'objet de sa connaissance, qui dépend de multiples facteurs de nature biologique, psychologique, culturelle, linguistique, etc. La physique elle-même nous apprend qu'il n'existe pas d'êtres ultimes, corpuscules ou ondes, existant indépendamment de l'observateur. Ceci conduit à une philosophie « en perspective » qui, tout en reconnaissant totalement les réalisations de la physique dans son domaine et dans ceux qui lui sont liés, ne lui accorde pas le monopole de la connaissance. Face au réductionnisme et aux théories qui déclarent que la réalité « n'est rien de plus » qu'un amas de particules physiques, de gènes, de réflexes, de mouvements, que sais-je encore, nous considérons la science comme une des perspectives que l'homme a créées, avec ses dons et ses servitudes biologiques, culturelles et linguistiques, pour s'occuper de l'univers dans lequel il « est jeté », ou plutôt auquel il s'est adapté par suite de l'évolution et de l'histoire.

La troisième partie de la philosophie des systèmes s'occupera des relations de l'homme et du monde, de ce qu'on appelle les « valeurs » dans le langage philosophique. Si la réalité est une hiérarchie d'ensembles organisés, l'image de l'homme sera différente de ce qu'elle serait dans un monde de particules physiques gouverné par des événements aléatoires comme seule et ultime « vraie » réalité. Ou encore, le monde des symboles, des valeurs, des entités sociales et culturelles est quelque chose de très « réel ». Son insertion dans un ordre cosmique de hiérarchies est capable de combler l'opposition des « deux cultures » de C.P. Snow, celle de la science et celle des humanités, technologie et histoire, sciences naturelles et sciences sociales, quelle que soit la façon dont on formule l'antithèse.

Ce souci humaniste de la théorie générale des systèmes telle que je la comprends, la différencie de cette théorie mécaniste des systèmes qui ne parle qu'en termes de mathématiques, de rétroaction et de technologie, faisant ainsi naître la crainte que cette théorie des systèmes ne soit en fait la dernière étape vers la mécanisation et la dégradation de l'homme, vers la société technocratique. Tout en connaissant et en mettant en évidence l'aspect mathématique, science à la fois pure et appliquée, je ne crois pas que ces aspects humanistes puissent être écartés, du moins si on ne limite pas la théorie générale des systèmes à une vision restrictive et fractionnaire.

On trouvera peut-être ici une autre raison d'utiliser ce livre comme une introduction à ce domaine. Une présentation faite dans un livre doit suivre le chemin droit et étroit de la rigueur mathématique et scientifique. Il n'est pas besoin de préciser la nécessité d'un tel exposé « technique ». Mais ce livre conduira à beaucoup d'autres problèmes couverts par la théorie générale des systèmes.

Cet ouvrage contient, après une bibliographie assez étendue qui indique les sources citées dans le texte, une liste suggestive de lectures qui pourront sembler utiles aux étudiants. En particulier, les publications récentes qui suivent présenteront des textes intéressants sur les notions introduites dans ce livre. On trouve une discussion sur les diverses approches de la théorie générale des systèmes dans *Trends in General Systems Theory* (publié par G. Klir) et dans *Unity Through Diversity* (recueil en l'honneur de L. von Bertalanffy, réalisé par W. Gray et N. Rizzo), en particulier, livres II et IV. La *Dynamical System Theory* est développée dans le livre qui porte ce titre par Robert Rosen. Une excellente présentation de la théorie des systèmes dynamiques et de la théorie des systèmes ouverts, dans la même ligne que ce livre, est fournie par W. Beier dans *Biophysik* (qui devrait bientôt paraître en anglais). *An Approach to General Systems Theory* de G.J. Klir apporte un développement axiomatique. Suggérons *Einführung in die Moderne System Theorie* de H. Schwarz pour les développements suivant le point de vue de la technologie de la commande. Pour la théorie des systèmes dans les sciences de l'homme, on peut citer : *General Systems Theory and Psychiatry* (W. Gray, F.D. Duhl, et N.D. Rizzo); *Modern Systems Research for the Behavioral Scientists* (W. Buckley); *System, Change and Conflict* (N.J. Demerath et R.A. Peterson). Laszlo développe dans *Introduction to Systems Philosophy*, la philosophie des systèmes.

Notre espoir est que ce livre serve d'introduction pour les étudiants et de stimulant pour ceux qui travaillent à la théorie générale des systèmes.

Ludwig VON BERTALANFFY
State University of New York at Buffalo
Février 1971

TABLE DES MATIÈRES

Préface a l'édition penguin V

1. **Introduction** 1

    Partout autour de nous des systèmes! 1
    Historique de la théorie des systèmes 9
    Tendances de la théorie des systèmes 16

2. **Théorie générale des systèmes. Qu'est-ce que cela signifie?** 30

    Une théorie des systèmes est nécessaire 30
    Buts de la théorie générale des systèmes 35
    Systèmes ouverts et fermés : limites de la physique conventionnelle . 37
    Information et Entropie 40
    Causalité et téléologie 43
    Qu'est-ce que l'organisation ? 45
    La théorie générale des systèmes et l'unité de la science 46
    La théorie générale des systèmes dans l'enseignement : l'avènement
    de généralités scientifiques 47
    Science et Société 49
    Le commandement ultime : l'homme est un individu 51

3. **Considérations mathématiques élémentaires sur quelques concepts
    de système** 52

    Le concept de système 52
    Croissance 58
    Compétition 61
    Totalité, somme, mécanisation, centralisation 64
    Finalité 73
    Types de finalité 75
    Les isomorphismes en science 77
    L'unité de la science 83
    Notes sur les développements de la théorie mathématique des systèmes .. 87

4. Développements de la théorie générale des systèmes **93**

Approches et buts en science des systèmes 93
Les méthodes de la théorie générale des systèmes 99
Progrès de la théorie générale des systèmes 103

5. L'organisme considéré comme un système physique **124**

L'organisme en tant que système ouvert 124
Caractéristiques générales des systèmes chimiques ouverts 128
Equifinalité 136
Applications biologiques 138

6. Le modèle du système ouvert **143**

La machine vivante et ses limites 143
Quelques caractéristiques des systèmes ouverts 145
Les systèmes ouverts en biologie 149
Les systèmes ouverts et la cybernétique 154
Problèmes non résolus 155
Conclusion 158

7. Quelques aspects de la théorie des systèmes en biologie **159**

Systèmes ouverts et états stables 160
Rétroaction et homéostase 164
Allométrie et loi de surface 168
Théorie de la croissance animale 176
Résumé 189

8. Le concept de système dans les sciences de l'homme **191**

La révolution organique 191
L'image de l'homme dans la pensée contemporaine 193
Réorientation de la théorie en fonction des systèmes 197
Les systèmes en sciences sociales 199
Une conception de l'histoire par la théorie des systèmes 202
Le futur vu sous l'aspect de la théorie des systèmes 208

9. La théorie générale des systèmes appliquée à la psychologie et à la psychiatrie **211**

La psychologie moderne était dans une impasse 211
Les concepts de système en psychopathologie 213
Conclusion 225

10. La relativité des catégories **227**

L'hypothèse de Whorf 227
Relativité biologique des catégories 232
Relativité culturelle des catégories 237
La vision perspectiviste 243
Notes 252

APPENDICE : **le sens et l'unité de la science** 255

BIBLIOGRAPHIE 258

LECTURES CONSEILLÉES 279

INDEX 283

CHAPITRE 1

INTRODUCTION

Partout autour de nous, des systèmes !

Si l'on voulait analyser les idées à la mode et les mots en vogue, on trouverait en tête de la liste le mot « système ». En effet ce concept s'est introduit dans tous les domaines scientifiques et a pénétré la pensée, le vocabulaire et les mass-media populaires. L'étude des systèmes joue un rôle primordial dans de nombreuses branches, depuis l'entreprise industrielle et les armements, jusqu'aux sujets ésotériques abordés par la science pure. D'innombrables publications, conférences, symposiums et cours lui ont été consacrés. Pendant les dernières années, on a vu apparaître des professions et des emplois, inconnus jusque-là, qui ont pris les noms d'étude des systèmes, d'analyse des systèmes, d'ingénieur en systèmes et bien d'autres encore. Ils sont le noyau d'une nouvelle technologie, d'une nouvelle technocratie; leurs praticiens sont les « nouveaux utopistes » de notre temps (Boguslaw, 1965) qui, contrairement aux tenants de la ligne classique dont les idées ne sont pas sorties des livres, œuvrent pour créer un Nouveau Monde, qu'il soit « le meilleur » ou que sais-je encore ([1]).

Les origines de ce fait nouveau sont complexes. Il y a l'évolution qui s'est produite depuis la technique de l'énergie, c'est-à-dire la libération de grandes quantités d'énergie par des machines à vapeur ou électriques, jusqu'à la technique de la commande, capable de diriger des processus grâce à des dispositifs de faible puissance et qui a conduit aux calculateurs et à l'automatique. On a vu apparaître des machines auto-régulées, du simple thermostat domestique aux missiles très élaborés d'aujourd'hui, en passant par les engins à tête chercheuse de la Seconde Guerre Mondiale. Les ingénieurs ont été conduits à penser non plus en termes de machines individuelles mais en termes de systèmes. Une machine à vapeur, une

[1] N.D.T. Allusion au roman de A. Huxley : « Brave New World ».

automobile ou un récepteur-radio se situaient au niveau des compétences de l'ingénieur spécialisé dans les techniques appropriées; par contre, au niveau des missiles balistiques ou des véhicules spatiaux qu'il faut assembler à partir de composants issus de technologies différentes, mécanique, électronique, chimie, etc., on voit entrer en jeu les relations entre l'homme et la machine; d'innombrables problèmes financiers, économiques, sociaux ou politiques sont impliqués dans l'affaire. Il en va de même de la circulation, aérienne ou automobile, qui ne dépend pas seulement du nombre des véhicules, mais des systèmes qui doivent être planifiés ou régulés. De même, de nombreux problèmes se présentent en ce qui concerne la production, le commerce ou les armements.

Ainsi une « approche par les systèmes » devient-elle nécessaire. Un objectif est donné; pour trouver les voies et les moyens de sa réalisation il faut un spécialiste des systèmes (ou une équipe de spécialistes) qui puisse envisager les diverses possibilités et choisir, au milieu d'un réseau terriblement emmêlé d'interactions, celles qui permettront d'arriver à l'optimum avec le maximum d'efficacité et un coût minimal. Il faut, pour résoudre ces problèmes qui dépassent de loin les possibilités d'un seul mathématicien, des techniques poussées et des ordinateurs. Le « hardware » des ordinateurs, c'est-à-dire l'automatique et la cybernétique, le « software » de la science des systèmes, représentent autant l'un que l'autre une nouvelle technologie. C'est ce qu'on a appelé la Seconde Révolution Industrielle, celle qui s'est développée seulement dans les toutes dernières années.

Ces progrès n'ont pas été limités au seul complexe industrie-armée. Les hommes politiques réclament de plus en plus souvent qu'on applique « l'approche par les systèmes » à des problèmes urgents comme la pollution de l'air et de l'eau, le congestionnement du trafic, la pègre des villes, la délinquance juvénile et le crime organisé, la planification urbaine (Wolfe, 1967), etc., appelant cela un « *nouveau concept révolutionnaire* » (Carter, 1966; Boffey, 1967). Un premier ministre canadien (Manning, 1967) met « l'approche par les systèmes » dans son programme politique, déclarant :

> « Il existe des interactions entre tous les éléments et tous les constituants de la société. Tous les facteurs essentiels, dans les problèmes publics, toutes les solutions, les politiques et les programmes, doivent toujours être considérés et évalués comme les composantes liées d'un système global. »

Ces développements ne seraient qu'une des nombreuses facettes de l'évolution de la société technologique contemporaine, s'ils n'étaient tenus pour un facteur essentiel, qu'on peut observer dans les techniques très complexes et nécessairement trés spécialisées de la science des calculateurs, comme dans la pratique des systèmes, ainsi que dans les domaines connexes. Il ne s'agit pas seulement d'une tendance en technologie qui rendrait tout plus important ou meilleur (a contrario plus profitable ou plus destructif, ou même les deux à la fois); il s'agit d'un changement dans les catégories fondamentales de pensée; la complexification des techniques modernes n'en est qu'une manifestation, et peut-être pas la plus importante. D'une façon ou d'une autre nous sommes bien obligés de tenir compte de ces phénomènes de complexification, des « ensembles » ou des « systèmes » dans tous les domaines de la connaissance. Ceci implique une réorientation à la base de la pensée scientifique.

Essayer de résumer l'impact des « systèmes » serait impossible et préjugerait du contenu de ce livre. Quelques exemples choisis plus ou moins arbitrairement doivent suffire à cerner le problème et les nouvelles orientations qui s'en déduisent. Le lecteur excusera la « note » égocentrique des citations, en pensant que le but de ce livre est plus de présenter le point de vue de l'auteur, qu'une revue neutre sur le sujet.

La physique, quant à elle, a progressé à pas de géant pendant les dernières décennies. Cette progression a suscité de nouveaux problèmes, ou plus exactement de nouveaux types de problèmes. Pour le profane, c'est dans le domaine infini constitué par les quelques centaines de particules élémentaires que le problème se pose avec le plus d'évidence. C'est là en effet que la physique est la moins riche d'explications. Comme le dit un scientifique de renom (de Shalit, 1966), les progrès ultérieurs de la physique nucléaire « nécessitent un énorme travail expérimental, ainsi que des méthodes puissantes et inédites permettant la manipulation de systèmes comportant un grand nombre de particules, ce nombre restant néanmoins fini ». Le même besoin fut exprimé avec humour par le célèbre physiologiste A. Szent-Györgyi (1964) :

> « Quand je suis venu à l'Institut d'études avancées de Princeton, j'espérais qu'en coudoyant ces grands savants atomistes et mathématiciens, j'apprendrais quelque chose sur la « vie ». Aussitôt que je leur révélai que dans tout système vivant il y a plus de deux électrons, les physiciens cessèrent de me parler. Avec tous leurs ordinateurs, ils ne pouvaient même pas dire ce que ferait le troisième électron. Ce qui est remarquable, c'est que celui-ci sait exactement ce qu'il a à faire. Ainsi ce petit électron sait quelque chose que tous les sages de Prince-

ton ne peuvent connaître; ce ne peut donc être que quelque chose de très simple. »

Et Bernal (1957) formula il y a quelques années le problème qui suit; il n'est pas encore résolu :

> « Aucun de ceux qui connaissent les difficultés actuelles ne croit que la crise de la physique pourra être résolue par un simple tour de passe-passe ou une modification des théories existantes. Un changement radical est nécessaire; il devra aller beaucoup plus loin que la physique. La perspective d'un nouveau monde est en vue, mais avant qu'il ne puisse prendre une forme définitive, il faut plus d'expérience et de discussion. Il nous faut quelque chose de cohérent qui incorpore et éclaire la connaissance nouvelle des particules fondamentales et leur domaine complexe, qui résolve les paradoxes « ondes-particules », qui rende également intelligibles le monde interne de l'atome, et les gigantesques étendues de l'univers. Sa dimension doit être tout autre que celle des visions antérieures du monde et doit contenir en soi une explication de l'origine et de l'évolution des êtres nouveaux. En cela on s'alignera sur les tendances convergentes des sciences biologiques et sociales, pour lesquelles un modèle régulier se mêle à une histoire évolutive. »

Les succès de la biologie moléculaire au cours des dernières années, la « rupture » du code génétique et les réalisations qui en découlent en génétique, en théorie de l'évolution, en médecine, en physiologie cellulaire et dans beaucoup d'autres domaines, sont connus de tous. Mais en dépit, à moins que ce ne soit à cause de la grande pénétration atteinte par la biologie moléculaire, la nécessité d'une biologie « organique » est devenue évidente, comme je le préconise depuis 40 ans. L'intérêt de la biologie ne se porte pas seulement au niveau physico-chimique ou moléculaire, mais aussi aux plus hauts stades de l'organisme vivant. Comme nous le verrons plus loin (p. 11), ce besoin s'est fait sentir avec une force nouvelle, eu égard aux faits et aux connaissances récents; mais rarement une thèse qui n'ait pas été discutée, a été ajoutée (von Bertalanffy, 1928 *a*, 1932, 1949 *a*, 1960).

En psychologie le concept fondamental était celui de « modèle-robot ». Le comportement s'expliquait par le schéma mécaniste stimulus-réponse (S-R); selon le modèle de l'expérience animale, le conditionnement était le fondement du comportement humain; « compréhension » devait être remplacée par réaction conditionnée. On niait la spécificité du comportement humain, etc. La psychologie de la forme [1] fit la première brèche dans le schéma mécaniste il y a une cinquantaine d'années. Plus récemment on a essayé d'obtenir une « image de l'homme » plus satisfaisante, et le concept de système est en train de prendre de l'importance (chapitre 8); Piaget, par exemple, « relie ses conceptions à la théorie générale des systèmes de Bertalanffy » (Hahn, 1967).

Plus encore peut-être que la psychologie, la psychiatrie s'est placée du point de vue des systèmes (par exemple Menninger, 1963; von Bertalanffy, 1966; Grinker, 1967, et autres sous presse). Citons Grinker :

> « De toutes celles qu'on a appelées des théories globales, la seule qui ait tenu bon, est celle que Bertalanffy énonça et définit en 1947, sous le titre de « théorie générale des systèmes »... Depuis lors, il a affiné, modifié et appliqué ses concepts, établi une société pour la théorie générale des systèmes et publié un *General Systems Yearbook* [2]. Un grand nombre de chercheurs en sciences sociales, mais seulement une poignée de psychiatres, avaient étudié, compris ou appliqué la théorie des systèmes. Subitement, un seuil fut atteint sous la direction du Dr William Gray, de Boston, en sorte qu'à la 122e réunion annuelle de l'American Psychiatric Association en 1966, deux sessions eurent lieu pour discuter de cette théorie et des réunions régulières pour les psychiatres furent organisées; leur but : une participation future au développement de cette « Théorie Unifiée du Comportement Humain ». S'il doit y avoir une troisième révolution (c'est-à-dire après celles de la psychanalyse et du comportement) c'est dans le développement d'une théorie générale. »

Le rapport d'une récente réunion (American Psychiatric Association, 1967) dessine un éclatant tableau :

> « Quand une pièce pouvant contenir 1 500 personnes est si pleine que des centaines d'entre elles doivent rester debout pendant toute une matinée de travail, c'est que le sujet doit vraiment passionner l'assistance. C'est ce qui se produisit au symposium sur l'utilisation d'une théorie générale des systèmes en psychiatrie, qui eut lieu à la réunion de l'American Psychiatric Association de Detroit (Damude, 1967.) »

---

[1] N.D.T. En allemand dans le texte : « Gestalt ».
[2] N.D.T. Revue annuelle sur les systèmes.

Il en va de même en sciences sociales. Du grand océan de confusion et de contradictions universelles des théories sociologiques contemporaines (Sorokin, 1928, 1966), une conclusion surnage : les phénomènes sociaux doivent être considérés comme des systèmes compliqués, actuellement mal précisés, comme le sont quelquefois les définitions d'entités socio-culturelles. Il existe :

«... une perspective de révolution scientifique issue de la recherche générale sur les systèmes, accompagnée d'une profusion de principes, d'idées et d'aperçus qui ont déjà apporté un haut degré d'ordre scientifique et de compréhension dans beaucoup de secteurs de la biologie, de la psychologie et de certaines sciences physiques... La recherche moderne sur les systèmes peut fournir les éléments d'une construction plus apte à rendre justice aux complexités et aux propriétés dynamiques des systèmes socio-culturels (Buckley, 1967). »

Le cours des événements de notre époque suggère la même chose en histoire; en fait, l'histoire, c'est la sociologie dans son évolution, étudiée « longitudinalement ». Ce sont les mêmes entités socio-culturelles qu'étudient la sociologie dans leur état présent et l'histoire dans leur mouvement.

Les périodes primitives de l'histoire se consolaient en blâmant les atrocités et les stupidités des mauvais rois, les méchants dictateurs, l'ignorance, la superstition, l'indigence matérielle et tous les facteurs liés. En conséquence, l'histoire était du type « qui-a-fait-quoi », ou comme on le disait plus techniquement, « idiographique ». Ainsi, la Guerre de Trente Ans était-elle due à des superstitions religieuses et à des rivalités entre princes allemands; ainsi Napoléon mit-il l'Europe sens dessus dessous pour satisfaire son ambition démesurée. La Seconde Guerre Mondiale pourrait être attribuée à la perversité d'Hitler ou au penchant guerrier des allemands.

Nous avons perdu ce confort intellectuel. En situation de démocratie, d'éducation universelle et d'abondance générale, les excuses d'autrefois s'écroulent lamentablement. Si on regarde l'histoire contemporaine dans sa réalisation, il est difficile d'imputer à des seuls individus son irrationnalité, et sa bestialité (sauf si nous leur octroyons une capacité de méchanceté et de stupidité surhumaine ou sous-humaine). Nous avons plutôt l'impression d'être victimes de « forces historiques », quelles qu'elles soient. Les événements semblent impliquer plus que de simples décisions ou actions individuelles; ils sont déterminés par des systèmes socio-culturels, qu'on les appelle préjugés, idéologies, groupes de pression, tendances sociales, croissance et décadence des civilisations, que sais-je encore ? Nous savons scientifiquement et avec précision quels seront les effets de la pollution, du pillage des ressources naturelles, de l'explosion démographique, de la course aux armements, etc. D'innombrables critiques nous le font savoir chaque jour de l'année en citant des arguments irréfutables. Mais ni les leaders nationaux, ni la société dans son ensemble, ne paraissent pouvoir y faire quelque chose. Si nous nous refusons à une explication divine, *Quem Deus vult perdere dementat*, nous semblons guidés par une tragique nécessité historique.

Tout en réalisant l'imprécision de concepts comme celui de civilisation et les imperfections des « grandes théories » comme celles de Spengler et Toynbee, on pose le problème de la régularité ou des lois en matière de systèmes socio-culturels, sans pour cela aller nécessairement jusqu'à l'inéluctabilité de l'histoire selon Sir Isaiah Berlin. Un panorama historique comme *The Rise of the West* ([1]) (1963) de MacNeill, qui met en évidence sa position anti-spenglerienne jusque dans le choix du titre, présente néanmoins un récit de systèmes historiques. Une telle conception pénètre des domaines qui en sont apparemment très éloignés; par exemple le point de vue de la « process-school of archeology » ([2]) est emprunté à la « construction sur le développement embryonnaire de L. von Bertalanffy; dans celle-ci les systèmes modifient leur comportement à des points critiques et ne peuvent revenir à leur situation antérieure » (Flannery, 1967).

Alors que la sociologie (l'histoire aussi, je pense) s'occupe d'organismes informels, une théorie des organisations formelles s'est développée récemment; ce sont des structures instaurées selon un plan comme celles de l'armée, de la bureaucratie, des entreprises d'affaires, etc. Cette théorie est « soutenue par une philosophie qui choisit pour prémisse : la seule façon sensée d'étudier l'organisation est de la traiter comme un système », l'analyse des systèmes considérant « l'organisme comme un système de variables mutuellement dépendantes »; dans ces conditions, « la théorie moderne de l'organisation conduit presque à coup sûr à la discussion de la théorie générale des systèmes » (Scott, 1963). Comme le dit un praticien de la recherche opérationnelle :

> « Au cours des deux dernières décennies nous avons assisté à l'émergence du « système » comme concept-clef de la recherche scientifique. Bien sûr, les systèmes ont été étudiés depuis des siècles, mais quelque

---

([1]) N.D.T. « L'ascension de l'Ouest ».
([2]) N.D.T. Ecole d'archéologie.

chose de nouveau a été ajouté... La tendance à analyser les systèmes comme un tout plutôt que comme une agrégation de parties est compatible avec le penchant de la science contemporaine à ne plus isoler les phénomènes dans des contextes étroitement confinés, à ne plus décortiquer les interactions avant de les examiner, à regarder des « tranches de nature » de plus en plus larges. Sous la bannière de la *recherche en systèmes* (et de tous ses synonymes), nous avons aussi assisté à la convergence de développements scientifiques actuels très spécialisés... Ces travaux de recherche et de nombreux autres sont en train d'être unis dans un effort coopératif qui englobe un spectre sans cesse plus large de disciplines scientifiques et techniques. Nous participons au plus grand effort qui ait jamais été fait pour arriver à une synthèse des connaissances scientifiques » (Ackoff, 1958).

En ce sens, la boucle se referme et nous nous retrouvons devant les progrès de la société technologique contemporaine dont nous étions partis. Ce qui ressort de ces considérations, si imprécises et superficielles soient-elles, c'est que dans la gamme des sciences modernes et des nouveaux concepts concernant la vie, on a besoin d'idées et de catégories neuves et que celles-ci, d'une façon ou d'une autre, sont centrées autour du concept de « système ». Citons pour changer un auteur soviétique :

« L'élaboration de méthodes spécifiques pour étudier les systèmes est la tendance la plus générale de la connaissance scientifique actuelle, de même qu'au XIXᵉ siècle c'était la concentration de toute l'attention sur l'élaboration de formes et de processus élémentaires dans la nature qui caractérisait la science » (Lewada, *in* Hahn, 1967, p. 185).

Les dangers de cette évolution sont hélas manifestes et ont souvent été mis en évidence. Le nouveau monde cybernétique, selon le psychothérapeute Ruesch (1967), ne se préoccupe pas de l'homme, mais de « systèmes »; l'homme y devient remplaçable et sacrifiable. Pour les nouveaux utopistes de la technique des systèmes, comme le dit Boguslaw (1965), la composante des systèmes sur laquelle on ne peut compter, c'est précisément l'« élément humain ». Ou bien, il faut entièrement l'éliminer et le remplacer par le hardware des calculateurs, mécanique qui se règle toute seule, ou bien il doit être rendu aussi sûr que possible, c'est-à-dire mécanisé, conformisé, contrôlé et normalisé. En termes plus durs, dans le Grand Système, l'homme doit devenir, et il l'est déjà devenu dans une certaine mesure, un idiot-pousse-bouton ou un idiot-instruit; c'est-à-dire être étroitement spécialisé ou un simple morceau de la machine. Ceci est conforme à un principe des systèmes bien connu, celui de la mécanisation progressive; l'individu se transforme en rouage dominé par quelques leaders privilégiés, médiocres et mystificateurs, qui poursuivent leur intérêt propre sous le couvert des idéologies (Sorokin, 1956, p. 558 et suiv.).

Que nous envisagions la croissance positive de la connaissance, et le contrôle bénéfique de l'environnement et de la société, ou que nous voyions dans l'évolution des systèmes la venue de *Brave New World* et de *1984* [1]; ceci nous réserve un travail intensif, dont nous devons venir à bout.

Historique de la théorie des systèmes

Comme nous l'avons vu, les spécialistes des principaux domaines scientifiques, de la physique sub-atomique à l'histoire, sont d'accord sur le fait qu'il faut réorienter la science. L'évolution de la technologie moderne se fait parallèlement à cette ligne de force.

Autant qu'on puisse l'affirmer, l'idée d'une « théorie générale des systèmes » fut introduite pour la première fois par l'auteur de cet ouvrage bien avant la cybernétique, la technique des systèmes et l'apparition des domaines connexes. Son approche de cette notion est brièvement racontée dans une autre partie de ce livre (p. 93 et suiv.), mais quelques précisions semblent être nécessaires au vu de récents débats.

Comme toute idée nouvelle, sur le plan scientifique, comme ailleurs, le concept de système a une longue histoire. Bien que le terme de « système » lui-même n'ait pas été mis en évidence, l'historique de cette notion appelle beaucoup de noms illustres. En tant que « philosophie naturelle », nous pouvons remonter jusqu'à Leibnitz; jusqu'à Nicolas da Cusa avec sa « coïncidence des extrêmes » et jusqu'à la médecine mystique de Paracelsus; jusqu'à Vico et Ibn Khaldoun pour leur conception de l'histoire comme une suite d'entités culturelles ou « systèmes »; jusqu'à la dialectique de Hegel et Marx, ceci pour ne mentionner que quelques noms parmi une riche panoplie de penseurs. Le gourmet littéraire se doit de connaître *de Ludo Globi* de Nicolas da Cusa (1413; *cf.* von Bertalanffy, 1928 *b*) et le *Glasperlenspiel* de Herman Hesse qui tous les deux considèrent que la « vie » du monde est bien reflétée par un jeu abstrait, adroitement dessiné.

Il y avait eu quelques travaux préliminaires dans le domaine de la théorie générale des systèmes. Le « physical *gestalten* » de Köhler (1924) [2]

---

[1] N.D.T. Romans d'anticipation, de Aldous Huxley et Orwell respectivement, montrant la société future sous un jour inhumain.

[2] N.D.T. On pourrait traduire ce titre par « les formes physiques ».

allait dans cette direction mais ne s'occupait pas du problème dans toute sa généralité, restreignant le sujet aux *formes* en physique (et aux phénomènes biologiques et psychologiques qui pouvaient s'interpréter sur cette base). Dans une publication ultérieure (1927), Köhler énonça le postulat d'une théorie des systèmes, désirant élaborer les propriétés les plus générales des systèmes inorganiques, en face des systèmes organiques; ce besoin fut dans une certaine mesure satisfait par la théorie des systèmes ouverts. Ce classique qu'est le livre de Lotka (1925) approcha plus de l'objectif et nous lui sommes redevables des formulations fondamentales. Lotka se préoccupa en effet d'un concept général de système (sans se restreindre comme Köhler aux systèmes physiques). Toutefois, comme il était statisticien et comme il était plus porté par son intérêt vers les problèmes de population que vers les problèmes biologiques de l'organisme individuel, Lotka, pour une raison incompréhensible, considéra les communautés comme des systèmes alors qu'il concevait l'organisme individuel comme une agrégation de cellules.

Néanmoins, la nécessité et la vraisemblance de l'approche par les systèmes n'apparurent que récemment. La première résultait de ce que le schéma mécaniste d'enchaînements causals isolables et le traitement dichotomique (¹) s'étaient montrés insuffisants pour tenir compte des problèmes théoriques, en particulier dans les sciences bio-sociales, et des problèmes pratiques posés par la technologie moderne. La vraisemblance quant à elle, provenait de développements nouveaux et divers, théoriques, épistémologiques, mathématiques, etc., qui, bien qu'encore à leurs débuts, rendirent cette approche progressivement réalisable.

L'auteur de ce livre fut intrigué au début des années 20 par des lacunes évidentes dans la recherche et la théorie biologiques. L'approche mécaniste qui prévalait alors semblait négliger ou même rejeter ce qu'il y a d'essentiel dans le phénomène de la vie. Il préconisa une conception organique de la biologie mettant en évidence l'importance de l'organisme considéré comme un tout ou un système et donnant pour objectif principal aux sciences biologiques : la découverte des principes de l'organisation à tous ses niveaux. Les premiers exposés de l'auteur remontent à 1925-26, alors que c'est en 1925 qu'avait été publiée par Whitehead la philosophie du « mécanisme organique ». Les travaux de Cannon sur l'homéostase datent de 1929 et 1932. La conception organique avait un grand précurseur, Claude Bernard, mais ses œuvres étaient peu connues hors de France; de nos jours encore,

---

(¹) N.D.T. En anglais : « meristic treatment », c'est-à-dire traitement du problème en le découpant, ou encore, traitement par dichotomie.

elles ne sont pas reconnues à leur juste valeur (Bernal, 1957, p. 960). L'apparition simultanée d'idées similaires sur différents continents, ceci indépendamment les unes des autres, fut symptomatique d'une tendance nouvelle; il lui fallut néanmoins un certain temps pour être acceptée.

Ce qui me suggère ces remarques, c'est qu'au cours des dernières années, des biologistes américains de renom ont remis en vedette la « biologie organique » (Dubos, 1964, 1967; Dobzhansky, 1966; Commoner, 1961), ceci sans mentionner les travaux biens antérieurs de l'auteur de ce livre, alors que ceux-ci avaient été dûment reconnus par la littérature européenne et par celle des pays socialistes (par ex. Ungerer, 1966; Blandino, 1960; Tribino, 1946; Kanaev, 1966; Kamaryt, 1961, 1963; Bendmann, 1963, 1967; Afanasjew, 1962). On peut affirmer de manière précise que les discussions récentes (par ex. Nagel, 1961; Hempel, 1965; Beckner, 1959; Smith, 1966; Schaffner, 1967), bien que se référant aux progrès de la biologie au cours des 40 dernières années, n'ont rien apporté de nouveau par rapport aux travaux de l'auteur.

Sur le plan philosophique, l'auteur a été formé dans la traditon néopositiviste du groupe de Moritz Schlick, plus connu plus tard sous le nom de « cercle de Vienne ». Néanmoins, l'intérêt qu'il portait manifestement au mysticisme allemand, au relativisme historique de Spengler, à l'histoire de l'art et à d'autres sujets aussi peu orthodoxes, excluait qu'il devint un bon positiviste. Il se sentait plus proche du groupe berlinois de la « société de philosophie empirique » des années 20, dans lequel se trouvaient le philosophe-physicien Hans Reinchenbach, le psychologue A. Herzberg et l'ingénieur Parseval (inventeur du dirigeable).

En rapport, d'une part avec les recherches expérimentales sur le métabolisme et la croissance, de l'autre avec un effort pour concrétiser le programme organique, on mit en évidence la théorie des systèmes ouverts, fondée sur le fait évident qu'il arrive que l'organisme soit un système ouvert; aucune théorie de cet ordre n'existait encore à l'époque. La première présentation, succédant à quelques essais, est incluse dans ce livre (chapitre 5). La biophysique ressentit alors le besoin d'une évolution physique classique, d'une généralisation des principes cinétiques et de ceux de la théorie thermodynamique, celle-ci devenant ultérieurement la thermodynamique irréversible.

Mais c'est alors qu'apparut une généralisation plus poussée. Dans beaucoup de phénomènes biologiques ainsi que dans ceux des sciences sociales et du comportement, il est possible d'appliquer les expressions et les modèles mathématiques. Ceux-ci ne sont évidemment pas des entités physiques ou chimiques et en ce sens ils transcendent la physique comme modèle de la « science excate ». (Soit dit en passant, l'auteur avait lancé une publication, *Abhandlungen zur exakten Biologie* pour remplacer celle de Schaxel, *Abhandlungen zur theoretischen Biologie* ([1]), mais elle disparut pendant la guerre.) On se rendit compte alors de la similitude structurelle entre ces modèles, de l'isomorphisme entre leurs différents domaines; du coup, ces problèmes d'ordre, d'organisation, de totalité, de téléologie, etc., devinrent primordiaux, alors que par définition, ils étaient exclus de la science mécaniste. Ceci amena l'idée de la « théorie générale des systèmes ».

L'époque ne se montrait guère favorable à une telle évolution. La biologie se réduisait au travail de laboratoire et l'auteur était tombé le bec dans l'eau en publiant *Theoretische Biologie* (1932); ce domaine n'est d'ailleurs académiquement respectable que depuis peu. De nos jours, alors que de nombreux journaux et de nombreuses publications se consacrent à cette discipline, alors que la construction de modèles est devenue un sport en chambre à la mode et généreusement encouragé, il est difficile d'imaginer une résistance face à de telles idées. La reconnaissance du concept de théorie générale des systèmes, en particulier par le regretté Professeur Otto Pötzl, le célèbre psychiatre Viennois, aida l'auteur à surmonter ses difficultés et à publier un article (reproduit dans le chapitre 3). A nouveau le sort s'en mêla. L'article (paru dans le *Deutsche Zeitschrift für Philosophie*) avait atteint le stade de la démonstration, mais la méthode pour la mener à bout fut détruite dans la catastrophe de la dernière guerre. C'est après celle-ci que la théorie générale des systèmes fit l'objet d'un cours (*cf.* Appendice), fut amplement discutée avec des physiciens (von Bertalanffy, 1948 *a*) et fut examinée dans des cours et dans des symposiums (par ex. von Bertalanffy et autres, 1951).

La présentation de la théorie des systèmes fut accueillie de façon incrédule comme étant invraisemblable ou présomptueuse. Pour les uns c'était *trivial*; nos isomorphismes n'étaient que des illustrations simples de l'axiome qui dit que les mathématiques peuvent être appliquées à toutes sortes de choses; en conséquence, ça n'avait pas plus de poids que la « découverte » de ce que $2 + 2 = 4$ marchait avec des pommes, des dollars, ou des galaxies. Pour les autres c'était *faux* et *trompeur* à cause d'analogies superficielles, telles que la fameuse assimilation de la société à un « organisme », qui masquent les différences véritables et conduisent ainsi à des conclusions fausses et moralement critiquables. Pour d'autres encore, il s'agissait d'une

---

([1]) N.D.T. « Traités de biologie exacte » et « Traités de biologie théorique ».

théorie philosophiquement et méthodologiquement *mal fondée*; en effet, l'affirmation que les niveaux les plus élevés ne peuvent se réduire à des niveaux plus simples tendait à entraver la recherche analytique dont le succès était évident dans divers domaines; réduction de la chimie à des principes physiques ou celle des phénomènes vivants à la biologie moléculaire.

Petit à petit on se rendit compte que de telles objections provenaient d'une incompréhension de ce qu'était la théorie des systèmes, à savoir : un essai d'interprétation scientifique, en un endroit où il n'y en avait jamais eu, d'une théorie plus générale que celle des sciences spécialisées. La théorie générale des systèmes répondait à une tendance cachée des diverses branches. Une lettre de l'économiste K. Boulding, datée de 1953, résume bien la situation :

« Il me semble être arrivé à une conclusion presque identique à celle que vous avez obtenue, bien que l'ayant approchée par l'économie et les sciences sociales plutôt que par la biologie; celle qu'il existe le corps de ce que j'ai appelé « théorie générale empirique » ou dans votre excellente terminologie « théorie générale des systèmes », qui peut s'appliquer largement à diverses disciplines. Je suis sûr qu'il y a par le monde beaucoup de gens qui sont arrivés à une position comme la nôtre, mais nous sommes largement dispersés et nous ne nous connaissons pas, tant il est difficile de franchir les frontières interdisciplinaires. »

Pendant la première année du Centre d'Études Avancées des Sciences du Comportement (Palo Alto), Boulding, le biomathématicien A. Rapoport, le physiologiste Ralph Gerard et moi-même nous trouvâmes réunis. Le projet d'une Société pour la théorie générale des systèmes se réalisa au Meeting Annuel de l'Association Américaine pour l'Avancement de la Science de 1954. Le nom fut ensuite changé en celui, moins prétentieux, de « Société pour la Recherche sur les Systèmes Généraux », qui est maintenant affiliée à l'AAAS et dont les Meetings sont devenus une partie très attendue des assemblées de l'AAAS. Des groupes locaux de la société furent installés en divers endroits aux USA et ensuite en Europe. Le programme originel de la Société n'avait besoin d'aucune révision :

« La « Society for General Systems Research » fut créée en 1954 pour favoriser le développement des systèmes théoriques applicables à plusieurs secteurs traditionnels de la connaissance. Ses fonctions principales : 1° rechercher les concepts, lois et modèles de même forme dans les divers domaines et aider aux échanges utiles d'un domaine à l'autre; 2° encourager le développement de modèles théoriques adéquats dans les branches qui en manquent; 3° minimiser la multiplication des efforts théoriques dans les divers domaines; 4° promouvoir l'unité de la science en améliorant les rapports entre les spécialistes.

Le Yearbook de la Société, *General Systems*, a depuis servi cette cause sous la direction efficace de A. Rapoport. Intentionnellement *General Systems* ne suit pas une politique rigide, mais prête ses colonnes à des « working papers » de directions diverses; cela semble normal dans un domaine qui a besoin d'idées et d'imagination. Un grand nombre d'études et de publications soutiennent ces recherches dans divers domaines; une revue, *Mathematical Systems Theory*, vient de faire son apparition.

Pendant ce temps, d'autres événements avaient lieu. *Cybernétique* de Norbert Wiener parut en 1948, résultant de l'évolution récente de la technologie des calculateurs, de la théorie de l'information, des machines automatiques. Encore une de ces coïncidences qui se produisent quand des idées sont dans l'air; trois études parurent à peu près à la même époque : *Cybernétique* de Wiener (1948), la théorie de l'information de Shannon et Weaver (1949) et la théorie des jeux de von Neumann et Morgenstein (1947). Wiener développa les concepts de cybernétique, de rétroaction et d'information bien au-delà du domaine de la technologie; il les généralisa aux domaines biologique et social. La cybernétique il est vrai, avait des précurseurs. Le concept d'homéostase devint la pierre angulaire de ces considérations. Moins connus, des modèles détaillés de rétroaction dans les phénomènes physiologiques avaient été élaborés par le physiologiste allemand Richard Wagner (1954) dans les années 20, par le Prix Nobel suisse W.R. Hess (1941, 42) et dans le *Reafferenzprinzip* de Erich von Holst. La grande popularité de la cybernétique en sciences, en technologie et en publicité est due à Wiener, à sa proclamation de la Seconde Révolution Industrielle.

La correspondance étroite des deux mouvements est bien mise en évidence dans un exposé de L. Frank introduisant une conférence sur la cybernétique :

> « Les concepts de comportement volontaire et de téléologie ont été longtemps associés à une mystérieuse capacité d'auto-perfectionnement, de « tête chercheuse », ou encore à une cause finale d'origine généralement surhumaine ou surnaturelle. Pour progresser dans

l'étude des événements la pensée scientifique se devait de rejeter ces croyances en la volonté et ces concepts d'opération téléologique ; il lui fallait une vision mécaniste et strictement déterministe de la nature. Cette conception mécaniste s'établit fermement, démontrant que l'univers était fondé sur l'action de particules anonymes animées d'un mouvement aléatoire et désordonné qui donnent naissance, par leur multitude, à un ordre et à une régularité de caractère statistique ; c'est la physique classique et les lois des gaz. Le succès incontesté de ces concepts et de ces méthodes en physique, en astronomie et plus tard en chimie, orienta la biologie et la physiologie. Cette approche des problèmes organiques fut renforcée par la préoccupation analytique des cultures et des langues d'Europe de l'Ouest. Les postulats fondamentaux de nos traditions et les implications tenaces de notre langage nous obligent presque à approcher tout ce que nous étudions comme un ensemble d'êtres, de parties discrètes ou de facteurs ; il nous faut essayer de les isoler et de les identifier causalement. Ensuite nous nous occupons de l'étude des relations de deux variables. On assiste aujourd'hui à la recherche de nouvelles approches, de nouveaux concepts plus étendus et de méthodes capables de s'occuper de ces grands ensembles que sont les organismes et les personnes. Le concept de mécanisme téléologique (on peut l'exprimer en d'autres termes) peut être regardé comme une tentative pour écarter les vieilles formulations mécanistes maintenant inadéquates ; tentatives d'apport de conceptions nouvelles plus fructueuses, de méthodologies plus efficaces pour l'étude des processus auto-régulés, des systèmes et des organismes auto-dirigés et des caractères auto-gérés. Ainsi les termes de *rétroaction, servomécanisme, systèmes circulaires* et *processus circulaires* doivent-ils être considérés comme des expressions différentes mais équivalentes de la même conception fondamentale » (Frank et autres, 1948, condensé).

Une étude de l'évolution de la cybernétique en technologie et en science dépasserait le cadre de ce livre ; elle n'est pas nécessaire vu la littérature étendue sur le sujet. Toutefois ce survol historique était utile au vu de l'apparition de certaines incompréhensions, d'interprétations erronées. Ainsi Buckley (1967, p. 36) affirme-t-il que « la théorie moderne des systèmes, bien que semblant jaillir à nouveau des efforts de la dernière guerre, peut être considérée comme l'apogée d'un grand changement de la perspective scientifique qui a essayé de dominer ces derniers siècles. » Si la seconde partie de la phrase est juste, la première ne l'est pas; la théorie des systèmes n'est pas « issue de l'effort de guerre » mais remonte beaucoup plus loin; ses racines diffèrent singulièrement de celles de la « quincaillerie » militaire et de ses développements technologiques. On n'a pas non plus « une émergence de la théorie des systèmes à partir de l'évolution récente de l'analyse des systèmes technologiques » (Shaw, 1965), si ce n'est pour un des sens bien particulier de ce mot.

La théorie des systèmes est fréquemment confondue avec la cybernétique et la théorie de la commande. Ceci est incorrect. La cybernétique et la théorie de la commande des mécanismes technologiques et naturels se fondent sur les concepts d'information et de rétroaction; elles ne sont qu'une partie de la théorie générale des systèmes; les systèmes cybernétiques sont un cas particulier, important bien sûr, des systèmes auto-régulés.

Tendances de la théorie des systèmes

A une époque où toute nouveauté est saluée comme une révolution, même la plus insignifiante, on est las d'utiliser cette appellation pour des développements scientifiques. Les mini-jupes et les cheveux longs formant la révolution des jeunes, un nouveau style automobile ou un produit introduit sur le marché par l'industrie pharmaceutique ayant la même dénomination, un tel slogan publicitaire est difficile à prendre en considération. Cependant on peut l'utiliser dans un sens strictement technique : « les révolutions scientifiques » peuvent être identifiées par certains critères de diagnostic.

D'après Kuhn (1962), une révolution scientifique se définit par l'apparition de schémas conceptuels nouveaux, de « paradigmes ». Des aspects qui passaient inaperçus auparavant ou même qui étaient supprimés par la science « normale », c'est-à-dire celle acceptée et pratiquée par tous à l'époque sont mis en avant. Il y a donc changement des problèmes envisagés et étudiés et changement des règles de la pratique scientifique, comparables à la modification des formes perceptuelles de l'expérience psychologique; quand par exemple la même personne peut être vue sous deux faces. On comprend que pendant de telles périodes critiques l'accent soit mis sur l'analyse philosophique moins nécessaire en période de croissance de la science « normale ». Les premières versions du nouveau paradigme sont assez grossières; elles résolvent peu de problèmes et les solutions qu'elles en donnent sont loin d'être parfaites. Il y a profusion et compétition des théories, chacune étant limitée par le nombre des problèmes qu'elle englobe et l'élégance de leur solution. Néanmoins, ce nouveau paradigme ne couvre pas des problèmes nouveaux, en particulier ceux autrefois rejetés comme « métaphysiques ».

Ces critères ont été obtenus par Kuhn à partir d'une étude sur les révolutions « classiques » de la physique et de la chimie; ils donnent une excellente description des changements apportés par les concepts organiques, par les systèmes, montrant à la fois leurs mérites et leurs limites. En particulier, et sans que cela nous surprenne, la théorie des systèmes englobe de nombreuses approches qui diffèrent par leur style et leurs buts.

Le problème qui se pose pour les systèmes est essentiellement celui des limites de la procédure analytique appliquée à la science. On avait l'habitude de les exprimer avec des termes semi-métaphysiques; évolution émergente, « un tout est plus que la somme de ses parties »; néanmoins, son sens opérationnel était très clair. « Procédure analytique » signifie qu'on peut réduire à des parties l'être étudié et que par conséquent, on peut le reconstituer à partir de celles-ci; ceci, aussi bien au sens matériel qu'au sens conceptuel. C'est le principe fondamental de la science « classique »; exprimé de diverses manières : résolution en chaînes causales isolables, recherche d'unités « atomiques » dans les divers domaines de la science, etc. Les progrès de la science ont montré que les principes de la science classique, énoncés par Galilée et Descartes, expliquaient très bien un grand nombre de phénomènes.

L'application de la procédure analytique dépend de deux conditions. La première, c'est que les interactions entre les « parties » soient inexistantes ou assez faibles pour être négligées dans certaines recherches. Sous cette condition seulement, les parties pourront être « isolées » véritablement, logiquement et mathématiquement, puis ensuite « réunies ». La seconde, c'est que les relations qui décrivent le comportement des parties soient linéaires; dans ce cas seulement on aura la condition de sommativité, c'est-à-dire que l'équation qui décrit le comportement de l'ensemble a la même forme que celles qui décrivent le comportement des parties; les processus partiels peuvent être superposés pour obtenir le processus total, etc.

Ces conditions ne sont pas remplies par ces êtres que l'on appelle systèmes, c'est-à-dire formés de parties en « interaction ». Le prototype de leur description est un ensemble d'équations différentielles simultanées (p. 53 et suiv.), non linéaires dans le cas général. Un système ou « complexe organisé » (p. 30) peut être délimité par l'existence d'« interactions fortes » (Rapoport, 1966) ou d'interactions « non triviales » (Simon, 1965), c'est-à-dire non linéaires. Le problème méthodologique de la théorie des systèmes est donc de s'occuper des problèmes de nature plus générale que les problèmes analytico-sommatifs de la science classique.

Comme on l'a déjà vu, il existe diverses approches permettant de traiter les problèmes. C'est intentionnellement que nous utilisons le terme vague d'« approche », car ce sont des démarches hétérogènes du point de vue logique, qui représentent des modèles conceptuels différents, des techniques mathématiques diverses, des points de vue généraux, etc.; elles s'accordent néanmoins à être des « théories des systèmes ». Si nous laissons de côté les approches de la recherche appliquée sur les systèmes (technique des systèmes, recherche opérationnelle, programmation linéaire ou non-linéaire, etc.), les plus importantes sont celles qui suivent. Pour une description plus complète, voir Drischel, 1968.

La théorie des systèmes « classique » utilise les mathématiques classiques, c'est-à-dire l'analyse. Son but est d'énoncer des principes s'appliquant aux systèmes en général ou à des classes précises de systèmes (systèmes fermés ou ouverts par exemple), de fournir des techniques pour leur étude et leur description et de les appliquer à des cas concrets. La généralité de telles descriptions nous permet de dire que certaines propriétés formelles s'appliqueront à n'importe quel être *considéré comme* un système (ou un système ouvert, ou un système hiérarchique, etc.), même si on ne connaît pas et si on n'étudie pas sa nature particulière, ses éléments, leurs relations, etc. Les exemples comprennent les principes généralisés de la cinétique qui s'appliquent par exemple à des populations de molécules ou à des êtres biologiques, c'est-à-dire à des systèmes chimiques et écologiques; la diffusion, comme les équations de diffusion en chimie-physique et de dispersion du bruit; l'application des modèles de l'état stable et de la mécanique statistique au flux du trafic (Gazis, 1967); l'analyse allométrique des systèmes biologiques et sociaux.

L'informatique et la simulation. Les ensembles d'équations différentielles simultanées servant de « modèle » ou de définition d'un système sont, dans le cas linéaire, pénibles à résoudre, même s'il y a peu de variables; dans le cas non linéaire, hormis quelques cas particuliers, on ne sait pas les résoudre (tableau 1.1).

Les calculateurs ont donc ouvert une nouvelle voie d'approche à l'étude des systèmes; ils n'ont pas seulement facilité des calculs qui eussent gaspillé du temps et de l'énergie et remplacé la beauté mathématique par des procédures de routine, mais ils ont aussi ouvert des domaines où n'existent aucune théorie mathématique, aucune solution connue. Ainsi peut-on traiter des systèmes qui dépassent de loin les mathématiques classiques; d'un autre

TABLEAU 1.1

Classification des problèmes mathématiques* par la facilité de leur résolution par les méthodes analytiques. D'après Franks, 1967.

Equation	Equations linéaires			Equations non linéaires		
	Une équation	Plusieurs équations	Beaucoup d'équations	Une équation	Plusieurs équations	Beaucoup d'équat.
Algébrique	Trivial	Facile	Essentiellem. impossible	Très difficile	Très difficile	Impossible
Différentielle ordinaire	Facile	Difficile	Essentiellem. impossible	Très difficile	Impossible	Impossible
Aux dérivées partielles	Difficile	Essentiellem. impossible	Impossible	Impossible	Impossible	Impossible

* Due à l'amabilité de Electronic Associates, Inc.

côté on peut remplacer les expériences de laboratoire par une simulation sur calculateur, le modèle étudié pouvant être vérifié sur des données expérimentales. Par exemple, B. Hess a calculé de cette manière la réaction glycolytique en chaîne à quatorze étapes dans la cellule; ceci grâce à un modèle comportant plus de 100 équations différentielles non linéaires. De telles pratiques sont devenues une routine en économie, en étude de marchés, etc.

La théorie des compartiments. C'est un aspect des systèmes qui peut être étudié à part à cause de la grande complexité atteinte dans ce domaine (Rescigno et Segre, 1966); c'est un système formé de sous-unités possédant certaines conditions limites entre lesquelles ont lieu des processus de transport. Ces systèmes à compartiments peuvent avoir par exemple une structure « caténaire » ou « mamillaire » (une chaîne de cases ou bien une case centrale en communication avec un certain nombre de cases périphériques). On comprend aisément que les difficultés mathématiques deviennent prohibitives dans le cas d'un système à trois cases ou multicases. Les transformations de Laplace et l'introduction des théories des graphes et des réseaux ont rendu cette analyse possible.

La théorie des ensembles. Les propriétés formelles générales des systèmes, fermés ou ouverts, etc., peuvent être axiomatisées en termes de théorie des ensembles (Mesarovic, 1945; Maccia, 1966). Du point de vue élégance mathématique cette approche est bien meilleure que les formulations plus grossières et plus particulières de la théorie des systèmes « classiques ». Les liens entre la théorie des systèmes axiomatisée (encore à ses débuts) et les problèmes posés par les systèmes sont assez ténus.

La théorie des graphes. Beaucoup de problèmes posés par les systèmes portent sur leurs propriétés structurelles ou topologiques plutôt que sur des relations quantitatives. Certaines approches se penchent sur ces problèmes. La théorie des graphes, en particulier la théorie des graphes orientés (digraphes), élabore des relations structurelles en les représentant dans un espace topologique. Elle a été appliquée aux aspects relationnels de la biologie (Rashevsky, 1956, 1960; Rosen, 1960). Du point de vue mathématique elle est liée à l'algèbre matricielle; du point de vue modèle, elle est liée à la théorie des compartiments des systèmes qui contiennent des sous-systèmes partiellement « perméables », et de là elle est liée à la théorie des systèmes ouverts.

La théorie des réseaux à son tour est liée à la théorie des ensembles, à celle des graphes, à celle des compartiments, etc., et s'applique à des systèmes tels que le réseau nerveux (par ex. Rapoport, 1949, 50).

La cybernétique est la théorie des systèmes contrôlés fondée sur la communication (transfert d'information), système-environnement et interne au système, et sur le contrôle (rétroaction) de la fonction du système en ce qui concerne l'environnement. Comme on l'a déjà dit et comme on le reverra plus loin, ce modèle est très utilisé mais on ne doit pas l'identifier avec la « théorie des systèmes » en général. En biologie et dans d'autres sciences fondamentales, le modèle cybernétique est capable de décrire la structure formelle des mécanismes régulateurs par des diagrammes de blocs et de flux par exemple. On peut ainsi reconnaître la structure régulatrice même quand les mécanismes réels restent inconnus ou ne sont pas décrits; le système est une « boîte noire » définie seulement par l'intrant et l'extrant. Pour des raisons semblables, le même modèle cybernétique peut s'appliquer à des systèmes hydrauliques, électriques, physiologiques, etc. La théorie technologique très élaborée et très compliquée des servomécanismes n'a été appliquée aux systèmes naturels que dans une faible mesure (*cf.* Bayliss, 1966; Kalmus, 1966; Milsum, 1966).

La théorie de l'information au sens de Shannon et Weaver (1949), est fondée sur le concept d'information qui est défini par une expression isomorphe à l'entropie négative de la thermodynamique. D'où l'espoir de pouvoir utiliser l'information comme mesure de l'organisation (*cf.* p. 40;

Quastler, 1955). Alors que la théorie de l'information prenait de l'importance en technique de la communication, ses applications scientifiques sont restées assez peu convaincantes (E.N. Gilbert, 1966). Les relations entre information et organisation, théorie de l'information et thermodynamique, restent un problème majeur (*cf.* p. 155 et suiv.).

La théorie des automates (voir Minsky, 1967) est la théorie des automates abstraits avec entrée, sortie, possibilité d'essai-erreur et d'instruction. Un modèle général est fourni par la machine de Turing (1936). Décrit simplement, l'automate de Turing est une machine abstraite capable d'imprimer (et d'effacer) des « 1 » et des « 0 » sur une bande de longueur infinie. On peut montrer que n'importe quel processus, aussi compliqué soit-il, peut être simulé par une machine, du moment qu'on peut exprimer ce processus par un nombre fini d'opérations logiques. Tout ce qui est possible logiquement (c'est-à-dire sous forme d'un symbolisme algorithmique) peut aussi être décomposé, en principe mais pas toujours bien sûr en pratique, en un automate, c'est-à-dire une machine algorithmique.

La théorie des jeux (von Neumann et Morgenstern, 1947) est une approche différente mais qui peut être classée parmi les systèmes car elle s'occupe du comportement de joueurs supposés « rationnels »; ils veulent maximiser leur gain et minimiser leur perte grâce à une stratégie appropriée contre l'autre joueur (ou la nature). Elle concerne donc essentiellement un « système » de « forces » antagonistes précises.

La théorie de la décision est une théorie mathématique du choix dans des alternatives.

La théorie des files d'attente s'occupe de l'optimisation du service en cas d'affluence.

Aussi peu homogène qu'elle soit, mélangeant des modèles (par ex. systèmes ouverts, circuit de la rétroaction) et des techniques mathématiques (par ex., théorie des ensembles, des graphes, des jeux), cette énumération suffit à montrer qu'il existe un grand champ d'approches pour étudier les systèmes, y compris des méthodes mathématiques très puissantes; ce qu'il faut répéter, c'est que ces problèmes qui n'étaient pas envisagés antérieurement, qui n'étaient pas applicables, ou qui étaient considérés comme au-delà de la science ou comme purement philosophiques sont de plus en plus étudiés.

Naturellement il existe souvent un manque d'harmonie entre un modèle et la réalité. Il y a des modèles mathématiques très élaborés et très compliqués, mais dont l'application aux cas concrets reste douteuse; certains problèmes fondamentaux n'ont pas de techniques mathématiques valables.

Après l'espoir d'une très grande extension, le désappointement est survenu. La cybernétique par exemple a eu un grand impact en technologie mais aussi dans les sciences fondamentales; elle a fourni des modèles des phénomènes concrets et a amené les phénomènes téléologiques, autrefois tabous, dans les rangs des problèmes scientifiques « légitimes »; malheureusement elle n'a pas apporté une explication à tout, une grande « vision du monde »; elle était une extension plutôt qu'une substitution de la vision mécaniste et de de la théorie de la machine (*cf.* Bronowski, 1964). La théorie de l'information, malgré son haut niveau mathématique, s'est montrée décevante en psychologie et en sociologie. On a appliqué avec confiance la théorie des jeux à la guerre et à la politique; il est difficile de penser qu'elle a amélioré les décisions politiques et la situation du monde; cet échec n'était pas inattendu si on considère combien les puissances ressemblent peu aux joueurs « rationnels » de la théorie des jeux. Les concepts et les modèles d'équilibre, d'homéostase, d'ajustement, etc. sont appropriés au maintien des systèmes mais sont inadéquats pour les phénomènes de modification, de différenciation, d'évolution, de negentropie, d'obtention d'états stables, de créativité, d'apparition de tensions, d'auto-réalisation, d'émergence, etc.; c'est ce que Cannon réalisa, quand il reconnut, au-delà de l'homéostase, une « hétérostase » comprenant les phénomènes de cette nature. La théorie des systèmes ouverts s'applique à un large ensemble de phénomènes biologiques (et technologiques) mais il est nécessaire de prévenir son extension inconsidérée à des domaines pour lesquels ses concepts ne sont pas faits. Ces limites et ces lacunes sont celles que l'on doit attendre dans une discipline qui n'a que vingt ou trente ans. En dernier ressort cette déception résulte de l'application d'un modèle, utile à certains égards, à des réalités métaphysiques et à de la philosophie; cela est souvent arrivé au cours de l'histoire intellectuelle.

Les avantages des modèles mathématiques sont bien connus; termes précis, possibilité de déduction stricte, vérification grâce à des données observées. Ça ne signifie pas qu'il faille mépriser ou rejeter les modèles formulés en langage ordinaire.

Un *modèle verbal* est meilleur que pas de modèle du tout ou qu'un modèle plaqué, sous prétexte qu'on peut le formaliser mathématiquement, qui fausse la réalité. Certaines influences, comme celle de la psychanalyse, n'étaient pas mathématiques; à moins que leur impact, comme celui de la théorie, n'excède de loin les constructions mathématiques qui ne sont arrivées que beaucoup plus tard et ne couvrent que des aspects partiels et qu'une petite fraction des données empiriques.

Les mathématiques c'est essentiellement l'existence d'un algorithme plus précis que celui du langage ordinaire. L'histoire de la science prouve que l'expression en langage ordinaire précède souvent la formulation mathématique, c'est-à-dire l'invention d'un algorithme. On pense facilement à des exemples : l'évolution depuis le dénombrement par des mots jusqu'aux chiffres Romains (un demi-algorithme semi-verbal et malhabile) et à la notation Arabe avec valeur par position; les équations, depuis les formulations verbales jusqu'au symbolisme rudimentaire traité avec virtuosité (mais qu'il nous est difficile de suivre) par Diophante et par les autres fondateurs de l'algèbre et jusqu'aux notations modernes; les théories comme celles de Darwin et comme les théories économiques qui n'ont trouvé que plus tard une formulation mathématique (d'ailleurs partielle). Il est peut-être préférable d'avoir d'abord un modèle non mathématique avec ses imperfections mais qui exprime un point de vue antérieurement négligé, avec l'espoir qu'un jour on pourra lui associer un algorithme correct, que de partir de modèles mathématiques prématurés fondés sur des algorithmes connus, qui risquent de restreindre le champ de vision. De nombreux développements de la biologie moléculaire, de la théorie de la sélection, de la cybernétique et d'autres disciplines montrent l'effet aveuglant de ce Kuhn appelle la science « normale », c'est-à-dire des schémas conceptuels acceptés en bloc.

Les modèles en langage courant ont donc leur place dans la théorie des systèmes. L'idée de système conserve toute sa valeur même quand on ne peut la formuler mathématiquement; elle reste une « idée directrice » plutôt que d'être une construction mathématique. Par exemple, il se peut que nous n'ayons pas de concepts de systèmes satisfaisants en sociologie; la simple vision du fait que les entités sociales sont des systèmes plutôt que des sommes d'atomes sociaux ou que l'histoire est formée de systèmes (toutefois mal définis) appelés civilisations, qui obéissent à des principes généraux des systèmes, implique une réorientation dans ces domaines.

Comme on peut le voir dans ce qui précède, il y a à l'intérieur des « approches par les systèmes », des tendances et des modèles mécanistes et organiques; ils essayent de maîtriser les systèmes soit par l'« analyse », la « causalité linéaire » (et circulaire), les « automates », ou alors par la « totalité », les « interactions », la « dynamique » (on peut utiliser d'autres mots pour cerner ces différences). Alors que ces modèles ne s'excluent pas les uns les autres et que les mêmes phénomènes peuvent être approchés par des modèles différents (par ex. les concepts « cybernétique » ou « cinétique »; *cf.* Locker, 1964), on peut se demander quel est le point de vue le plus général et le plus fondamental. En termes généraux, peut-on considérer la machine de Turing comme un automate général ?

Une idée sur ce point (qui n'est pas, autant que nous le sachions, traitée dans la théorie des automates) est le problème des nombres « immenses ». L'hypothèse fondamentale de la théorie des automates est que tout événement peut se définir par un nombre fini de « mots », qu'il peut être réalisé par un automate (par exemple un réseau nerveux formel, selon McCulloch et Pitts ou une machine de Turing) (von Neumann, 1951). Le problème réside dans le terme « fini ». Par définition, l'automate peut réaliser une série finie d'événements (même en grand nombre) mais pas une série infinie. Cependant, que se passe-t-il si le nombre d'étapes désiré est « immense », c'est-à-dire non pas infini, mais par exemple plus grand que le nombre de particules dans l'univers (estimation de l'ordre de 10^{80}) ou que le nombre d'événements possibles dans l'univers ou dans une de ses parties pendant un instant (selon Elsasser, 1966, son logarithme serait très grand) ? Ces nombres immenses se retrouvent dans beaucoup de problèmes sur les systèmes comprenant des fonctions exponentielles, factorielles ou à croissance explosive. On les rencontre même dans des systèmes ayant un nombre modéré d'éléments avec des interactions très fortes (non-négligeables) (*cf.* Ashby, 1964). Pour les « reproduire » dans une machine de Turing il faudrait une bande de longueur « immense », c'est-à-dire une bande qui excède aussi bien les limites pratiques que physiques.

Considérons un exemple (simple) : un graphe orienté à N points (Rapoport, 1959 *b*). Entre deux points, il peut y avoir une flèche ou non (2 possibilités). Il y a donc $2^{N(N-1)}$ façons différentes de relier N points. Si $N = 5$ seulement, il y a déjà plus d'un million de façons de relier ces points. Avec $N = 20$, ce nombre dépasse celui (estimé) des atomes dans l'univers. Des problèmes semblables surgissent, par exemple, avec toutes les connexions possibles entre les neurones (estimées de l'ordre de 10 milliards dans le cerveau humain) et avec le code génétique (Repge, 1962). Dans le code, il y a un minimum de 20 « mots » (triplets nucléotides) épelant les 20 acides aminés (en fait 64); le code peut contenir quelques millions d'unités. Cela donne $20^{1\,000\,000}$ de possibilités. Supposons que l'esprit laplacien veuille trouver la valeur fonctionnelle de chaque combinaison; il devrait faire autant d'enquêtes, mais il n'y a que 10^{80} atomes et organismes dans l'univers. Supposons (Repge, 1962) qu'à un certain moment 10^{30} cellules sont présentes sur la Terre. En supposant en outre qu'il y a une nouvelle génération de cellules à chaque minute, cela nous donnerait, pour un âge de la Terre de 15 milliards d'années (10^{16} minutes), 10^{46} cellules en tout. Pour être sûr d'atteindre un nombre maximum, il faudrait supposer l'existence de 10^{20} planètes supportant la vie. Ainsi, dans tout l'univers, il n'y aurait certainement pas plus de 10^{66} êtres vivants, ce qui est un grand nombre, loin d'être « immense » toutefois. L'estimation peut être faite sous d'autres hypothèses (par exemple, le nombre de protéines ou d'enzymes possibles) mais elle donnerait essentiellement le même résultat.

De nouveau, selon Hart (1959), l'invention humaine pourrait se concevoir comme des combinaisons nouvelles d'éléments déjà existants. S'il en est ainsi, l'occasion de nouvelles inventions va croître brutalement en fonction du nombre de permutations possibles et de combinaisons des éléments valables ce qui signifie qu'elle augmentera comme la factorielle du nombre de ces éléments [1]. Ainsi le taux d'accélération de l'évolution sociale s'accélère-t-il lui-même, en sorte qu'en de nombreux cas l'évolution culturelle n'aura pas une accélération logarithmique mais log-log. Hart présente des courbes intéressantes montrant que les accroissements de la vitesse humaine, des surfaces d'efficacité des armes, de l'espérance de vie, etc., suivent véritablement une telle expression, c'est-à-dire le taux de la croissance culturelle n'est pas exponentiel comme un intérêt composé, mais il est en super-accélération, selon une courbe log-log. En règle générale, les limites des automates apparaîtront si la régulation dans un système est dirigée non pas contre une ou contre un nombre limité de perturbations mais contre des perturbations « arbitraires », c'est-à-dire un nombre indéfini de situations qui n'ont pu être « prévues »; c'est le cas, dans une large mesure, des régulations embryonnaires (par ex. expériences de Driesch) et nerveuses (expériences de Lashley). La régulation résulte ici de l'interaction de nombreuses composantes (*cf.* discussion dans Jeffries, 1951, pages 32 et suiv.). Comme le reconnaissait von Neumann lui-même, ceci semble lié aux tendances « auto-régulatrices » des systèmes organiques, au contraire des systèmes technologiques; en termes plus modernes, ceci semble lié à leur nature de système ouvert que l'on ne peut trouver même dans le modèle d'automate abstrait comme la machine de Turing.

Il apparaît donc, ainsi que les vitalistes comme Driesch l'avaient mis en évidence, que la conception mécaniste, même prise sous la forme moderne

---

[1] Note de l'éditeur : Rappelons que la factorielle d'un nombre n, que l'on écrit $n!$ vaut $1 \times 2 \times 3 \times \ldots \times n$. C'est une fonction de n de type exponentiel, donc très rapidement croissante.
Ainsi $4! = 1 \times 2 \times 3 \times 4 = 12$
$10! = 3\ 628\ 800$
$20! \approx 2,43 \times 10^{18}$

et généralisée d'un automate de Turing, sombre devant la régulation après perturbations « arbitraires » ainsi que devant les événements où le nombre d'étapes nécessaires est comme ci-dessus « immense ». Des problèmes de réalisation apparaissent même en plus des paradoxes liés aux ensembles infinis.

Ces considérations s'appliquent en particulier à un concept ou à un groupe de concepts qui est sans aucun doute fondamental en théorie générale des systèmes : celui d'*ordre hiérarchique*. Nous « voyons » actuellement l'univers comme une énorme hiérarchie, depuis les particules élémentaires aux noyaux atomiques, aux atomes, aux molécules, aux composés moléculaires, à l'abondance des structures (électrons et particules lumineuses) entre les molécules et les cellules (Weiss, 1962 *b*), aux cellules, aux organismes et au-delà, aux organisations supra-individuelles. Un schéma hiérarchique intéressant (il y en a d'autres) est celui de Boulding (tableau 1.2). On trouve

TABLEAU 1.2

Présentation informelle des principaux niveaux de la hiérarchie des systèmes.
En partie chez Boulding, 1956 b.

NIVEAU	DESCRIPTION ET EXEMPLES	THÉORIE ET MODÈLES
Structures statiques	Atomes, molécules, cristaux, structures biologiques du microscope électronique au niveau macroscopique.	Par ex. formules structurelles de la chimie; cristallographie; descriptions anatomiques.
Mouvements d'horlogerie	Horloges, machines conventionnelles en général, systèmes solaires.	Physique conventionnelle comme les lois de la mécanique (newtonniennes et einsteiniennes) et autres.
Mécanismes d'autorégulation	Thermostat, servomécanismes, mécanismes homéostatiques de l'organisme.	Cybernétique; théorie de la rétroaction et de l'information.
Systèmes ouverts	Flamme, cellules et organismes en général.	*a)* Extension de la théorie physique à des systèmes qui se maintiennent eux-mêmes par un flux de matière (métabolisme). *b)* Stockage de l'information dans le code génétique (D.N.A.). Le lien entre *a)* et *b)* est actuellement peu clair.

Niveau	Description et exemples	Théorie et modèles
Organismes de bas niveau	Organismes du type végétal : différenciation croissante du système (appelée « division du travail » chez l'organisme); distinction de la reproduction et de l'individu fonctionnel (« trace de germe et soma »).	La théorie et les modèles ont tendance à manquer.
Animaux	Importance croissante du trafic de l'information (évolution des récepteurs, systèmes nerveux); apprentissage; début de conscience.	Débuts de la théorie des automates (relations S-R), rétroaction (phénomènes régulateurs), comportement autonome (oscillations relaxées), etc.
Homme	Symbolisme; passé et futur, moi et monde, conscience de soi, etc. Conséquences : communication par le langage, etc.	Théorie naissante du symbolisme.
Systèmes socio-culturels	Populations et organismes (humains inclus); communautés symboliquement déterminées (cultures) chez l'homme seulement.	Lois statistiques et peut-être dynamique de la dynamique des populations, sociologie, économie, peut-être histoire. Début de la théorie des systèmes culturels.
Systèmes symboliques	Langage, logique, mathématiques, sciences, arts, morales, etc.	Algorithmes symboliques (par exemple mathématiques, grammaires); « règles du jeu » comme dans les arts visuels, musique, etc.

N.B. — Ce survol est impressionniste et intuitif, et il ne prétend pas avoir une rigueur logique. En règle générale, des hauts niveaux supposent l'existence de plus bas (par exemple les phénomènes de la vie, ceux du niveau physico-chimique, les phénomènes socio-culturels, ceux du niveau de l'activité humaine, etc.); mais la relation entre les niveaux a besoin d'être éclaircie dans chaque cas (*cf.* des problèmes comme celui du système ouvert et du code génétique comme préalables à la « vie »; relation entre les systèmes « conceptuels » et « réels », etc.). En ce sens cette présentation suggère à la fois les limites du réductionnisme et les manques de la connaissance réelle.

une hiérarchie semblable à la fois dans les « structures » et dans les « fonctions ». En dernier ressort la structure (c'est-à-dire l'ordre des parties) et la fonction (l'ordre des processus) sont peut-être la même chose : dans le monde physique la matière se dissout en un jeu d'énergies et dans le monde biologique les structures expriment un flux de processus. Actuellement, le système des lois physiques a principalement trait au domaine des atomes et des molécules (et à leur addition en macrophysique); ce n'est bien sûr qu'une tranche d'un spectre beaucoup plus étendu. Les lois de l'organisation et les forces organisationnelles sont insuffisamment connues dans les domaines sub-atomique et super-moléculaire. Il existe bien des recherches dans le monde sub-atomique (physique des hautes énergies) et super-moléculaire (physique des hauts composés moléculaires), mais elles semblent seulement à leurs débuts. Ceci est mis en évidence, d'un côté par la confusion actuelle des particules élémentaires, d'un autre côté par le manque de compréhension physique des structures aperçues sous le microscope électronique et par l'absence d'une « grammaire » du code génétique (*cf.* p. 158).

Une théorie générale de l'ordre hiérarchique serait évidemment un point d'appui de la théorie générale des systèmes. Les principes d'ordre hiérarchique peuvent s'énoncer en langage verbal (Koestler, 1967; sous presse); il existe des idées semi-mathématiques liées à la théorie des matrices et des formulations en termes de logique mathématique (Woodger, 1930-31). En théorie des graphes l'ordre hiérarchique est exprimé par « l'arbre » et on peut représenter ainsi les aspects relationnels des hiérarchies. Néanmoins le problème est plus large et plus profond : la question de l'ordre hiérarchique est intimement liée avec celles de différenciation, d'évolution et avec la mesure de l'organisation; cette dernière ne semble pas bien exprimée, que ce soit en termes d'énergie (entropie négative) ou en termes de théorie de l'information (bits) (*cf.* p. 154 et suiv.). En dernier ressort, l'ordre hiérarchique et la dynamique sont peut-être la même chose comme l'a si bien dit Koestler dans son image de « l'arbre et la chandelle ».

Ainsi, on se trouve devant un étalage de modèles de systèmes plus ou moins développés et élaborés. Certains concepts, modèles et principes de la théorie générale des systèmes, l'ordre hiérarchique, la différenciation progressive, la rétroaction, les caractéristiques des systèmes définies par la théorie des ensembles et des graphes, etc., s'appliquent largement aux systèmes matériels, psychologiques et socioculturels; d'autres, comme les systèmes ouverts définis par l'échange de matière, ne s'appliquent qu'à certaines sous-catégories. Comme le montre la pratique de l'analyse appliquée des systèmes, on pourra appliquer divers modèles de systèmes selon la nature des cas et les critères opérationnels.

CHAPITRE 2

THÉORIE GÉNÉRALE DES SYSTÈMES. QU'EST-CE QUE CELA SIGNIFIE ?

Une théorie des systèmes est nécessaire

Une spécialisation toujours plus poussée caractérise la science moderne; elle est rendue nécessaire par l'importance numérique des données, la complexité des techniques et des structures théoriques, ceci dans tous les domaines. Des disciplines innombrables composent la science et engendrent sans cesse des sous-disciplines nouvelles. En conséquence, le physicien, le biologiste, le psychologue et le chercheur en sciences sociales se trouvent pour ainsi dire enfermés dans leur univers propre; il est difficile d'échanger un mot d'un cocon à l'autre.

Un autre fait remarquable va cependant à l'encontre de ce qui précède. On constate en survolant l'évolution de la science moderne un phénomène surprenant : des problèmes et des concepts semblables se sont développés de façon indépendante, dans des domaines qui diffèrent sensiblement.

La physique classique avait un but : résoudre éventuellement les phénomènes naturels par le jeu d'unités élémentaires, gouvernées par les lois « aveugles » de la nature. C'est ce qu'exprimait l'idéal de l'esprit laplacien; la connaissance de la position et de la vitesse des particules permet de prédire l'état de l'univers en tout instant au cours du temps. Quand les physiciens remplacèrent les lois déterministes par des lois statistiques, ce point de vue mécaniste ne se trouva pas rejeté mais plutôt renforcé. Suivant les conséquences tirées par Boltzmann du second principe de la thermodynamique, les événements physiques tendent vers des états à probabilité maximale; les lois physiques sont alors essentiellement des « lois du désordre », l'aboutissement d'événements statistiques désordonnés. Cependant, à l'encontre de ce point de vue mécaniste, sont apparus dans les diverses branches de la physique moderne des problèmes de totalité, d'interaction dynamique et d'organisation. La relation d'Heisenberg et de la physique des quanta ne permettent plus de ramener les phénomènes à des événements localisés ; des problèmes d'ordre et d'organisation surgissent aussi bien dans la structure des atomes ou dans l'architecture des protéines que dans les phénomènes d'interaction thermodynamique. De même, le but de la biologie dans sa conception mécaniste était de ramener les phénomènes de la vie à des entités atomiques et à des processus partiels. L'organisme vivant était réduit à des cellules, ses activités à des processus physiologiques et plus tard physicochimiques ; le comportement était réduit à des réflexes conditionnés ou non, le support de l'hérédité à des gènes particulaires, etc. Au contraire, la conception organique est fondamentale en biologie moderne. Il ne suffit pas d'étudier les constituants et les processus de façon isolée, il faut encore résoudre les problèmes décisifs que posent l'organisation et l'ordre qui les unissent ; ils résultent de l'interaction dynamique des parties et rendent leur comportement différent, selon qu'on les étudie isolément ou comme appartenant à un tout. Des orientations similaires sont apparues en psychologie. Alors que la psychologie classique essayait de ramener les phénomènes psychiques à des unités élémentaires, les atomes psychologiques (sensations élémentaires, etc.), la psychologie de la forme montra l'existence et la primauté des ensembles psychologiques ; ceux-ci ne sont pas une simple agrégation d'unités élémentaires, et sont gouvernés par des lois dynamiques. Finalement, en sciences sociales, le concept de société considérée comme une somme d'individus, d'atomes sociaux (par exemple, le modèle de l'« Homo economicus »), fut remplacé par celui qui considère la société, l'économie, la nation, comme des ensembles organisés au-dessus des parties. Ceci implique de grands problèmes : économie planifiée, déification de la Nation et de l'État ; cela reflète en même temps les nouvelles méthodes de pensée.

Ce parallélisme des principes généraux de la connaissance dans divers domaines impressionne encore plus quand on sait que ces développements ont lieu dans une indépendance mutuelle ; chacun ignorait le plus souvent le travail et la recherche pratiqués dans les autres directions que la sienne.

Un autre aspect de la science moderne est important. Jusqu'à une date récente la science exacte, l'ensemble des lois de la nature, s'identifiait presque à la physique théorique. On ne connaît que peu de tentatives pour énoncer des lois exactes dans les domaines non physiques. Cependant, l'impact et le progrès des sciences biologiques, des sciences sociales et des sciences du comportement, semblent nécessiter l'extension de nos schémas conceptuels, afin de tenir compte des systèmes de lois dans des domaines où l'application de la physique n'est pas toujours suffisante, ni même possible.

Cette tendance aux théories généralisées s'installe dans de nombreux domaines et dans de multiples directions. Par exemple, une théorie assez poussée de la dynamique des populations biologiques, de la lutte pour l'existence, et des équilibres biologiques s'est développée à partir des travaux de pionniers de Lotka et Volterra. Elle utilise des notions biologiques : individus, espèces, coefficients de compétition, etc. Un procédé semblable est appliqué en économie quantitative et en économétrie. Les modèles et les familles d'équations utilisés dans ce dernier cas ressemblent à ceux de Lotka et, par ailleurs, à ceux de la cinétique chimique ; le modèle des entités ou des forces qui agissent se situe néanmoins à un niveau différent. Prenons un autre exemple : les organismes vivants sont essentiellement des systèmes ouverts, c'est-à-dire des systèmes qui se livrent à des échanges avec leur environnement. Au contraire, la physique conventionnelle et la chimie-physique se préoccupent de systèmes fermés ; depuis peu seulement, la théorie a été étendue pour inclure les processus irréversibles, les systèmes ouverts et les états de déséquilibre. Si nous voulons cependant appliquer le modèle des systèmes ouverts, au phénomène de la croissance animale par exemple, nous nous trouvons automatiquement devant une généralisation de la théorie qui se rapporte à des êtres biologiques et non pas physiques. En d'autres mots, nous devons nous occuper de systèmes généralisés. Il en va de même en cybernétique et en théorie de l'information, domaines auxquels on s'intéresse beaucoup depuis quelques années.

Ainsi, il existe des modèles, des principes et des lois, qui s'appliquent aux systèmes généralisés ou à leurs sous-systèmes ; ils ne tiennent pas compte de leur espèce particulière, de la nature de leurs éléments et des relations ou « forces » entre ceux-ci. Le besoin d'une théorie qui ne s'applique pas à des systèmes d'un type plus ou moins spécial, mais aux principes des systèmes en général, est donc légitime.

En ce sens nous réclamons une nouvelle discipline, intitulée *théorie générale des systèmes*. Son but est de formuler les principes valables pour tout système, et d'en tirer les conséquences.

Le contenu de cette discipline peut être cerné comme suit. La physique s'occupe de systèmes ayant différents niveaux de généralité. Systèmes assez spéciaux utilisés par l'ingénieur pour construire un pont ou une machine ; lois spécialisées de certaines disciplines physiques, comme la mécanique ou l'optique ; lois très générales telles que les principes de la thermodynamique, qui s'appliquent à des systèmes de nature intrinsèquement différente : mécanique, chaleur, chimie, etc. Rien ne nous empêche d'aller au-delà des systèmes traditionnellement envisagés par la physique. Nous devons rechercher des principes qui s'emploient pour des systèmes en général, sans se préoccuper de leur nature, physique, biologique ou sociologique. Si nous posons ce problème et si nous définissons bien le concept de système, nous constatons qu'il existe des modèles, des lois et des principes qui s'appliquent à des systèmes généralisés; leur espèce particulière, leurs éléments et les « forces » engagées n'interviennent pas.

L'apparition de similitudes structurelles ou isomorphismes dans des domaines différents, est une conséquence de l'existence de propriétés générales des systèmes. Les principes qui gouvernent le comportement d'êtres intrinsèquement différents se correspondent. Prenons un exemple simple; la loi de croissance exponentielle peut s'appliquer à certaines cellules bactériennes, à des populations de bactéries, d'animaux ou d'êtres humains et au progrès de la recherche scientifique, si on mesure celui-ci par le nombre de publications sur la génétique, ou sur les sciences en général. Les êtres en question, bactéries, animaux, hommes ou livres, diffèrent totalement de même que les mécanismes causaux impliqués. Il s'agit néanmoins de la même loi mathématique. Autre exemple : les systèmes d'équations qui décrivent la rivalité entre les espèces, animales et végétales; ces mêmes systèmes d'équations s'appliquent à certaines branches de la chimie-physique ou de l'économie. Il y a correspondance, parce que les entités en question peuvent être considérées, à certains égards, comme des « systèmes », c'est-à-dire des ensembles d'éléments en interaction les uns avec les autres. Comme les disciplines ci-dessus, et d'autres encore, sont concernées par les systèmes, on aboutit à une correspondance des principes généraux et même des lois particulières, quand les conditions des phénomènes considérés correspondent.

En fait, on a souvent découvert simultanément dans des domaines distincts, et de façon indépendante, des modèles et des lois identiques; ceci à partir de faits totalement différents. Beaucoup de principes similaires ont été découverts plusieurs fois. Ceux qui travaillaient dans une branche ignoraient que la structure théorique qu'ils cherchaient existait déjà dans une autre branche. La théorie générale des systèmes sera très utile pour éviter une telle multiplication inutile du travail.

Des isomorphismes de systèmes apparaissent aussi dans des problèmes récalcitrants à l'analyse quantitative mais néanmoins d'un grand intérêt intrinsèque. Par exemple, les isomorphismes entre les systèmes biologiques et les « épiorganismes » (Gerard) comme les communautés animales et les sociétés humaines. Quels sont les principes communs aux divers niveaux d'organisation et qu'on peut transférer légitimement d'un niveau à un autre ? Quels sont au contraire les principes spécifiques dont l'extrapolation amène des erreurs dangereuses ? Peut-on considérer les sociétés et les civilisations comme des systèmes ?

Il semble alors qu'une théorie générale des systèmes serait un outil utile ; elle fournirait d'un côté des modèles utilisables par diverses disciplines et transférable de l'une à l'autre ; elle permettrait d'un autre côté d'éviter ces analogies vagues qui ont souvent gâché les progrès dans ces disciplines.

Un autre aspect de la théorie générale des systèmes est cependant bien plus important. On peut le paraphraser par une très bonne formule due au mathématicien bien connu, Warren Weaver, fondateur de la théorie de l'information. Weaver disait que la physique classique avait très bien réussi à développer la théorie des complexes inorganisés. Ainsi, par exemple, le comportement d'un gaz résulte-t-il des mouvements désordonnés et individuellement irrepérables d'innombrables molécules ; à l'échelle micro-scopique il est gouverné par les lois de la thermodynamique. La théorie des complexes inorganisés est en dernier ressort enracinée dans les lois du hasard et des probabilités et dans le second principe de la thermodynamique. Au contraire, le problème fondamental qui se pose actuellement est celui des complexes organisés. Ces concepts comme l'organisation, la totalité, la directivité, la téléologie et la différenciation sont étrangers à la physique conventionnelle. Cependant, ils surgissent partout, en biologie, en sciences du comportement et en sciences sociales ; ils sont en fait indispensables si l'on touche aux organismes vivants et aux groupes sociaux. Ainsi, le pro-blème fondamental qui est posé à la science moderne est celui d'une théorie générale de l'organisation. La théorie générale des systèmes est en principe capable de donner à ces concepts des définitions exactes et de leur appliquer, dans des cas appropriés, une analyse quantitative.

Si nous avons brièvement indiqué ce que signifiait la théorie générale des systèmes, il faudra aussi éviter de se méprendre en affirmant ce qu'elle n'est pas. On a prétendu que la théorie des systèmes se borne au fait évident que certains types de mathématiques pouvaient s'appliquer à différentes sortes de problèmes. Par exemple, la loi exponentielle s'applique à des phénomènes très différents, depuis la désintégration radioactive jusqu'à l'extinction des populations humaines qui se reproduisent insuffisamment. Cependant, s'il en est ainsi, c'est parce que cette formule est une des plus simples équations différentielles et qu'elle s'applique à des choses assez différentes. Ainsi, si ces lois dites lois isomorphes de croissance s'appli-quent à des processus entièrement différents, ça ne signifie rien de plus que le fait que l'arithmérique élémentaire s'applique à tous les objets qui se comptent, que 2 plus 2 font 4, que les objets comptés soient des pommes, des atomes ou des galaxies.

On peut répondre ce qui suit. Dans le développement de la théorie des systèmes le problème n'est pas l'application d'expressions mathématiques connues, comme dans l'exemple cité en manière de simple illustration. Les questions posées sont au contraire nouvelles et en partie non résolues. Nous l'avons vu, la méthode de la science classique était plus appropriée à des phénomènes qui ou bien peuvent être réduits à des chaînes causales isolées, ou bien sont le résultat statistique d'un nombre « infini » de processus aléatoires; c'est le cas de la mécanique statistique, du second principe de la thermodynamique et des lois qui en dérivent. Cependant, devant l'interaction d'un nombre grand, mais limité, de processus ou d'éléments, le mode de pensée classique échoue. De nouveaux problèmes surgissent, décrits par des notions comme celle de totalité, d'organisation, etc.; ils demandent de nouveaux modes de pensée mathématique.

Une autre objection met en avant le danger que la théorie générale des systèmes puisse aboutir à des analogies dénuées de sens. Le danger existe, certes. Par exemple, c'est une idée répandue de considérer l'état ou la nation comme un organisme d'un niveau super-organisé. Une telle théorie constituerait cependant le fondement d'un état totalitaire dans lequel l'individu apparaîtrait comme une cellule insignifiante dans un organisme, un travailleur sans importance dans une ruche.

Mais la théorie générale des systèmes ne court pas après des analogies vagues et superficielles. Celles-ci ont peu de valeur puisque, à côté de similitudes entre des phénomènes, on peut toujours trouver des dissemblances. L'isomorphisme dont nous parlons est plus qu'une simple analogie. C'est la conséquence du fait que, sous certains aspects, des abstractions et des modèles conceptuels peuvent s'appliquer à des phénomènes différents. Ce n'est que sous cet aspect que s'appliqueront les lois des systèmes. Aucune différence avec la procédure utilisée en général par la science. Il en va de même de la loi de la gravitation qui s'applique à la pomme de Newton, au système planétaire et au phénomène des marées. Cela signifie que sous certains aspects limités un système théorique, ici celui de la mécanique, est valable; ça ne veut pas dire qu'il existe une ressemblance particulière entre les pommes, les planètes et les océans sous un grand nombre d'autres aspects.

Une troisième objection affirme que la théorie des systèmes manque de valeur explicative. Par exemple, certains aspects des sujets organiques, comme ce qu'on appelle l'équifinalité des processus de développement, sont ouverts à une interprétation par la théorie des systèmes. Cependant, personne n'est actuellement capable de définir dans les détails les processus qui conduisent de l'œuf animal à l'organisme avec ses myriades de cellules, d'organes et de fonctions très compliquées.

Il nous faut ici considérer qu'il y a trois degrés dans l'explication scientifique, et que dans les domaines complexes et peu développés sur le plan théorique, il faut nous contenter de ce que l'économiste Hayek appelait justement « l'explication de principe ». Un exemple pourra montrer ce que cela signifie.

L'économie théorique est un système développé qui présente des modèles élaborés pour ses processus. Cependant, en règle générale les professeurs d'économie ne sont pas des milliardaires. En d'autres termes, ils peuvent bien expliquer les phénomènes économiques « de principe », mais ils ne sont pas capables de prédire les fluctuations précises du marché pour certaines actions ou à certaines dates. L'explication de principe est cependant mieux que rien. Si et quand nous sommes capables d'introduire les paramètres nécessaires, l'explication « de principe » par la théorie des systèmes devient une théorie, semblable par sa structure à la théorie physique.

Buts de la théorie générale des systèmes

Nous pouvons résumer ce qui précède.

Des conceptions et des points de vue similaires se sont développés dans diverses disciplines de la sience moderne. Alors que dans le passé la science essayait d'expliquer les phénomènes observables en les réduisant à un jeu d'unités élémentaires étudiables indépendamment les unes des autres, des conceptions apparaissent dans la science contemporaine, s'attachant à ce qu'on appelle assez vaguement la « totalité »; c'est-à-dire les problèmes d'organisation, les phénomènes qui se ne réduisent pas à des événements locaux, les interactions dynamiques manifestées dans la différence de comportement des parties quand elles sont isolées ou situées dans un ensemble complexe, etc., en bref, les « systèmes » de divers ordres qui ne peuvent s'appréhender par l'étude de leurs parties prises isolément. Des conceptions et des problèmes de cette nature sont apparus dans toutes les disciplines scientifiques sans tenir compte de l'objet de l'étude, êtres inanimés, organismes vivants, phénomènes sociaux. C'est cette correspondance qui frappe le plus, car les développements des diverses sciences ont été mutuellement indépendants, ignorants les uns des autres, fondés sur des faits différents et sur des philosophies contradictoires. Cela indique un changement général de l'attitude et des conceptions scientifiques.

Mais il n'y a pas seulement cette similitude des aspects dans des sciences différentes; nous trouvons fréquemment dans divers domaines des lois identiques sur le plan formel ou isomorphes. Dans beaucoup de cas, des lois isomorphes sont valables pour certaines classes ou sous-classes de « systèmes », sans tenir compte de la nature des êtres impliqués. Il semble exister des lois générales des systèmes s'appliquant à tout système d'un certain type indépendamment de ses propriétés particulières ou de ses éléments.

Ces considérations conduisent au postulat d'une nouvelle discipline scientifique que nous appelons la théorie générale des systèmes. Son but est de formuler des principes valables pour les « systèmes » en général indépendamment de la nature des éléments qui les composent et des relations, des « forces », qui les relient.

La théorie générale des systèmes est donc une science générale de ce qui, jusqu'à présent, était considéré comme un concept vague, brumeux et semi-métaphysique, la « totalité ». Dans sa forme élaborée, ce serait une discipline logico-mathématique, en elle-même purement formelle, mais s'appliquant aux diverses sciences empiriques. Pour les sciences qui s'occupent d'« ensembles organisés » elle aurait la même importance que la théorie des probabilités pour celles qui s'occupent d'« événements aléatoires »; cette dernière est aussi une discipline mathématique formelle s'appliquant à des domaines très divers comme la thermodynamique, l'expérience biologique et médicale, la génétique, les statistiques de durée de vie pour les assurances, etc.

Ceci montre les visées principales de la théorie générale des systèmes :

1) Tendance générale à une intégration des diverses sciences, naturelles et sociales.

2) Cette intégration semble être centrée sur une théorie générale des systèmes.

3) Cette théorie peut être un moyen important pour atteindre une théorie exacte dans les domaines scientifiques non physiques.

4) Développant « verticalement » des principes unificateurs à travers l'univers des sciences individuelles, cette théorie nous rapproche du but : l'unité de la science.

5) Ceci peut conduire à une intégration très utile dans l'enseignement scientifique.

Une remarque sur la délimitation de cette théorie semble ici utile. Le terme et le programme de la théorie générale des systèmes furent introduits par l'auteur il y a un certain nombre d'années. Il s'est fait jour cependant qu'un assez grand nombre de chercheurs dans diverses disciplines ont été conduits à des conclusions et des voies d'approche similaires. On peut donc suggérer de conserver ce nom qui est devenu d'utilisation courante, ne serait-ce que comme une étiquette pratique.

Il semble en premier lieu que la définition des systèmes comme « ensembles d'éléments en interaction » est si générale et si vague, qu'on ne peut pas en tirer grand-chose. Ceci n'est cependant pas vrai. Par exemple, les systèmes peuvent être définis par des familles d'équations différentielles ; si on introduit, au sens habituel du raisonnement mathématique, des conditions plus précises, on peut trouver de nombreuses propriétés importantes des systèmes en général et des cas particuliers (*cf.* chapitre 3).

L'approche mathématique utilisée dans la théorie générale des systèmes n'est pas la seule possible, ni même la plus générale. Il existe beaucoup d'approches modernes qui lui sont liées telles que la théorie de l'information, la cybernétique, la théorie des jeux, de la décision, des réseaux, les modèles stochastiques, la recherche opérationnelle, pour ne citer que les plus importantes. Cependant, l'utilisation des équations différentielles par la physique, la biologie, l'économie et probablement aussi les sciences du comportement, en fait un accès pratique à l'étude des systèmes généralisés.

Je vais maintenant illustrer la théorie générale des systèmes par quelques exemples.

Systèmes ouverts et fermés : limites de la physique conventionnelle

Mon premier exemple est celui des systèmes fermés et ouverts. La physique conventionnelle ne traite que de systèmes fermés, c'est-à-dire de systèmes considérés comme isolés de leur environnement. Ainsi la chimie-physique nous parlera-t-elle de réactions, de leurs taux et éventuellement des équilibres chimiques qui s'établissent, ceci dans un récipient fermé contenant un certain nombre de réactifs. La thermodynamique déclare expressément que ses lois ne s'appliquent qu'aux systèmes fermés. En particulier, le second principe de la thermodynamique établit que dans un système fermé, une certaine quantité appelée entropie doit croître jusqu'à un maximum, et qu'éventuellement le processus s'arrête en un état d'équilibre. Le second principe peut être formulé de diverses manières ; en particulier, l'entropie est une mesure de probabilité ; donc un système fermé tend vers un état de distribution la plus probable. Cependant, la distribution la plus probable d'un mélange, disons de perles de verre, rouges ou bleues, ou de molécules ayant des vitesses différentes, est un état en désordre complet; il est hautement improbable d'obtenir un état où toutes les perles rouges soient séparées d'un côté et les bleues de l'autre ou encore d'avoir, dans un espace clos, toutes les molécules rapides c'est-à-dire une haute température à droite, et toutes les molécules lentes c'est-à-dire une basse température à gauche. Ainsi la tendance à une entropie maximum ou à la distribution la plus probable est une tendance au plus grand désordre.

Cependant on trouve des systèmes qui par leur nature même et par leur définition ne sont pas des systèmes fermés. Tout organisme vivant est essentiellement un système ouvert. Il se maintient dans un flux entrant et un flux sortant continuels, une génération et une destruction de composants; il ne connaît pas, tant qu'il est en vie, d'équilibre chimique et thermodynamique mais il est maintenu dans ce qu'on appelle un état stable qui s'en distingue totalement. C'est le processus chimique interne des cellules qui est l'essence même de ce phénomène fondamental de la vie qu'on appelle métabolisme. Qu'en est-il ? Evidemment les formulations conventionnelles de la physique ne s'appliquent pas, en principe, à l'organisme vivant *considéré comme* un système ouvert en état stable; il nous faut en outre supposer que beaucoup de caractéristiques des systèmes vivants, qui semblent paradoxales face aux lois de la physique, sont une conséquence de ce fait.

Ce n'est que depuis quelques années que la physique cherche à s'étendre pour inclure les systèmes ouverts. Cette théorie a apporté un éclairage nouveau à de nombreux phénomènes obscurs en physique et en biologie et a conduit à des conclusions générales importantes; je n'en mentionnerai que deux.

La première est le principe d'équifinalité. Dans un système fermé l'état final est déterminé de façon univoque par les conditions initiales; par exemple le mouvement dans un système planétaire, où les positions des planètes au temps t sont déterminées univoquement par leurs positions au temps t_0. Ou encore, dans un équilibre chimique, les concentrations finales des réactifs dépendent naturellement des concentrations initiales. Si on change les conditions initiales ou le processus, l'état final sera aussi modifié. Il n'en va pas ainsi dans les systèmes ouverts. Ici, le même état final peut être atteint à partir de conditions initiales différentes ou par des chemins différents. C'est ce qu'on appelle l'équifinalité; elle a une grande signification pour les phénomènes de régulation biologique. Ceux qui sont familiers avec l'histoire de la biologie se rappelleront que c'est justement l'équifinalité qui a poussé le biologiste allemand Driesch à adhérer au vitalisme, c'est-à-dire à la doctrine qui affirme que les phénomènes vitaux ne peuvent s'expliquer en termes de science naturelle. Driesch fondait son argument sur des expériences sur le début du développement des embryons. Le même résultat final, un oursin normal, s'obtient à partir d'un œuf complet, à partir de chaque moitié d'un œuf coupé, ou à partir du produit obtenu par fusion de deux œufs entiers. Il en va de même des embryons de beaucoup d'autres espèces, y compris l'homme, ou de vrais jumeaux sont le produit de la division d'un ovule. L'équifinalité, selon Driesch, contredit les lois physiques et ne peut être accomplie que par un facteur vitaliste « animiste » qui gouverne le processus en vue du but à atteindre, l'établissement d'un organisme normal. On peut cependant montrer que les systèmes ouverts, dans la mesure où ils atteignent un état stable, doivent présenter une équifinalité, en sorte que disparaît la violation présumée des lois physiques (*cf.* p. 137 et suiv.).

Un autre contraste apparent entre la nature inanimée et animée est ce qu'on appelle quelquefois la contradiction violente entre la dégradation de Lord Kelvin et l'évolution de Darwin, entre la loi de dissipation en physique et celle d'évolution en biologie. Selon le second principe de la thermodynamique la tendance générale des événements dans la nature physique est d'aller vers des états de désordre maximum et de nivellement des différences, avec comme vision finale ce qu'on appelle la mort calorifique de l'univers; toute l'énergie est partie en chaleur de basse température régulièrement distribuée et le processus du monde s'arrête. Au contraire le monde vivant montre au cours de son développement embryonnaire et de son évolution un passage vers un ordre plus élevé, une plus grande hétérogénéité et plus d'organisation. Mais, sur la base de la théorie des systèmes ouverts la contradiction apparente entre l'entropie et l'évolution disparaît. Dans tous les processus irréversibles l'entropie doit croître. La variation d'entropie dans les systèmes fermés est donc toujours positive; l'ordre est continuellement détruit. Cependant, dans les systèmes ouverts il n'y a pas seulement production d'entropie par des processus irréversibles mais aussi une importation d'entropie qui peut très bien être négative. C'est le cas de l'organisme vivant qui reçoit des molécules complexes chargées d'énergie libre. Ainsi les systèmes vivants maintenus en état stable peuvent-ils éviter l'accroissement d'entropie; ils peuvent même évoluer vers des états d'ordre et d'organisation accrus.

A partir de ces exemples on devine la portée de la théorie des systèmes ouverts. Entre autres choses, on voit que beaucoup des viols présumés de la loi physique par la nature vivante n'existent pas ou plutôt, qu'ils disparaissent avec la généralisation de la théorie physique. Dans une version généralisée le concept de système ouvert peut s'appliquer à des niveaux non physiques. Par exemple en écologie dans l'évolution vers une formation de climax (Whittacker); en psychologie où les « systèmes neurologiques » sont considérés comme des « systèmes dynamiques ouverts » (Krech); en philosophie où la tendance qui oppose le point de vue « trans-actionnel » à ceux « d'action individuelle » ou « d'actions interpersonnelles », correspond très bien au modèle du système ouvert (Bentley).

Information et entropie

Un autre développement très proche de la théorie des systèmes est celui de la théorie moderne de la communication. On a souvent dit que l'énergie était l'unité monétaire de la physique exactement comme le dollar ou la livre sterling expriment les valeurs économiques. Cependant, dans certaines branches de la physique et de la technologie cette monnaie n'est pas directement acceptable. C'est le cas dans le domaine de la communication où le développement du téléphone, de la radio, des radars, des machines à calculer, des servomécanismes et autres engins a fait surgir une nouvelle branche de la physique.

La notion générale de la théorie de la communication est celle d'information. Dans beaucoup de cas le flux d'information correspond à un flux d'énergie; par exemple, les ondes lumineuses émises par un objet quelconque atteignent l'œil ou une cellule photoélectrique, font jaillir une réaction de l'organisme ou de quelque machine et fournissent ainsi une information. Cependant, on peut facilement donner des exemples où le flux d'information est opposé au flux d'énergie, ou même où l'information est transmise sans flux d'énergie ou de matière. Le premier c'est le cas du câble télégraphique où un courant continu s'écoule dans un sens, mais où l'information (un message) peut être envoyée dans n'importe laquelle des deux directions en interrompant le courant en un point et en enregistrant cette interruption en un autre point. Pour le second cas pensez aux portes automatiques à cellule photoélectrique installées dans les supermarchés : l'ombre, l'interruption de l'énergie lumineuse, informe la cellule que quelqu'un veut entrer et la porte s'ouvre. Ainsi, en général, l'information ne peut s'exprimer en termes d'énergie.

Il y a cependant une autre façon de mesurer l'information : en termes de décision. Prenons le « jeu des vingt questions » où il nous faut trouver un objet grâce aux réponses par un simple « OUI » ou « NON » à nos questions. La quantité d'information reçue dans chaque réponse c'est la décision entre les deux branches d'une alternative : animal ou non-animal par exemple. Avec deux questions il est possible de choisir entre quatre possibilités, par exemple mammifère ou non, plante à fleur ou plante sans fleur. Avec trois réponses c'est une décision parmi 8 possibilités, etc. Ainsi le logarithme de base 2 des décisions possibles peut servir de mesure de l'information, l'unité étant ce qu'on appelle l'unité binaire ou bit. L'information contenue dans deux réponses est $\log_2 4 = 2$ bits, dans trois réponses, $\log_2 8 = 3$ bits, etc. Il se trouve que cette mesure de l'information est semblable à celle de l'entropie ou plutôt de l'entropie négative, puisque l'entropie est définie comme un logarithme de probabilité. Mais l'entropie, comme nous l'avons déjà vu, mesure le désordre ; d'où l'entropie négative ou information mesure l'ordre ou l'organisation puisque cette dernière, comparée à une distribution aléatoire, est un état improbable.

Un second concept central de la théorie de la communication et du contrôle est celui de rétroaction (feedback). Un schéma simple de rétroaction est le suivant (fig. 2.1). Le système comprend tout d'abord un récepteur

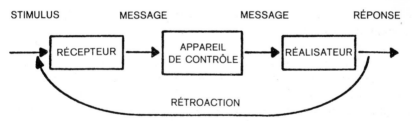

Fig. 2.1 — Schéma simple de rétroaction.

ou « organe sensoriel », une cellule photo-électrique, un écran de radar, un thermomètre ou un organe des sens au sens biologique du terme. Le message peut être un courant faible pour les appareils techniques ou une conduction nerveuse pour l'organisme vivant, etc. Ensuite on trouve un centre qui interprète les messages et les transmet à un réalisateur constitué par une machine comme un moteur électrique, une résistance ou un solénoïde, ou encore par un muscle ; ce réalisateur répond au message, en sorte qu'il y a sortie d'une force de haute énergie. Finalement le fonctionnement du réalisateur est retransmis au récepteur, ce qui rend le système auto-réglé, c'est-à-dire ce qui garantit la stabilité et la direction de l'action.

Les mécanismes de rétroaction sont très utilisés par la technologie moderne pour la stabilisation de certaines actions, comme dans les thermostats ou les récepteurs-radio; ou pour diriger une action vers un but, quand l'éloignement du but est retransmis comme information jusqu'à ce que le but ou la cible soient atteints. C'est le cas des missiles à tête chercheuse qui cherchent leur cible, des systèmes de contrôle de D.C.A., des gouvernails automatiques et de tout ce qu'on appelle des servomécanismes.

Un grand nombre de phénomènes biologiques correspondent, évidemment, au modèle de rétroaction. Il y a tout d'abord le phénomène appelé homéostase, le maintien d'un équilibre dans l'organisme vivant, dont le prototype est la thermorégulation chez les animaux à sang chaud. Le refroidissement du sang stimule certains centres cervicaux qui « préviennent » les mécanismes qui réchauffent le corps; la température du corps est retournée au centre, en sorte que cette température se trouve maintenue à un niveau constant. Il existe des mécanismes homéostatiques semblables dans le corps qui gardent constant un grand nombre de variables physico-chimiques. En outre des systèmes de rétroaction comparables aux servomécanismes de la technologie existent chez l'animal et le corps humain, et régularisent les actions. Si nous voulons prendre un crayon, un rapport est fait au système nerveux central sur la distance qui nous a fait manquer ce crayon au début; cette information est retournée au système nerveux central en sorte que le mouvement est contrôlé jusqu'à ce que le but soit atteint.

Ainsi beaucoup de systèmes, aussi bien en technologie que dans la nature vivante, suivent le schéma de rétroaction; on sait qu'une nouvelle discipline appelée cybernétique a été introduite par Norbert Wiener pour étudier ces phénomènes. Cette théorie essaye de montrer que les mécanismes du type rétroaction sont le fondement du comportement téléologique ou réfléchi des machines faites par l'homme aussi bien que des organismes vivants et des systèmes sociaux.

Il devrait venir à l'esprit cependant que le schéma de rétroaction est d'une nature assez spéciale. Il présuppose un aménagement structurel du type mentionné ci-dessus. Il existe cependant beaucoup de régulations dans l'organisme vivant de nature essentiellement différente; c'est-à-dire ceux où l'ordre est obtenu par une interaction dynamique des processus. Rappelons par exemple les régulations embryonnaires où l'ensemble est rétabli à partir des parties par des processus équifinaux. On peut montrer que les régulations *primaires* des systèmes organiques, c'est-à-dire les plus fondamentales, premières, aussi bien dans le développement embryonnaire que dans l'évolution, ont le type d'interactions dynamiques. Elles sont fondées sur le fait que l'organisme vivant est un système ouvert qui se maintient en état stable ou s'en approche. Au-dessus il y a ces régulations que l'on peut qualifier de *secondaires* qui sont contrôlées par des aménagements fixes; en particulier celles du type rétroaction. Cet état est la conséquence d'un principe général de l'organisation qu'on peut appeler : mécanisation progressive. Au début, les systèmes biologiques, nerveux, psychologiques ou sociaux, sont gouvernés par une interaction dynamique de leurs composants; ultérieurement s'établissent des aménagements fixes et des contraintes qui rendent le système et ses parties plus efficaces, mais qui diminuent graduellement et abolissent même quelquefois son équipotentialité. Ainsi la dynamique est-elle l'aspect le plus large, puisque nous pouvons toujours arriver à des fonctions mécaniques à partir des lois générales des systèmes en introduisant les contraintes appropriées, mais que l'inverse est impossible.

Causalité et téléologie

Un autre point que je voudrais mentionner c'est l'évolution de l'image scientifique du monde au cours des dernières décennies. Dans la vision mécaniste du monde née de la physique classique du XIXe siècle, c'est le jeu sans but des atomes gouvernés par les lois inexorables de la causalité, qui produisait tous les phénomènes du monde inanimé, vivant et mental. Aucune place n'était laissée à la directivité, à l'ordre, à la finalité. Le monde de l'organisme apparaissait comme un produit hasardeux obtenu par le jeu stupide des mutations aléatoires et de la sélection; le monde mental, comme un épiphénomène curieux et assez peu conséquent des événements matériels. Le seul but de la science était analytique; scission de la réalité en des unités chaque fois plus petites et isolement des chaînes causales individuelles. Ainsi la réalité physique était-elle divisée en points dotés d'une masse ou atomes, l'organisme vivant en cellules, le comportement en réflexes, la perception en sensations ponctuelles, etc. De même, la causalité était essentiellement à sens unique; dans la mécanique newtonienne un soleil attire une planète, un gène dans un ovule fécondé produit tel et tel caractère hérité, telle bactérie produit telle ou telle maladie, les éléments mentaux se trouvent enfilés par la loi d'association, comme les perles sur le fil d'un collier. Rappelez-vous le fameau tableau des catégories de Kant qui essaye de résumer les notions fondamentales de la science classique: il est symptomatique que les notions d'interaction et d'organisation n'aient été que des bouche-trous ou ne soient même pas apparues. Il est caractéristique de la science moderne que le schéma d'unités isolables agissant par une causalité à sens unique s'est montré insuffisant.

D'où l'apparition dans toutes les disciplines scientifiques de notions comme celles de totalité, d'organisme, de forme (gestalt), etc., qui signifient toutes en dernier ressort que nous devons penser en termes de systèmes d'éléments en interaction mutuelle.

De même les notions de téléologie, de directivité, semblaient être hors du champ de la science, le terrain d'opérations mystérieuses, surnaturelles ou anthropomorphiques; ou encore un pseudo-problème intrinsèquement étranger à la science, une simple projection déplacée de l'esprit de l'observateur dans une nature gouvernée par des lois inutiles. Néanmoins ces aspects existent et on ne peut concevoir un organisme vivant et encore plus le comportement ou les sociétés humaines, sans tenir compte de ce qu'on appelle diversement et assez vaguement, l'adaptation, l'existence d'un but, la recherche d'un but, etc.

Ce qui caractérise le point de vue actuel, c'est la prise en considération sérieuse de ces aspects comme problèmes scientifiques légitimes; en outre on peut indiquer des modèles simulant un tel comportement.

Nous avons déjà cité deux de ces modèles. L'un d'eux est l'équifinalité, tendance vers un état final caractéristique à partir de différents états initiaux et par diverses voies, fondée sur l'interaction dynamique dans un système ouvert qui atteint un état stable; le second est la rétroaction, maintien homéostatique d'un état caractéristique ou recherche d'un but, fondés sur des chaînes causales circulaires et sur des mécanismes renvoyant l'information sur les écarts à partir de l'état à maintenir ou à partir du but à atteindre. Un troisième modèle de comportement adaptatif, « un modèle pour un cerveau » a été développé par Ashby; soit dit en passant, il est parti des mêmes définitions et équations mathématiques pour un système général que celles que j'ai utilisées. Nous avons développé nos systèmes indépendamment et suivant des lignes d'intérêt différentes; nous sommes arrivés à des théorèmes et à des conclusions différents. Le modèle d'adaptation d'Ashby est grossièrement celui de fonctions définissant un système, c'est-à-dire de fonctions qui après le dépassement d'une certaine valeur critique, sautent dans une nouvelle famille d'équations différentielles. Ceci signifie qu'après cette valeur critique, le système adopte un autre type de comportement adaptatif, grâce à ce que le biologiste appelerait essais et erreurs : il essaye différentes voies et différents moyens, et s'installe éventuellement dans un domaine où il ne se trouve plus en conflit avec des valeurs critiques de l'environnement. Un tel système s'adaptant au moyen d'essais et d'erreurs a été construit par Ashby sous forme d'une machine électromagnétique appelée homéostat.

Je ne vais pas discuter les mérites et les erreurs de ces modèles de comportement téléologique ou dirigé. Il faut cependant insister sur le fait que le comportement téléologique dirigé vers un état final caractéristique ou but n'est pas une chose située hors des limites des sciences naturelles ou une mauvaise conception anthropomorphique de processus, en eux-mêmes non dirigés ou accidentels. C'est au contraire une forme de comportement qui peut très bien se définir en termes scientifiques et pour laquelle on peut préciser les conditions nécessaires et les mécanismes possibles.

Qu'est-ce que l'organisation ?

Des considérations du même ordre s'appliquent au concept d'organisation. Elle aussi était étrangère au monde mécaniste. Le problème n'apparaissait pas en physique classique, en mécanique, en électrodynamique, etc. Bien plus, le second principe de la thermodynamique indiquait comme tendance générale des événements une destruction de l'ordre. Il est vrai qu'il n'en est plus de même dans la physique moderne. Un atome, un cristal ou une molécule sont des organisations, comme Whitehead ne manquait jamais de le faire remarquer. En biologie les organismes sont, par définition, des objets organisés. Mais bien que nous possédions une quantité énorme de données sur l'organisation biologique, de la biochimie à la cytologie, de l'histologie à l'anatomie, il n'existe aucune théorie de l'organisation biologique, c'est-à-dire aucun modèle qui permette d'expliquer les faits empiriques.

Les notions de totalité, de croissance, de différenciation, d'ordre hiérarchique, de domination, de commande, de compétition, etc., sont caractéristiques de l'organisation, que ce soit celle d'un être vivant ou d'une société. Ces notions n'apparaissent pas dans la physique conventionnelle. La théorie des systèmes, elle, peut venir à bout de ces matières. Il est possible de définir de telles notions à l'intérieur du modèle mathématique d'un système ; en outre on peut dans certains cas développer des théories détaillées inférant, à partir des hypothèses générales, des cas particuliers. Un bon exemple est fourni par la théorie des équilibres biologiques, des fluctuations cycliques, etc., commencée par Lotka, Volterra, Gause et d'autres. On pensera certainement que la théorie biologique de Volterra et la théorie de l'économie quantitative sont isomorphes sous beaucoup d'aspects.

Cependant, beaucoup des aspects des organisations ne se prêtent pas facilement à l'interprétation quantitative. On trouve déjà cette difficulté en sciences naturelles. Ainsi la théorie des équilibres biologiques ou celle de la sélection naturelle sont-elles des domaines hautement développés de la biologie mathématique; personne ne doute qu'elles soient légitimes, en grande partie correctes et qu'elles jouent un rôle important dans la théorie de l'évolution ou dans l'écologie. Il est cependant difficile de les appliquer sur le terrain parce que les paramètres choisis comme la valeur sélective, le taux de destruction et de génération, etc., ne peuvent se mesurer facilement. Il faut donc nous contenter d'une « explication de principe », d'un argument qualitatif qui peut cependant avoir des conséquences intéressantes.

Comme exemple d'application de la théorie générale des systèmes à la société humaine, citons un livre récent de Boulding intitulé *La révolution organisationnelle*. Boulding part d'un modèle général d'organisation et énonce ce qu'il appelle les lois d'airain valables pour toutes les organisations. Exemple de lois d'airain : la loi de Malthus qui énonce que l'accroissement des populations est en général plus grand que celui des ressources. Il existe alors une loi de la taille optimum des organisations : plus une organisation s'étend, plus longues se trouvent les communications ce qui, en fonction de la nature des organisations, agit comme un facteur limitatif interdisant à l'organisation de croître au-delà d'une taille critique. Selon la loi d'instabilité beaucoup d'organisations ne sont pas en équilibre stable mais subissent des fluctuations cycliques qui résultent des interactions de sous-systèmes. Soit dit en passant ceci pourrait probablement être traité dans le cadre de la théorie de Volterra; ce qu'on appelle la première loi de Volterra décrit en effet les cycles périodiques des populations formées de deux espèces dont l'une vit aux dépens de l'autre. L'importante loi des oligopoles affirme que si des organisations sont en compétition, l'instabilité de leurs relations et donc le danger de frictions et de conflits varie dans le sens inverse de celui du nombre de ces organisations. Ainsi, aussi longtemps qu'elles sont assez petites et assez nombreuses, elles peuvent coexister. Mais s'il n'en reste plus que quelques-unes ou même que deux en compétition, comme c'est le cas actuellement des blocs politiques colossaux, les conflits peuvent devenir dévastateurs jusqu'à destruction mutuelle. On peut facilement agrandir le nombre de ces théorèmes qui portent sur les organisations. On peut les développer assez bien de manière mathématique, ce qui a d'ailleurs déjà été fait pour certains.

La théorie générale des systèmes et l'unité de la science

Laissez-moi terminer par quelques remarques sur les implications générales d'une théorie interdisciplinaire.

Le rôle intégrant de la théorie générale des systèmes peut sans doute se résumer ainsi. Pendant longtemps l'unification de la science a été considérée comme la réduction de toutes les sciences à la physique, comme la résolution ultime de tous les phénomènes en événements physiques. A notre point de vue, l'unité de la science devient plus réaliste. Nous pouvons fonder notre conception unitaire du monde, non pas sur l'espoir peut-être futile et certainement outré de réduire en dernier ressort tous les niveaux de la réalité à celui de la physique, mais plutôt sur les isomorphismes qui existent entre les divers domaines. Pour parler selon ce qu'on appelle le mode « formel », c'est-à-dire en portant son attention sur les constructions conceptuelles de la science, ces isomorphismes signifient uniformité structurelle des schémas que nous appliquons. En langage « matériel » cela signifie que le monde, c'est-à-dire l'ensemble des événements observables, présente des uniformités structurelles qui se manifestent aux divers niveaux ou dans les diverses disciplines par des traces d'ordre isomorphes.

Nous en arrivons à une conception contraire à celle du réductionnisme, que l'on pourrait appeler perspectivisme. Nous ne pouvons pas réduire les niveaux biologiques, behavioral et sociologique au plus bas niveau qui est celui des constructions et des lois physiques. Il est cependant possible de trouver des schémas et peut-être des lois à l'intérieur de chacun de ces niveaux. Le monde est selon Aldous Huxley une tranche napolitaine où les niveaux, les univers physique, biologique, social et moral, représentent les couches de chocolat, de fraise et de vanille. Nous ne pouvons réduire la fraise au chocolat ; au plus peut-on dire peut-être, en dernier ressort, que tout est vanille, tout est esprit ou pensée. La vision mécaniste du monde prenant comme réalité ultime le jeu des particules physiques, trouve son expression dans une civilisation qui glorifie la technologie physique, elle qui a peut-être causé les catastrophes que nos temps connaissent. La vision du monde en tant que grande organisation aidera peut-être à restaurer le respect de la vie que nous avons perdu pendant les dernières décennies de l'histoire de l'humanité.

La théorie générale des systèmes dans l'enseignement : l'avènement de généralités scientifiques

Après cette description schématique du sens et des buts de la théorie générale des systèmes, je voudrais essayer de répondre à une question : comment peut-elle contribuer à un enseignement intégré ? Afin de ne pas être trop partisan, je citerai quelques auteurs qui ne sont pas engagés personnellement dans le développement de la théorie générale des systèmes.

Il y a quelques années un groupe de savants a publié un article intitulé : « La formation des généralistes scientifiques »; parmi eux se trouvaient l'ingénieur Bode, le sociologue Mosteller, le mathématicien Tukey et le biologiste Winsor.

Les auteurs mettaient en évidence « la nécessité d'une approche plus simple et mieux unifiée des problèmes scientifiques ». Ils écrivaient :

> « Nous entendons souvent dire « qu'un homme ne peut plus couvrir un domaine assez large » et que « la spécialisation est trop poussée »... Nous avons besoin d'une approche plus simple et mieux unifiée des problèmes scientifiques, d'hommes qui pratiquent la science et non pas une science, en un mot nous avons besoin de généralistes scientifiques » (Bode et autres, 1949).

Les auteurs montrent alors clairement et pourquoi on a besoin de généralistes dans des domaines comme la chimie-physique, la biophysique, la chimie appliquée, la physique, les mathématiques médicales, et ils enchaînent :

> « N'importe quel groupe de chercheurs a besoin d'un généraliste, qu'il s'agisse d'un groupe institutionnel dans une université ou une fondation, ou un groupe industriel... Dans un groupe d'ingénieurs, le généraliste s'occuperait naturellement des problèmes de système. Ces problèmes surgissent quand diverses parties sont mélangées dans un ensemble équilibré » (Bode et autres, 1949).

Dans un symposium de la Fondation pour un enseignement intégré, le professeur Mather (1951) parlait des « études intégratives pour un enseignement général ». Il affirmait :

> « Une des critiques sur l'enseignement général est fondée sur le fait qu'il risque facilement de dégénérer en une simple présentation d'informations, prises dans autant de domaines de recherche qu'il y a de temps pour le faire dans un semestre ou une année... Si vous surpreniez une conversation entre étudiants de dernière année, vous les entendriez dire « nos professeurs nous ont complètement bourrés, mais quel est le sens de tout cela ? »... La recherche des concepts fondamentaux et des principes sous-jacents valables pour l'ensemble des connaissances est bien plus importante. »

Pour répondre à ce que pourraient être ces concepts fondamentaux Mather affirme :

> « Des concepts généraux semblables ont été développés par des chercheurs travaillant indépendamment dans des disciplines largement différentes. Ces correspondances sont les plus significatives puisqu'elles sont fondées sur des faits radicalement différents. Ceux qui les ont développées étaient largement ignorants du travail des autres. Ils sont partis de philosophies opposées et sont pourtant arrivés à des conclusions remarquablement similaires... »

> « ... Ainsi conçues (Mather conclut), les études intégratives prouveraient qu'elles ont un rôle essentiel dans le désir de connaissance de la réalité. »

Il ne me semble pas nécessaire de faire des commentaires. L'enseignement conventionnel de la physique, de la biologie, de la psychologie ou des sciences sociales les traite en domaines séparés ; la tendance générale est de transformer en sciences séparées des sous-domaines de plus en plus petits ; ce processus se répète au point que chaque spécialité devient un petit modèle insignifiant détaché du reste. Au contraire, ce sont les besoins de l'éducation en « généralistes scientifiques » entraînés et en « principes fondamentaux » interdisciplinaires que la théorie générale des systèmes essaye de satisfaire. Ce n'est pas un simple programme ou un vœu pieux puisque, comme nous avons essayé de le montrer, cette structure théorique se trouve déjà dans le processus du développement. En ce sens la théorie générale des systèmes semble être un progrès important vers une synthèse des disciplines et vers un enseignement intégré.

Science et société

Cependant, quand nous parlons d'éducation, nous n'entendons pas seulement les valeurs scientifiques, c'est-à-dire la communication et l'assimilation de faits ; nous prenons aussi en compte les valeurs éthiques qui contribuent au développement de la personnalité. Y-a-t-il quelque chose à gagner à adopter notre point de vue ? Ceci conduit au problème fondamental de la valeur de la science en général et des sciences sociales et du comportement en particulier.

On cite souvent l'argument suivant concernant la valeur de la science et son impact sur la société, sur le bien-être de l'humanité. Notre connaissance des lois physiques est excellente; notre contrôle technologique de la nature inanimée est donc pratiquement illimité. Notre connaissance des lois biologiques n'est pas aussi avancée mais elle suffit à permettre une bonne technologie biologique en médecine et en biologie appliquée. L'espérance de vie a été reculée bien au-delà des limites imposées aux êtres humains au cours des derniers siècles et même des dernières décennies. L'application des méthodes modernes de l'agriculture scientifique, de l'agronomie, suffirait largement à faire vivre une population humaine bien supérieure à celle qui couvre actuellement notre planète. Ce qui manque malheureusement, c'est la connaissance des lois de la société humaine et par conséquent, une technologie sociologique. Ainsi les résultats de la physique sont-ils mis au service de moyens de destruction de plus en plus efficaces; de vastes parties du monde connaissent la famine, alors qu'ailleurs les récoltes pourrissent ou sont détruites; la guerre et la destruction aveugle de la vie humaine, de la culture et des moyens de subsistance sont les seuls exutoires d'une fertilité incontrôlée et de la surpopulation qui en découle. Cela résulte du fait que nous connaissons et contrôlons les forces physiques trop bien, les forces biologiques plus moyennement et les forces sociales pas du tout. Si nous possédions une science de la société humaine assez développée et la technologie correspondante, ce serait la fin du chaos, de la destruction imminente de notre monde actuel.

Ceci semble assez plausible; c'est en fait une version moderne du conseil de Platon : ce n'est que si les dirigeants sont des philosophes que l'humanité sera sauvée. Il y a cependant un « hiatus » dans cette argumentation. Nous avons une idée assez nette de ce que serait un monde contrôlé scientifiquement. Dans le meilleur des cas ce serait le *Brave New World* de Aldous Huxley, et, dans le pire, celui de *1984* de Orwell. Empiriquement on peut dire que les résultats scientifiques sont utilisés au moins autant si ce n'est plus pour détruire que pour construire. Les sciences du comportement humain et de la société ne font pas exception. En fait, le plus grand danger des systèmes totalitaires modernes c'est peut-être d'être terriblément en avance non pas seulement sur le plan de la technique physique ou biologique, mais aussi sur le plan de la technique-psychologique. Les méthodes de suggestion de masse, de libération des instincts de la bête humaine, de conditionnement et de contrôle de la pensée sont développées avec une formidable efficacité; c'est parce que le totalitarisme moderne est si terriblement scientifique que l'absolutisme des périodes antérieures apparaît comme un pis-aller dilettante et comparativement inoffensif. Le contrôle scientifique de la société n'est pas le grand chemin vers l'Utopie.

Le commandement ultime : l'homme est un individu

Nous pouvons cependant concevoir une compréhension scientifique de la société humaine et de ses lois d'une façon un peu différente et plus modeste. Cette connaissance peut nous enseigner, non seulement ce que le comportement humain et la société ont de commun avec d'autres organisations, mais aussi ce qui leur est spécifique. Le dogme principal sera alors : l'Homme n'est pas seulement un animal politique, il est d'abord et avant tout un individu. Les valeurs réelles de l'humanité ne sont pas celles qu'elle partage avec des entités biologiques, la fonction d'un organisme ou une communauté d'animaux, mais celles qui sont issues de l'esprit individuel. La société humaine n'est pas une communauté de fourmis ou de termites gouvernée par un instinct héréditaire et contrôlée par les lois d'un tout super-ordonné; elle est fondée sur l'achèvement de l'individu et elle est perdue si l'individu n'est plus qu'un rouage de la machine sociale. C'est, je crois, le précepte ultime que peut donner une théorie de l'organisation : non pas un manuel pour les dictateurs de toutes sortes, efficace pour dominer les êtres humains en appliquant scientifiquement les lois d'airain, mais un avertissement : le Léviathan de l'organisation ne peut avaler l'individu sans sceller du même coup sa perte inévitable.

CHAPITRE 3

CONSIDÉRATIONS MATHÉMATIQUES ÉLÉMENTAIRES SUR QUELQUES CONCEPTS DE SYSTÈME

Le concept de système

L'étude des complexes d'« éléments » doit tenir compte de trois critères de distinction : 1° leur *nombre*; 2° leur *espèce*; 3° les *relations* entre les éléments. L'exemple graphique qui suit éclaircira ce point; *a* et *b* représentent divers complexes (fig. 3.1).

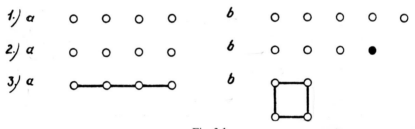

Fig. 3.1

Dans les cas 1 et 2, le complexe peut être considéré comme une somme d'éléments pris séparément (*cf.* p. 64 et suivantes). Dans le troisième cas, outre les éléments, on connaît les relations qui les lient. Les caractéristiques du premier type seront appelées *sommatives* et celles du second *constitutives*. Nous pourrions aussi dire que les caractéristiques sommatives d'un élément sont celles qui ne dépendent pas du fait qu'il se trouve à l'intérieur ou à l'extérieur du complexe; elles peuvent donc s'obtenir en sommant les caractéristiques et les comportements des éléments pris isolément. Par contre les caractéristiques constitutives dépendent des relations spécifiques à l'intérieur du complexe; pour les comprendre il nous faut donc connaître outre les parties, les liens qui les unissent.

Des exemples de caractéristiques physiques du premier type sont fournis par la masse ou la masse moléculaire (somme des masses ou des masses atomiques), la chaleur (considérée comme somme des mouvements des molécules), etc. Les caractéristiques chimiques donnent un exemple du second type (par ex. les isomérismes; caractéristiques différentes de corps ayant la même composition globale, mais dont les radicaux sont diversement disposés dans la molécule).

L'expression un peu ésotérique, « un tout est plus que la somme de ses parties », signifie simplement que les caractéristiques constitutives ne peuvent s'expliquer à partir des caractéristiques des parties prises isolément. Les propriétés du complexe paraissent donc, par rapport à celles des éléments, comme « nouvelles » ou « émergentes ». Cependant, la connaissance de l'ensemble des parties contenues dans un système et celle des relations qui les lient permettra de déduire du comportement des parties, celui du système. On peut aussi dire : alors qu'une somme peut se concevoir comme s'étant formée petit à petit, un système considéré comme un tout, parties et relations, doit être envisagé comme s'étant formé instantanément.

Du point de vue physique ces affirmations sont évidentes; elles pourraient poser plus de problèmes et conduire à des idées confuses en biologie, en psychologie et en sociologie, ceci essentiellement à cause d'une mauvaise interprétation de la conception mécaniste; la tendance actuelle étant de réduire les phénomènes à des éléments indépendants et à des chaînes causales en laissant de côté les interrelations.

Pour être rigoureuse, la théorie générale des systèmes (que nous simplifierons maintenant en T.G.S.) devrait être axiomatique; c'est à partir de la notion de système et d'un ensemble approprié d'axiomes que l'on déduirait des propositions exprimant les propriétés et les principes des systèmes. Les considérations qui suivent sont beaucoup plus modestes. Elles illustrent tout bonnement quelques principes des systèmes, simples et accessibles intuitivement, sans chercher ni rigueur mathématique, ni généralité.

Un système peut être défini comme un complexe d'éléments en interaction. Par « interaction » nous entendons des éléments p liés par des relations R, en sorte que le comportement d'un élément p dans R diffère de son comportement dans une autre relation R'. S'il se comporte de la même façon dans R et R', il n'y a pas interaction et les éléments se conduisent indépendamment par rapport aux relations R et R'.

Un système peut être défini mathématiquement de plusieurs façons. Comme exemple prenons un système d'équations différentielles simultanées. Soit Q_i ($i = 1, 2, \ldots, n$) une mesure quelconque des éléments p_i; ces équations seront, pour un nombre fini d'éléments et dans un cas simple, de la forme :

(3.1)
$$\begin{cases} \dfrac{dQ_1}{dt} = f_1\,(Q_1, Q_2, \ldots Q_n) \\[2mm] \dfrac{dQ_2}{dt} = f_2\,(Q_1, Q_2, \ldots Q_n) \\[2mm] \cdots\cdots\cdots\cdots\cdots\cdots\cdots \\[2mm] \dfrac{dQ_n}{dt} = f_n\,(Q_1, Q_2, \ldots Q_n) \end{cases}$$

La variation de n'importe quelle mesure Q_i est donc une fonction de toutes les autres, Q_i ($i = 1, 2, \ldots n$). Réciproquement, la variation de n'importe quelle Q_i entraîne une variation de toutes les autres mesures et du système dans leur totalité.

On trouve des systèmes d'équations de ce type dans beaucoup de domaines; ils représentent un principe général de la cinétique. Par exemple dans *Simultankinetik* (Skrabal, 1944, 1949), il s'agit de l'expression générale de la loi d'action de masse. Le même système fut utilisé dans un sens plus large par Lotka (1925), particulièrement en ce qui concerne les problèmes démographiques. Les équations des systèmes biocénotiques développés par Volterra, Lotka, d'Ancona, Gause et d'autres, sont des cas particuliers des équations (3.1). De même en ce qui concerne les équations utilisées par Spiegelman (1945) en cinétique des processus cellulaires et en théorie de la compétition dans un organisme. G. Werner (1945) a établi un système semblable, encore que plus général (il considère que le système est continu et utilise donc des équations aux dérivées partielles par rapport à x, y, z et t), comme loi fondamentale de la pharmaco-dynamique; il peut en déduire diverses lois d'action des produits pharmaceutiques en introduisant les conditions particulières nécessaires.

Une telle définition de « système » n'est en aucune façon générale. Elle fait abstraction des conditions spatiales et temporelles qui seraient exprimées par des équations aux dérivées partielles. Elle ne tient pas compte non plus du fait que les événements peuvent dépendre de l'histoire antérieure du système (« hystérésis » prise au sens large); de telles considérations transformeraient le système en équations intégro-différentielles comme celles étudiées par Volterra (1931; *cf.* aussi D'Ancona, 1939) et Donnan (1937). L'introduction de telles équations aurait un sens bien précis : le système considéré serait un tout non seulement du point de vue spatial, mais aussi dans le temps.

En dépit de ces restrictions, les équations (3.1) peuvent servir à discuter quelques propriétés générales des systèmes. Bien qu'on ne précise rien sur la nature des mesures Q_i ou des fonctions f_i, c'est-à-dire sur les relations ou interactions à l'intérieur du système, on peut mettre en évidence certains principes généraux.

Il y a une condition d'état stationnaire caractérisée par la disparition des dérivées $\dfrac{dQ_i}{dt}$,

c'est-à-dire :

$$f_1 = f_2 = \ldots f_n = 0 \qquad (3.2)$$

En annulant, nous obtenons n équations à n inconnues; en résolvant on obtient les valeurs :

$$(3.3) \qquad \begin{cases} Q_1 = Q_1^* \\ Q_2 = Q_2^* \\ \ldots\ldots\ldots \\ Q_n = Q_n^* \end{cases}$$

Ces valeurs sont des constantes puisqu'on a supposé les variations nulles. En général il y aura un certain nombre d'états stationnaires, certains stables, d'autres instables.

Introduisons de nouvelles variables :

$$Q_i = Q_i^* - Q_i' \qquad (3.4)$$

réécrivons le système (3.1) :

$$(3.5) \qquad \begin{cases} \dfrac{dQ_1'}{dt} = f_1'\,(Q_1',\, Q_2',\, \ldots\, Q_n') \\[2mm] \dfrac{dQ_2'}{dt} = f_2'\,(Q_1',\, Q_2',\, \ldots\, Q_n') \\[2mm] \ldots\ldots\ldots\ldots\ldots\ldots\ldots\ldots \\[2mm] \dfrac{dQ_n'}{dt} = f_n'\,(Q_1',\, Q_2',\, \ldots\, Q_n') \end{cases}$$

Supposons qu'on peut développer ce système en séries de Taylor :

$$
(3.6) \quad
\begin{cases}
\dfrac{\mathrm{d}Q'_1}{\mathrm{d}t} = a_{11}\,Q'_1 + a_{12}\,Q'_2 + \ldots \\[1mm]
a_{1n}\,Q'_n + a_{111}\,Q'^2_1 + a_{112}\,Q'_1\,Q'_2 + a_{122}\,Q'^2_2 + \ldots \\[3mm]
\dfrac{\mathrm{d}Q'_2}{\mathrm{d}t} = a_{21}\,Q'_1 + a_{22}\,Q'_2 + \ldots \\[1mm]
a_{2n}\,Q'_n + a_{211}\,Q'^2_1 + a_{212}\,Q'_1\,Q'_2 + a_{222}\,Q'^2_2 + \ldots \\[1mm]
\cdots\cdots\cdots\cdots\cdots\cdots\cdots\cdots\cdots\cdots\cdots\cdots\cdots\cdots \\[3mm]
\dfrac{\mathrm{d}Q'_n}{\mathrm{d}t} = a_{n1}\,Q'_1 + a_{n2}\,Q'_2 + \ldots \\[1mm]
a_{nn}\,Q'_n + a_{n11}\,Q'^2_1 + a_{n12}\,Q'_1\,Q'_2 + a_{n22}\,Q'^2_2 + \ldots
\end{cases}
$$

On a comme solution générale de ce système d'équations :

$$
(3.7) \quad
\begin{cases}
Q'_1 = G_{11}\,\mathrm{e}^{\lambda_1 t} + G_{12}\,\mathrm{e}^{\lambda_2 t} + \ldots G_{1n}\,\mathrm{e}^{\lambda_n t} + G_{111}\,\mathrm{e}^{2\lambda_1 t} + \ldots \\[1mm]
Q'_2 = G_{21}\,\mathrm{e}^{\lambda_1 t} + G_{22}\,\mathrm{e}^{\lambda_2 t} + \ldots G_{2n}\,\mathrm{e}^{\lambda_n t} + G_{211}\,\mathrm{e}^{2\lambda_1 t} + \ldots \\[1mm]
\cdots\cdots\cdots\cdots\cdots\cdots\cdots\cdots\cdots\cdots\cdots\cdots\cdots\cdots \\[1mm]
Q'_n = G_{n1}\,\mathrm{e}^{\lambda_1 t} + G_{n2}\,\mathrm{e}^{\lambda_2 t} + \ldots G_{nn}\,\mathrm{e}^{\lambda_n t} + G_{n11}\,\mathrm{e}^{2\lambda_1 t} + \ldots
\end{cases}
$$

où les G sont des constantes et les λ les racines de l'équation caractéristique :

$$
(3.8) \quad
\begin{vmatrix}
a_{11} - \lambda & a_{12} & a_{1n} \\
a_{21} & a_{22} - \lambda & a_{2n} \\
\cdots\cdots & \cdots\cdots & \cdots\cdots \\
a_{n1} & a_{n2} & a_{nn} - \lambda
\end{vmatrix} = 0
$$

Les racines λ peuvent être réelles ou imaginaires. Les équations (3.7) montrent que si tous les λ sont réels négatifs (ou complexes avec partie réelle négative), Q'_i tend vers 0 quand t croît, car $\mathrm{e}^{-\infty} = 0$; alors, selon (3.5), Q_i prend les valeurs stationnaires Q^*_i. Dans ce cas il s'agit d'un équilibre *stable*, puisqu'au bout d'un temps suffisant le système est aussi proche que l'on veut de l'état stationnaire.

Toutefois, si un des λ est positif ou nul, l'équilibre est *instable*.

Si enfin certains λ sont positifs et complexes, le système contient des termes périodiques puisque la fonction exponentielle avec exposant complexe s'écrit :

$$
\mathrm{e}^{(a-ib)t} = \mathrm{e}^{at}\,(\cos bt - \mathrm{i} \sin bt).
$$

Dans ce cas il y aura *fluctuations périodiques*, généralement amorties. Par exemple, considérons le cas simple où $n = 2$; un système comportant deux sortes d'éléments :

$$(3.9) \qquad \begin{cases} \dfrac{dQ_1}{dt} = f_1 (Q_1, Q_2) \\[2mm] \dfrac{dQ_2}{dt} = f_2 (Q_1, Q_2) \end{cases}$$

Supposons ici que les fonctions peuvent être développées en séries de Taylor; la solution est :

$$(3.10) \qquad \begin{cases} Q_1 = Q_1^* - G_{11}\, e^{\lambda_1 t} - G_{12}\, e^{\lambda_2 t} - G_{111}\, e^{2\lambda_1 t} - \dots \\[1mm] Q_2 = Q_1^* - G_{21}\, e^{\lambda_1 t} - G_{22}\, e^{\lambda_2 t} - G_{211}\, e^{2\lambda_1 t} - \dots \end{cases}$$

avec Q_1^* et Q_2^* valeurs stationnaires de Q_1 et Q_2 obtenues en faisant $f_1 = f_2 = 0$; les G sont les constantes d'intégration; les λ les racines de l'équation caractéristique :

$$\begin{vmatrix} a_{11} - \lambda & a_{12} \\ a_{21} & a_{22} - \lambda \end{vmatrix} = 0$$

c'est-à-dire, si on développe :

$$(a_{11} - \lambda)(a_{22} - \lambda) - a_{12}\, a_{21} = 0,$$

$$\lambda^2 - \lambda C + D = 0,$$

$$\lambda = \frac{C}{2} \pm \sqrt{- D + \left(\frac{C}{2}\right)^2},$$

en ayant posé :

$$C = a_{11} + a_{22}; \quad D = a_{11}\, a_{22} - a_{12}\, a_{21}.$$

Si :

$$C < 0, \quad D > 0, \quad E = C^2 - 4 D > 0,$$

les deux solutions de l'équation caractéristique sont négatives. On obtient un *nœud*; le système s'approchera d'un état stable (Q_1^*, Q_2^*), car $e^{-\infty} = 0$ entraîne que tous les termes sauf le premier décroissent vers 0 (fig. 3.2).

Si :

$$C < 0, \quad D > 0, \quad E = C^2 - 4 D < 0,$$

les deux solutions de l'équation caractéristique sont complexes avec partie réelle négative. Dans ce cas on a une *boucle*; le point (Q_1, Q_2) tend vers (Q_1^*, Q_2^*) en décrivant une courbe en spirale.

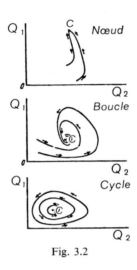

Fig. 3.2

Si :

$$C = 0, \quad D > 0, \quad E < 0,$$

les deux solutions de l'équation caractéristique sont imaginaires; la solution contient donc des termes périodiques; il y aura des oscillations (cycles) autour des valeurs stationnaires. Le point (Q_1, Q_2) décrit une courbe fermée autour du point (Q_1^*, Q_2^*).

Enfin, si :

$$C > 0, \quad D < 0, \quad E > 0,$$

les deux solutions de l'équation caractéristique sont positives et il n'y a pas d'état stationnaire.

Croissance

On trouve des équations de ce type dans divers domaines et nous pouvons utiliser le système (3.1) pour expliquer l'identité formelle des lois des systèmes dans diverses disciplines, en d'autres termes, pour démontrer l'existence d'une théorie des systèmes. Ceci peut être montré dans le cas

le plus simple, c'est-à-dire celui du système formé d'éléments d'un seul
type. Alors, le système d'équations se réduit à une seule équation :

(3.11) $$\frac{dQ}{dt} = f(Q),$$

qui peut se développer en série de Taylor :

(3.12) $$\frac{dQ}{dt} = a_1Q + a_{11}Q^2 + \ldots$$

Cette série ne contient pas de terme de degré zéro (terme constant) sauf
dans le cas où il y a « génération spontanée » d'éléments. En effet dQ/dt doit
s'annuler pour $Q = 0$ ce qui ne se peut que si le terme de degré zéro est nul.

Le cas le plus simple est celui où on ne garde que le premier terme de la
série :

(3.13) $$\frac{dQ}{dt} = a_1Q.$$

Ceci signifie que la croissance du système est directement proportionnelle
au nombre de ses éléments. Selon que la constante a_1 est positive ou négative,
la croissance du système est positive ou négative, et le système s'accroît ou
décroît. La solution est :

(3.14) $$Q = Q_0 \, e^{a_1 t},$$

Q_0 représentant le nombre d'éléments à $t = 0$. Il s'agit de la loi exponentielle bien connue dans de nombreux domaines (fig. 3.3).

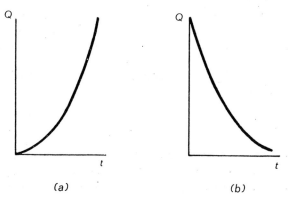

(a)   (b)

Fig. 3.3 — Courbes exponentielles.

En mathématiques la loi exponentielle est appelée « loi de la croissance naturelle », et si ($a_1 > 0$), elle est valable pour la croissance du capital avec intérêts composés. En biologie, elle s'applique à la croissance individuelle de certaines bactéries et de certains animaux. En sociologie elle est valable pour la croissance sans contrainte de populations de plantes ou d'animaux; dans le cas le plus simple pour l'accroissement des bactéries chez lesquelles chaque individu se divise en deux, ces deux en quatre, etc. En sociologie encore, on l'appelle loi de Malthus; croissance illimitée de la population quand le taux de natalité dépasse celui de mortalité. Elle décrit aussi la croissance de la connaissance humaine mesurée au nombre de pages de livres consacrés à des découvertes scientifiques, ou au nombre de publications sur les drosophiles (Hersh, 1942). Si ($a_1 < 0$) la loi exponentielle s'applique à l'altération radioactive, à la décomposition d'un composé chimique dans une réaction monomoléculaire, à la suppression des bactéries grâce à des rayons ou à du poison, à l'amaigrissement du corps des organismes multi-cellulaires dû à la faim, à l'extinction d'une population quand le taux de mortalité excède celui de natalité, etc.

Revenons à l'équation (3.12), et conservons les deux premiers termes. On a :

(3.15)
$$\frac{\mathrm{d}Q}{\mathrm{d}t} = a_1 Q + a_{11} Q^2$$

Une solution de cette équation est :

(3.16)
$$Q = \frac{a_1\, C\, e^{a_1 t}}{1 - a_{11}\, C\, e^{a_1 t}}$$

Le fait de garder le second terme a une conséquence importante. L'exponentielle simple (3.14) présente un accroissement infini; en gardant le second terme, on obtient une courbe sigmoïde, qui tend vers une valeur limite. Cette courbe est appelée courbe logistique (fig. 3.4) et possède aussi un large champ d'application.

En chimie, c'est la courbe d'une réaction autocatalytique, c'est-à-dire une réaction au cours de laquelle le produit obtenu accélère sa propre production. En sociologie c'est la loi de Verhulst (1838) décrivant la croissance des populations humaines, si les ressources sont limitées.

Bien que ces exemples soient triviaux du point de vue mathématique, ils illustrent un point intéressant pour ce qui nous préoccupe, à savoir que certaines lois de la nature ne sont pas seulement atteintes par l'expérience,

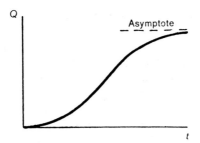

Fig. 3.4 — Courbe logistique.

mais aussi d'une manière purement formelle. Les équations discutées ne signifient rien de plus que le fait qu'on ait appliqué le système assez général d'équations (3.1), son développement en séries de Taylor, et des conditions convenables. En ce sens, ces lois sont *a priori* indépendantes de leur interprétation physique, chimique, biologique, sociologique, etc. En d'autres termes, ceci montre l'existence d'une théorie générale des systèmes qui s'occupe des caractéristiques formelles des systèmes; les faits concrets apparaissent comme des applications spéciales en précisant les variables et les paramètres. En d'autres termes encore, de tels exemples montrent l'unité formelle de la nature.

Compétition

Notre système d'équations peut aussi mettre en évidence la compétition entre les parties.

Le cas le plus simple est encore celui où tous les coefficients $(a_{j \neq i}) = 0$, c'est-à-dire celui où l'accroissement de tout élément ne dépend que de lui-même. Pour deux éléments, cela donne :

(3.17)
$$\begin{cases} \dfrac{dQ_1}{dt} = a_1 Q_1 \\[2mm] \dfrac{dQ_2}{dt} = a_2 Q_2 \end{cases}$$

ou

(3.18)
$$\begin{cases} Q_1 = c_1 e^{a_1 t} \\[2mm] Q_2 = c_2 e^{a_2 t} \end{cases}$$

En éliminant le temps on obtient :

(3.19)
$$t = \frac{\ln Q_1 - \ln c_1}{a_1} = \frac{\ln Q_2 - \ln c_2}{a_2},$$

et

(3.20)
$$Q_1 = bQ_2^\alpha$$

avec
$$\alpha = a_1/a_2, \quad b = c_1/c_2^\alpha.$$

Cette équation est connue en biologie sous le nom d'équation allométrique. Dans cette discussion on a considéré la forme la plus simple de croissance des parties, c'est-à-dire la forme exponentielle (3.17 et 3.18). La relation allométrique reste cependant valable dans des cas plus compliqués, tels que la croissance parabolique, logistique, suivant la fonction de Gompertz, soit de façon stricte, soit de façon approximative (Lumer, 1937).

L'équation allométrique s'applique à un large ensemble de données morphologiques, biologiques, physiologiques et phylogénétiques. Elle signifie qu'une certaine caractéristique Q_1 peut s'exprimer comme une fonction puissance d'une autre caractéristique Q_2. Prenons par exemple la morphogenèse. Dans ce cas la longueur ou le poids d'un certain organe Q_1 est en général une fonction allométrique du format d'un autre organe, ou de la longueur ou du poids total de l'organisme en question Q_2. Ceci devient clair si on écrit les équations (3.17) sous une forme légèrement différente :

(3.21)
$$\frac{dQ_1}{dt} \cdot \frac{1}{Q_1} : \frac{dQ_2}{dt} \cdot \frac{1}{Q_2} = \alpha$$

ou

(3.22)
$$\frac{dQ_1}{dt} = \alpha \cdot \frac{Q_1}{Q_2} \cdot \frac{dQ_2}{dt}$$

L'équation (3.21) établit que le taux de croissance relative (c'est-à-dire l'accroissement calculé en pourcentage de la taille actuelle) des parties considérées Q_1 et Q_2 reste dans un rapport constant au cours de la vie, ou au cours d'un cycle de vie, pendant lequel l'équation allométrique est valable. Cette relation relativement surprenante (parce qu'à première vue il pourrait sembler improbable qu'avec la grande complexité des problèmes de croissance, la croissance des parties soit gouvernée par une équation algébrique si simple) se trouve expliquée par l'équation (3.22). Selon cette équation, cela peut être interprété comme le résultat d'un processus de distribution. Prenons Q_2 comme l'organisme tout entier; l'équation (3.22) établit alors que l'organe Q_1 prend, dans l'accroissement résultant du métabolisme de tout l'organisme $\left(\dfrac{dQ_2}{dt}\right)$, une part qui est proportionnelle à sa proportion actuelle dans l'ensemble $\left(\dfrac{Q_1}{Q_2}\right)$. α est un coefficient de partition indiquant la capacité de l'organe à s'emparer de sa part. Si $a_1 > a_2$, c'est-à-dire si l'intensité de croissance de Q_1 est plus grande que celle de Q_2, alors $\alpha = \dfrac{a_1}{a_2} > 1$; l'organe s'empare d'une plus grande quantité que les autres parties; il croît donc plus vite que celles-ci, ou avec une allométrie positive. Réciproquement, si $a_1 < a_2$, c'est-à-dire si $\alpha < 1$, l'organe croît plus lentement ou encore présente une allométrie négative. De façon similaire, l'équation allométrique s'applique aux changements biologiques dans l'organisme et aux fonctions physiologiques. Par exemple, le métabolisme basal croît, dans les larges groupes d'animaux, au taux $\alpha = 2/3$, par rapport au poids des corps, ceci si on compare la croissance d'animaux de la même espèce ou d'espèces proches; ceci signifie que le métabolisme basal est en général une fonction surface du poids du corps. Dans certains cas, tels que les larves d'insectes et les escargots, $\alpha = 1$, c'est-à-dire que le métabolisme basal est proportionnel au poids lui-même.

En sociologie l'expression en question est la *loi de Pareto* (1897), loi de distribution du revenu dans une nation, qui énonce que $Q_1 = bQ_2^{\alpha}$, avec Q_1 = nombre d'individus gagnant un certain revenu, Q_2 = montant du revenu, et b et α des constantes. L'explication est semblable à celle donnée ci-dessus, en substituant le revenu national à « l'accroissement de l'organisme total », et la capacité économique des individus concernés à la « distribution constante ».

La situation devient plus complexe si on suppose qu'il existe des interactions entre les parties du système, c'est-à-dire si $a_{j\neq i} \neq 0$. Nous arrivons alors à des systèmes d'équations identiques à ceux étudiés par Volterra (1931) pour la compétition entre les espèces, et concurremment par Spiegelman (1945) pour la compétition à l'intérieur de l'organisme. Etant donné que ces cas sont très bien étudiés dans la littérature, nous n'allons pas entrer dans une discussion détaillée. Seuls un ou deux points ayant un intérêt général seront mis en évidence.

Une conséquence intéressante des équations de Volterra est que la compétition de deux espèces pour les mêmes ressources est, en un sens, plus fatale qu'une relation « rapace-proie », c'est-à-dire anéantissement partiel d'une des espèces par l'autre. Cette compétition conduit en fin de compte à l'extermination des espèces qui ont la plus petite capacité de croissance ; une relation « rapace-proie » conduit seulement à une oscillation périodique du nombre des membres des espèces concernées autour d'une valeur moyenne. Ces relations ont été établies pour des systèmes *biocénotiques* mais il se pourrait bien qu'elles aient aussi des implications sociologiques.

Un autre point d'intérêt philosophique doit être mentionné. Quand nous parlons de « systèmes », nous entendons « Touts » ou « Unités ». Il semble alors paradoxal par rapport au tout, que l'on introduise la notion de compétition entre ses parties. En fait, ces deux sujets apparemment contradictoires appartiennent cependant à ce qui est essentiel dans les systèmes. Tout « Ensemble » est fondé sur la compétition de ses éléments et présuppose la « lutte entre les parties » (Roux). Ceci est un principe général d'organisation aussi bien dans les simples systèmes physico-chimiques que dans les organismes et les unités sociales et c'est en dernier ressort une expression de la *coincidentia opositorum* que présente la réalité.

Totalité, somme, mécanisation, centralisation

Les concepts indiqués ont souvent été considérés comme décrivant les caractéristiques des seuls êtres vivants ou même comme étant une preuve de vitalisme. En fait, ils sont des propriétés formelles des systèmes.

1° Supposons encore que les équations (3.1) peuvent être développées en séries de Taylor :

$$(3.23) \qquad \frac{dQ_1}{dt} = a_{11}Q_1 + a_{12}Q_2 + \ldots a_{1n}Q_n + a_{111}Q_1^2 + \ldots$$

Nous voyons que toute variation d'une quelconque quantité Q_1 est une fonction des quantités de tous les éléments, de Q_1 à Q_n. D'un autre côté, une variation de certains Q_i entraîne une variation de tous les autres éléments et dans tout le système. Le système se comporte donc comme un tout, les variations de tout élément dépendant de tous les autres.

2° Supposons que les coefficients des variables Q_j ($j \neq i$) sont nuls. Le système devient :

$$(3.24) \qquad \frac{dQ_i}{dt} = a_{ii}Q_i + a_{iii}Q_i^2 + \ldots$$

Ceci signifie qu'un changement d'un élément quelconque, ne dépend que de cet élément. Chaque élément peut donc être considéré comme indépendant des autres. La variation du complexe total est la somme (physique) des variations de ses éléments. Nous appellerons un tel comportement *sommativité physique* ou *indépendance*. Nous définirons la sommativité en disant qu'un complexe peut être construit, pas à pas, en assemblant ensemble les premiers éléments séparés; réciproquement, les caractéristiques du complexe peuvent être analysées complètement dans celles des éléments séparés. Cela est vrai pour ces complexes que nous appellerons « Tas », tels qu'un tas de briques ou de petits morceaux, ou pour les forces mécaniques, agissant selon le parallélogramme des forces. Ceci ne s'applique pas aux systèmes appelés *Gestalten* en allemand. Prenez l'exemple le plus simple : trois conducteurs électriques ont une certaine charge qui peut être mesurée dans chaque conducteur séparément. Mais, s'ils sont connectés avec des fils, la charge dans chaque conducteur dépend de la constellation et est différente de leur charge quand ils étaient isolés.

Bien que ceci soit trivial du point de vue de la physique, il est encore nécessaire de souligner le caractère non sommatif des systèmes physiques et biologiques parce que l'attitude méthodologique a été et est encore dans une large mesure déterminée par le programme mécaniste (von Bertalanffy, 1949 *a*, 1960). Dans le livre de Lord Russell (1948) nous trouvons un refus assez étonnant du « concept d'organisme ». Ce concept établit, selon Russel, que les lois gouvernant le comportement des parties peuvent être établies seulement en considérant la place des parties dans le tout. Russel rejette cette idée. Il utilise l'exemple d'un œil, dont la fonction comme récepteur lumineux peut être parfaitement bien comprise si l'œil est isolé et si seules les réactions physico-chimiques internes, les stimulus pénétrant et les impulsions sortant par les nerfs, sont prises en considération. « Le progrès scientifique a été fait par analyse et isolation artificielle... Il est donc prudent d'adopter la vue mécaniste comme hypothèse de travail dans tous les cas, et de ne l'abandonner que si il y a une preuve contre elle. En ce qui concerne les phénomènes biologiques une telle preuve est jusqu'ici absente ». Il est vrai que les principes de sommativité s'appliquent jusqu'à un certain point à l'organisme vivant. Le battement d'un cœur, l'impulsion nerf-muscle, les potentiels d'action dans un nerf sont pratiquement les mêmes qu'on les étudie isolément ou à l'intérieur de ce tout qu'est l'organisme. Ceci s'applique à des phénomènes que nous définirons plus loin, qui se produisent dans des systèmes partiels hautement « mécanisés ». Mais l'exposé de Russell est profondément faux par rapport aux phénomènes de

base, primaires, de la biologie. Si vous prenez n'importe quel ensemble
de phénomènes biologiques, aussi bien le développement embryonnaire que
le métabolisme, la croissance, l'activité du système nerveux, la biocenose, etc.,
vous constaterez toujours que le comportement d'un élément diffère à
l'intérieur du système de ce qu'il est dans l'isolement. Vous ne pouvez
obtenir le comportement de l'ensemble comme somme de ceux des parties
et vous devez tenir compte des relations entre les divers systèmes secondaires
et les systèmes qui les « coiffent », si vous voulez comprendre le comportement des parties. L'analyse et la décomposition artificielle sont utiles mais
ne suffisent nullement comme méthodes d'expérimentation biologique ou
comme théorie.

3° La sommativité au sens mathématique signifie que la variation du
système total obéit à une équation du même type que les équations des
parties. Ceci n'est possible que si les fonctions du second membre des
équations ne contiennent que des termes linéaires; c'est un cas trivial.

4° Un autre cas est inusité dans les systèmes physiques bien qu'étant
courant et fondamental dans les systèmes biologiques, psychologiques et
sociologiques. C'est le cas où les interactions entre les éléments décroissent
au cours du temps. Dans le système de base (3.1), cela signifie que les
coefficients des Q_i ne sont pas constants mais qu'ils décroissent avec le
temps. Le cas le plus simple sera :

$$\lim_{t \to \infty} a_{ij} = 0 \qquad (3.25)$$

Dans ce cas le système évolue d'un état de totalité à un état d'indépendance entre les éléments. L'état primitif, c'est-à-dire un système unitaire,
se divise petit à petit en chaînes causales indépendantes, c'est ce que nous
appellerons *séparation progressive*.

En règle générale l'organisation des êtres physiques, atomes, molécules
ou cristaux résulte de l'union d'éléments préexistants. Au contraire l'organisation des êtres biologiques se construit par l'évolution d'un tout originel
qui se sépare en parties. Par exemple, la détermination du moment où, au
cours du développement embryonnaire, le germe passe d'un état d'équipotentialité à un état où il se comporte comme une mosaïque, une juxtaposition de régions qui se développent indépendamment en organes bien
précis. Il en va de même de l'évolution et du développement du système
nerveux, du comportement, qui commencent par des interventions de tout

le corps ou de grandes régions pour passer ensuite à l'installation de centres bien précis et d'arcs de réflexes localisés; ceci est aussi vrai pour de nombreux autres phénomènes biologiques.

La raison qui explique la prédominance de la ségrégation chez la nature vivante semble être la suivante : la séparation en systèmes partiels subordonnés implique un accroissement de la complexité du système. Un tel passage vers un ordre plus élevé suppose un apport d'énergie; or l'énergie n'est fournie au système de façon continue que s'il s'agit d'un système ouvert, recevant de l'énergie de ce qui l'entoure. Nous reviendrons sur ce point plus loin.

Dans l'état de totalité, une modification du système amène un nouvel état d'équilibre. Cependant, si le système est divisé en un certain nombre de chaînes causales individuelles, ces mouvements se passent de façon indépendante. Accroissement de mécanisation signifie accroissement d'isolement des éléments en fonctions qui ne dépendent que d'eux; par conséquent il y a baisse de régulabilité, puisque celle-ci s'appuie sur le fait que le système est un tout, sur les interrelations qui se présentent. Plus les coefficients d'interaction sont petits, plus les Q_i respectifs sont négligeables et plus le système « ressemble à une machine », c'est-à-dire à une juxtaposition de parties indépendantes.

Ce fait qu'on pourrait appeler « mécanisation progressive », joue un rôle important en biologie. Ce qui apparaît tout d'abord c'est le comportement résultant des interactions à l'intérieur du système; en second lieu, c'est la séparation des éléments en mécanismes qui ne dépendent que de ces éléments, le passage d'un comportement en tant que tout en comportement sommatif. On peut prendre comme exemple le développement embryonnaire; à l'origine, la performance de chaque partie dépend de sa position à l'intérieur de l'ensemble, en sorte qu'après une perturbation quelconque, une régulation est possible; ultérieurement les régions embryonnaires se spécialisent dans une seule performance, par exemple le développement d'un organe précis. De même certaines parties du système nerveux deviennent-elles des centres irremplaçables pour certaines réalisations comme par exemple, les réflexes. Cependant, en biologie, la mécanisation n'est jamais complète; même partiellement organisé, l'organisme demeure un système unitaire; c'est le fondement de la régulation et de l'interaction quand changent les besoins de l'environnement. Les mêmes considérations s'appliquent aux structures sociales. Dans une communauté primitive, chaque membre peut faire tout ce qui est utile à la communauté; dans une communauté hautement différenciée, chaque membre est déterminé pour une certaine tâche, pour un ensemble de tâches. Certaines communautés d'insectes atteignent le cas extrême où l'individu est pour ainsi dire transformé en machine destinée à certaines tâches. La spécialisation d'individus en travailleurs ou en soldats chez certaines communautés de fourmis grâce à des différences dans la nutrition à certaines étapes, ressemble étrangement à la détermination onto-génétique des régions germinales pour un certain but.

C'est dans ce contraste entre la Totalité et la Somme que repose la tension tragique qu'il y a dans toute évolution biologique, psychologique et sociologique. Le progrès n'est possible que si on passe d'une totalité indifférenciée à une différenciation des parties. Cependant ceci nécessite que les parties se fixent sur une certaine action. Alors ségrégation progressive implique perte de régulabilité. Aussi longtemps que le système est un tout unitaire, une perturbation sera suivie par la venue d'un nouvel état stationnaire dû aux interactions internes au système. Le système est autorégulé. Toutefois, si le système se trouve divisé en chaînes causales indépendantes, la régulabilité disparaît. Les processus partiels fonctionnent sans s'occuper les uns des autres. On trouve par exemple ce comportement dans le développement embryonnaire; la spécialisation va de pair avec la perte de régulabilité.

Le progrès n'est possible que si on divise une action initialement unitaire, en l'action de parties spécialisées. Il y a cependant en même temps appauvrissement, éloignement de performances qui étaient encore possibles dans l'état indéterminé. En ce sens, plus les parties sont spécialisées, plus elles sont irremplaçables et plus la disparition de certaines d'entre elles risque de conduire au naufrage de tout le système. En langage aristotélicien, toute évolution qui déploie certaines potentialités, en étouffe beaucoup d'autres dans l'œuf. Cela se vérifie aussi bien dans le développement embryonnaire que dans la spécialisation phylogénétique, dans la spécialisation scientifique que dans la vie de tous les jours (von Bertalanffy, 1949 *a*, 1960, p. 42 et suiv.).

Le comportement comme un tout et le comportement sommatif, les conceptions unitaires et les conceptions élémentalistes sont généralement considérés comme antithétiques. Néanmoins, on voit souvent qu'il n'y a pas opposition entre eux, mais transition progressive entre comportement totaliste et comportement sommatif.

5° Il existe un autre principe relié à ceci. Supposons que les coefficients d'un élément p_s sont grands dans toutes les équations alors que ceux de tous les autres éléments sont beaucoup plus petits ou même nuls. Le système ressemble alors à ce qui suit :

$$(3.26) \quad \begin{cases} \dfrac{dQ_1}{dt} = a_{11}Q_1 + \ldots a_{1s}Q_s + \ldots \\[2ex] \dfrac{dQ_s}{dt} = a_{s1}Q_s + \ldots \\[2ex] \dfrac{dQ_n}{dt} = a_{ns}Q_s + \ldots a_{n1}Q_n + \ldots \end{cases}$$

en n'écrivant, pour simplifier, que les termes linéaires.

On obtient alors des relations qui peuvent s'exprimer de plusieurs façons. Nous appellerons l'élément p_s « élément dominant », ou nous dirons encore que le système est « centré » sur p_s. Si les coefficients a_{is} de p_s sont grands dans certaines ou dans toutes les équations alors que les coefficients dans l'équation de p_s lui-même sont petits, une petite variation de p_s provoquera un changement considérable dans tout le système. On pourra alors appeler p_s *détente*. Une petite variation de p_s sera *amplifiée* par le système entier. Du point de vue énergétique, il ne s'agit pas d'un cas de « causalité de conservation » (*Erhaltungskausalität*) où le principe *causa æquat effectum* est vérifié, mais d'une « causalité d'instigation » (*Anstosskausalität*) (Mittasch, 1948); un changement insignifiant de p_s engendre un changement considérable du système entier.

Le principe de centralisation est particulièrement important dans le domaine biologique. La spécialisation progressive est souvent étroitement connectée avec la centralisation progressive qui s'exprime par l'évolution en fonction d'un élément dominant, c'est-à-dire par une combinaison des schémas (3.25) et (3.26). En même temps, le principe de centralisation progressive est celui d'individualisation progressive. Un « individu » peut être défini comme un système centralisé. A strictement parler il s'agit dans le domaine biologique d'un cas limite; il n'est qu'approché sur le plan onto-génétique et sur le plan phylo-génétique, l'organisme devenant à travers la centralisation progressive, de plus en plus unifié, de plus en plus « indivisible ».

Tous ces faits s'observent dans des systèmes divers. Nicolai Hartmann parle même de centralisation pour toute « structure dynamique ». Il ne reconnaît donc que peu de types de structures dans le domaine physique, celles de petites dimensions (l'atome, système planétaire d'électrons autour du noyau) et celles de grandes dimensions (systèmes planétaires centrés sur un soleil). Du point de vue biologique nous mettrions en évidence la mécanisation et la centralisation progressives. L'état primitif est celui où le comportement du système résulte des interactions entre parties équipotentielles; progressivement apparaît la subordination à des parties dominantes. En embryologie par exemple, celles-ci sont appelées « organisateurs » (Spemann); dans le système nerveux central les parties sont tout d'abord largement équipotentielles, comme dans le cas du système nerveux diffus des animaux les moins évolués; plus tard apparaît la subordination à des centres dominants du système nerveux.

On trouve ainsi en biologie, comparativement à la mécanisation progressive, un principe de centralisation progressive symbolisé par la formation d'éléments dominants qui sont fonction du temps, c'est-à-dire par une combinaison des schémas (3.25) et (3.26). Ce point de vue met en lumière un concept important mais difficile à définir, celui d'« individu ». « Individu » au sens de « Indivisible ». Est-il possible cependant, d'appeler « individu », un planaire ou une hydre, puisque ces animaux peuvent, étant coupés en n'importe quel nombre de morceaux, redonner un animal normal ? On peut facilement réaliser en expérience des hydres à deux têtes; les deux têtes se battront alors pour une daphnie, bien que le côté qui s'empare de la proie soit sans importance; dans les deux cas elle est avalée et elle gagne l'estomac unique où elle est digérée au bénéfice des deux parties. Même dans le cas d'organismes plus développés l'individualité est douteuse, tout au moins dans les premiers développements. Non seulement chaque moitié d'un embryon d'oursin coupé, mais encore les moitiés d'un embryon de salamandre se développent en des animaux complets; les vrais jumeaux humains sont, pour ainsi dire, le résultat d'une « expérience de Driesch » menée à bien par la nature. Des considérations semblables s'appliquent au comportement des animaux : chez les animaux les moins évolués, la tropotaxis peut avoir lieu dans le sens d'une action antagoniste des deux moitiés du corps, si celles-ci sont exposées à des stimulus de façon appropriée; la centralisation croît au fur et à mesure qu'on gravit l'échelle de l'évolution; le comportement ne résulte pas de mécanismes partiels de même rang, mais de mécanismes dominés et unifiés par les centres les plus évolués du système nerveux (*cf.* von Bertalanffy, 1937, p. 131 et suiv.; p. 139 et suiv.).

Ainsi pour parler strictement, l'individualité biologique n'existe pas; il existe seulement une individualisation progressive au cours du développement et de l'évolution; elle résulte d'une centralisation progressive; certaines parties acquièrent un rôle dominant et déterminent ainsi le comportement de l'ensemble. C'est ce qui explique que le principe de centralisation progressive soit aussi celui d'individualisation progressive. Un individu doit être défini comme un système centré; il ne s'agit actuellement que d'un cas limite approché au cours de l'évolution et du développement, en sorte que l'organisme devient plus unifié et plus « indivisible » (*cf.* von Bertalanffy, 1932, p. 269 et suiv.). Dans le domaine psychologique il y a un phénomène semblable qui est la « centralisation » de la forme, par exemple en perception; une telle centralisation semble être nécessaire pour qu'une forme psychique se distingue des autres. Contrairement au « principe de détérioration » de la psychologie associative, Metzger affirme (1941, p. 184) que « toute forme psychique, objet, processus, expérience, jusqu'aux formes de perception les plus simples, présente une certaine quantité de distribution et de centralisation; il y a un ordre grossier et quelquefois une relation dérivée, entre ses parties, ses liens et ses propriétés ». La même chose s'applique encore dans le domaine sociologique : une foule amorphe n'a pas d'individualité; pour qu'une structure sociale se distingue des autres, il est nécessaire qu'elle se groupe autour de certains individus. C'est ce qui explique qu'une « biocenèse » comme un lac ou une forêt ne soit pas un « organisme », car un organisme individuel est toujours plus ou moins centré.

En négligeant les principes de mécanisation et de centralisation progressives, on est souvent arrivé à des pseudo-problèmes; en effet on ne reconnaissait que les cas limites où les éléments sont indépendants ou sommatifs, ou alors où il y a interaction complète d'éléments identiques; les intermédiaires importants du point de vue biologique étaient ignorés. Ils ont pourtant un rôle dans les problèmes de « gènes » et de « centres nerveux ». La génétique d'autrefois (ceci n'est plus vrai de la génétique moderne) tendait à considérer la substance héréditaire comme une somme d'unités corpusculaires déterminant des caractéristiques individuelles ou organes; on peut objecter facilement qu'une somme de macro-molécules ne peut produire cet être organisé qu'est l'organisme. Ce qui est correct, c'est que le génome comme un tout produit l'organisme comme un tout; certains gènes déterminent de façon prééminente la direction de développement de certains caractères, c'est-à-dire qu'ils agissent comme « éléments dominants ». On exprime cela en disant que chaque trait héréditaire est co-déterminé par beaucoup de gènes et peut-être par tous, et que chaque gène influence non pas un trait mais un grand nombre et peut-être même tout l'organisme (polygénie des caractéristiques et polyphénie des gènes). En ce qui concerne la fonction du système nerveux, il y avait apparemment l'alternative suivante : considérer cette fonction comme une somme de mécanismes, de fonctions individuelles, ou bien comme un réseau nerveux homogène. Ici encore ce qui est correct, c'est que chaque fonction résulte en dernier ressort des interactions entre toutes les parties; néanmoins certaines parties du système nerveux central l'influencent de façon décisive; on peut ainsi les considérer comme « centres » de cette fonction.

6° Donnons une formulation plus générale (mais moins visualisable) de ce que nous venons de dire. Si la variation des Q_i est une fonction quelconque F_i des Q_i et de leurs dérivées, nous obtenons dans l'espace des coordonnées :

$$2° \text{ Si } \frac{\partial F_i}{\partial Q_j} = 0, i \neq j : \text{« indépendance »};$$

$$4° \text{ Si } \frac{\partial F_i}{\partial Q_j} = f(t), \lim_{t \to \infty} \frac{\partial F_i}{\partial Q_j} = 0 : \text{« mécanisation progressive »};$$

$$5° \text{ Si } \frac{\partial F_i}{\partial Q_s} \gg \frac{\partial F_i}{\partial Q_j}, j \neq s, \text{ ou même } \frac{\partial F_i}{\partial Q_j} = 0 : Q_s \text{ est l'« élément dominant ».}$$

7° Le concept de système ici ébauché nécessite un complément important. Les systèmes sont fréquemment ainsi structurés que leurs membres individuels sont à nouveau des systèmes du niveau juste inférieur. D'où chacun des éléments Q_1, Q_2, ..., Q_n est un système d'éléments O_{i1}, O_{i2}, ... O_{in}, dans lequel chaque système O se définit grâce à des équations semblables à (3.1) :

$$\frac{dO_{ii}}{dt} = f_{ii} (O_{i1}, O_{i2}, \ldots O_{in}).$$

Une telle superposition de systèmes s'appelle *ordre hiérarchique*. On peut appliquer à chacun des niveaux individuels les concepts de totalité et de sommativité, de mécanisation et de centralisation progressives, de finalité, etc.

Cette structure hiérarchique et cette combinaison de systèmes d'ordre toujours plus élevé sont caractéristiques de la réalité comme tout et sont en même temps d'une importance fondamentale en biologie, en psychologie et en sociologie.

8° Une distinction importante sera faite entre *systèmes fermés* et *systèmes ouverts* aux chapitres 6-8.

Finalité

Comme nous l'avons vu les systèmes d'équations considérés peuvent avoir trois types de solution. Le système peut atteindre asymptotiquement au cours du temps, un état stationnaire stable; il peut ne jamais atteindre un tel état; enfin, on peut obtenir des oscillations périodiques. Au cas où le système tend vers un état stationnaire, ses variations peuvent s'exprimer non seulement en fonction des conditions actuelles, mais aussi en fonction de la distance à l'état stationnaire. Si Q_i^* représente la solution stationnaire, on peut introduire les nouvelles variables :

$$Q_i = Q_i^* - Q_i'$$

en sorte que :

$$(3.27) \qquad \frac{\mathrm{d}Q_1}{\mathrm{d}t} = f[(Q_1^* - Q_1')(Q_2^* - Q_2') \ldots (Q_n - Q_n')]$$

On peut exprimer cela comme suit : si un système approche un état stationnaire, les variations qui ont lieu doivent être exprimées non seulement en termes de conditions actuelles, mais aussi en termes de distance à l'état d'équilibre; le système semble « viser » un équilibre qui ne sera atteint que dans le futur. Ou encore, les événements sont exprimés en fonction d'un état final futur.

On a longtemps affirmé que certaines formulations utilisées en physique avaient un caractère apparemment finalistes. Ceci à deux points de vue. Cette téléologie se remarquait particulièrement dans les *principes du minimum de la mécanique*. Maupertuis considérait déjà son principe du minimum comme la preuve que le monde, dans lequel, parmi beaucoup de mouvements virtuels c'est celui qui conduit au maximum d'effet avec le minimum d'effort qui est réalisé, est le « meilleur des mondes » et qu'il suppose un créateur réfléchi. Euler faisait une remarque semblable : « puisque la construction du monde entier est la meilleure possible et puisque ce monde tire son origine du plus sage des créateurs, on ne pourrait rien y trouver qui ne présente une caractéristique de maximum ou de minimum ». Le principe de Le Chatelier en chimie-physique présente un aspect téléologique du même ordre, de même que la règle de Lenz en électricité. Tous ces principes disent qu'en cas de perturbation, le système met en action des forces qui s'opposent à celle-ci et qui le ramènent à l'état d'équilibre : ce sont des conséquences du principe de moindre action. On peut construire pour n'importe quel système des principes homologues au principe mécanique de moindre action; ainsi

Volterra (*cf.* d'Ancona, 1939, p. 98 et suiv.) a-t-il montré qu'on pouvait développer une dynamique de la population homologue à la dynamique mécanique dans laquelle apparaît un principe similaire de moindre action.

L'erreur conceptuelle faite par une interprétation anthropomorphiste est facile à découvrir. Le principe de moindre action et ceux qui en sont proches résultent de ce que, si un système atteint un état d'équilibre, la dérivée devient nulle; c'est ce qui implique que certaines variables atteignent un extrémum, minimum ou maximum; ce n'est que quand on donne à ces variables des noms anthropomorphistes, effet, contrainte, travail, etc., qu'une téléologie apparente des processus physiques ressort dans l'action physique (*cf.* Bavink, 1944).

On peut aussi parler de la finalité au sens de *dépendance du futur*. Comme le montrent les équations (3.27), on peut en fait considérer et décrire les événements comme étant déterminés non pas par les conditions actuelles, mais par l'état final à atteindre. En second lieu, cette formulation est d'ordre général; elle ne s'applique pas seulement à la mécanique mais à n'importe quelle sorte de système. En dernier lieu ce point a souvent été mal interprété en biologie et en philosophie, en sorte qu'une clarification est nécessaire.

Prenons pour changer une équation de croissance formulée par l'auteur (von Bertalanffy, 1934 et ailleurs). Cette équation est : $l = l^* - (l^* - l_0\,e^{-kt})$ (*cf.* p. 176 et suiv.) où l est la taille de l'animal au temps t, l^* la taille finale, l_0 la taille initiale et k une constante. On pourrait croire que la taille l de l'animal au temps t est déterminée par la valeur finale l^* qui ne sera atteinte qu'au bout d'un temps infini. Cependant l^* est simplement une condition d'extrémum obtenue en annulant le quotient différentiel, de sorte que t disparaît. Pour cela nous devons d'abord connaître l'équation différentielle qui détermine le processus. C'est : $\dfrac{dl}{dt} = E - kl$; elle établit que le processus de croissance est déterminé par l'action contraire des processus d'anabolisme et de catabolisme, de paramètres respectifs E et k. Dans cette équation le processus au temps t n'est déterminé que par des conditions actuelles; il n'apparaît aucun état futur. En annulant on obtient $l^* = E/k$. La formule « téléologique » contenant la valeur finale n'est donc qu'une transformation de l'équation différentielle qui contient les conditions actuelles. En d'autres termes, le processus orienté vers l'état final ne diffère pas du point de vue causal du premier; c'en est une autre expression. L'état final qui doit être atteint dans le futur n'est pas un *vis a fronte* qui attire mystérieusement le système mais seulement une autre expression des *vires a tergo* causaux. C'est pour cette raison que la physique utilise beaucoup de ces formules avec valeur finale; c'est en effet très clair du point de vue mathématique et personne n'attribue à un système physique une « prévoyance » anthropomorphique du but. De l'autre côté, les biologistes sont souvent inquiets devant ces formules, craignant sans doute un vitalisme caché ou bien considérant une telle téléologie, une telle « tête chercheuse », comme une « preuve » du vitalisme. En effet dans la nature animée plus que dans la nature inanimée, nous avons tendance à comparer les processus finalistes à une prévoyance humaine du but; il ne s'agit en fait que d'équations mathématiquement évidentes quand elles ne sont pas triviales.

Ce point a souvent été mal compris, même par les philosophes. De E. von Hartmann aux auteurs modernes comme Kafka (1922) et moi-même, la finalité a été définie comme l'inverse de la causalité; par la dépendance du système des conditions futures plutôt que des conditions passées. Ce point de vue était très critiqué; selon cette conception en effet, un état *A* dépendrait d'un état futur *B*, un existant d'un non-existant (par ex. Gross, 1930; Schlick). Ce qui précède le montre, il ne s'agit absolument pas d'une « action » inconcevable d'un futur inexistant, mais de la formulation pratique d'un fait qui peut s'exprimer en termes de causalité.

Types de finalité

Nous n'entendons pas discuter ici en détails le problème de la finalité; néanmoins la présentation de quelques types pourra s'avérer utile. On peut ainsi distinguer :

1° La téléologie statique ou aptitude; un arrangement peut être utile pour un certain « dessein ». Un manteau de fourrure peut garder un corps au chaud de même que chez les animaux un pelage, des plumes ou des couches de graisse. Les épines doivent protéger les plantes contre le bétail qui broute, et certains animaux se cachent de leurs ennemis en changeant de couleur ou en se déguisant.

2° La téléologie dynamique signifie une orientation des processus. On peut distinguer différents phénomènes qui sont souvent confondus :

   a) La progression d'événements vers un état final, comme si le comportement présent dépendait de cet état final. Tout système atteignant un état indépendant du temps est de ce type.

   b) Le mouvement fondé sur la structure; transformation des structures mettant le processus en moyens d'atteindre un certain résultat. C'est, bien sûr, le cas d'une machine construite par l'homme pour réaliser des produits ou des services désirés. Dans la nature vivante, l'ordre structurel des processus que nous trouvons est beaucoup plus compliqué que toutes les machines construites par l'homme. Cet ordre se trouve dans le fonctionnement des organes macroscopiques comme l'œil qui fonctionne comme une caméra ou le cœur comme une pompe, mais aussi dans les structures des cellules microscopiques responsables du métabolisme, de la sécrétion, de l'excitation, de l'hérédité, etc. Alors que les machines de l'homme travaillent pour réaliser un produit ou un service, par exemple la construction d'un avion ou la traction d'un train, l'ordre des processus dans les systèmes vivants est là pour faire survivre le système lui-même. Une grande partie de ces processus est englobée sous le terme d'homéostase (Canon), c'est-à-dire : les processus par lesquels la situation matérielle et énergétique de l'organisme est maintenue constante. Par exemple les mécanismes de régulation thermique, de conservation de la pression osmotique, du pH, de la concentration saline, de la régulation de l'attitude, etc. Ces réglages sont effectués par des mécanismes de rétroaction, au sens large. Rétroaction signifie qu'une partie de l'extrant d'une machine est renvoyée à l'entrée, comme « information » pour l'intrant, ceci afin de régulariser, de stabiliser et de diriger l'action de la machine. Les mécanismes de ce type sont bien connus en technologie; par exemple, le régulateur d'une machine à vapeur, les missiles à tête chercheuse et tous les autres « servomécanismes ». La rétroaction semble être responsable d'une bonne part des régulations organiques et des phénomènes d'homéostase, comme cela a été récemment mis en évidence par la cybernétique (Franck et autres, 1948; Wiener, 1948).

c) Il existe cependant une autre base de la régulation organique. C'est l'équifinalité; le même état final peut être atteint à partir de conditions initiales différentes et par des voies différentes. C'est ce que l'on trouve dans les systèmes ouverts, s'ils atteignent un état stable. Il semble que l'équifinalité soit responsable de la régularité première des systèmes organiques, c'est-à-dire de toutes ces régulations qu'on ne peut fonder sur des structures ou sur des mécanismes prédéterminés, mais qui au contraire excluent de tels mécanismes; elles étaient considérées comme des arguments du vitalisme.

d) Enfin, il y a la finalité vraie ou destination, c'est-à-dire que le comportement actuel est déterminé par une prévoyance du but. C'est le concept aristotélicien originel. Cela suppose que le but futur existe déjà en pensée et qu'il dirige l'action présente. La destination réelle est caractéristique du comportement humain et est liée à l'évolution du symbolisme du langage et des concepts (von Bertalanffy, 1948 *a*, 1965).

Le mélange de ces différents types de finalité est en partie responsable de la confusion qui se produit en épistémologie et en biologie théorique. Dans le cas des objets fabriqués par l'homme l'aptitude (1) et le travail téléologique des machines (2.*b*) sont dus à l'intelligence planificatrice (2.*d*). On peut vraisemblablement expliquer l'aptitude dans les structures organiques (1) par le jeu causal de mutations aléatoires et par la sélection naturelle. Cette explication est cependant beaucoup moins plausible en ce qui concerne l'origine des mécanismes organiques très compliqués et des systèmes à rétroaction (2.*b*). Le vitalisme est essentiellement une tentative d'explication des orientations organiques (2.*b* et *c*) par l'intelligence dans la prévoyance du but (2.*d*). Cela conduit, du point de vue méthodologique, au-delà des limites de la science naturelle et ne se justifie pas empiriquement; en effet, même dans les phénomènes les plus étonnants de la régulation ou de l'instinct, nous ne trouvons aucune justification mais plutôt des démentis précis, par exemple, l'affirmation qu'un embryon ou un insecte est doté d'une intelligence surhumaine. Une grande partie des phénomènes avancés comme preuve du vitalisme, tels que l'équifinalité ou l'anamorphose, ne sont que des conséquences du fait caractéristique que l'organisme est un système ouvert; ils se trouvent ainsi accessibles à une interprétation scientifique et à une théorie.

Les isomorphismes en science

Cette étude n'avait pour but que de présenter brièvement le dessein général et quelques concepts de la théorie générale des systèmes. Il faudrait en outre, d'un côté exprimer cette théorie sous une forme logico-mathématique stricte, d'un autre côté, développer plus loin les principes valables pour tous les types de systèmes. Il s'agit d'un problème concret. On pourrait par exemple développer la dynamique démographique parallèlement à la dynamique mécanique (Volterra, *cf.* d'Ancona, 1939). On pourrait trouver un principe de moindre action dans divers domaines, en mécanique, en chimie-physique, comme le principe de Le Chatelier qui, comme on peut le prouver, est aussi valable pour les systèmes ouverts, comme la règle de Lenz en électricité, en théorie de la population selon Volterra, etc. Un principe d'oscillations relaxées existe pour les systèmes physiques aussi bien que pour de nombreux phénomènes biologiques et que pour certains modèles de dynamique des populations. Une théorie générale des phénomènes périodiques semble être nécessaire pour diverses disciplines scientifiques. On devra donc s'efforcer de développer des principes comme ceux de moindre action, les conditions d'état stationnaire, les solutions périodiques (équilibres et fluctuations rythmiques), l'existence d'états stables et les problèmes semblables, en généralisant les résultats de la physique valables pour les systèmes en général.

La théorie générale des systèmes n'est donc pas le catalogue des équations différentielles bien connues et de leurs solutions; elle présente de nouveaux problèmes précis qui n'apparaissent pas tous en physique mais qui ont une importance fondamentale dans les disciplines non physiques. C'est parce que la physique ne s'occupait pas de ces phénomènes qu'ils sont souvent apparus comme métaphysiques ou vitalistes.

La théorie générale des systèmes pourrait devenir plus tard un important système normatif pour les sciences. L'existence de lois de même structure dans divers domaines rend possible l'utilisation de modèles plus simples ou mieux connus pour traiter des phénomènes compliqués ou peu maniables. La théorie générale des systèmes devrait donc devenir un important moyen méthodologique, contrôlant et incitant le passage des principes d'une discipline à l'autre; ainsi il ne serait plus nécessaire de faire deux ou trois fois la découverte des mêmes principes dans des domaines isolés les uns des autres. En même temps, en formulant des critères exacts, la théorie générale des systèmes mettra en garde contre les analogies superficielles, qui sont inutiles sur le plan scientifique et nuisibles par leurs conséquences pratiques.

Ceci nous amène à définir le domaine dans lequel les « analogies » sont possibles et utiles pour la science.

Nous avons déjà constaté l'apparition de lois des systèmes, semblables dans diverses disciplines. Il en est de même des phénomènes où les principes généraux peuvent être décrits en langage ordinaire bien qu'ils ne puissent être formulés en termes mathématiques. Par exemple, il est difficile de trouver des processus plus différents sur le plan phénoménologique et sur le plan des mécanismes intrinsèques, que ne le sont la formation d'un animal nouveau à partir d'un oursin divisé en deux, ou d'un germe de salamandre sectionné, le rétablissement du fonctionnement normal du système nerveux central après l'ablation ou la blessure d'une de ses parties et enfin, la perception de la forme en psychologie. Néanmoins les principes qui gouvernent ces phénomènes différents montrent des similitudes surprenantes. Ou encore, dans l'étude du développement des langages germaniques, on peut observer qu'à partir d'un langage primitif, certaines transformations ont eu lieu parallèlement chez des tribus diverses, bien qu'elles fussent éloignées géographiquement les unes des autres; en Islande, dans les Iles Britanniques ou dans la Péninsule Ibérique. Une influence mutuelle est hors de question; il faut plutôt constater que les langages se sont développés de façon indépendante après séparation des tribus et qu'ils montrent pourtant un parallélisme bien précis [1]. Le biologiste trouvera un principe correspondant dans certaines études sur l'évolution. On peut prendre comme exemple le groupe éteint des animaux ongulés, les titanothères. Au cours du Tertiaire, ils se développèrent; de petits, ils devinrent gigantesques; en même temps que se développait leur corps, apparaissaient des cornes sans cesse plus grandes. Une recherche plus poussée montra que les titanothères, à partir de leur petite forme primitive, se divisèrent en plusieurs groupes qui se développèrent indépendamment les uns des autres tout en continuant à posséder des caractéristiques parallèles. Nous trouvons ici une similitude intéressante entre des phénomènes d'évolution parallèle à partir d'une origine unique mais à développement indépendant; ici, évolution indépendante de langages tribaux, là, évolution indépendante de groupes à l'intérieur de certaines classes de mammifères.

Dans les cas simples, on voit facilement à quoi tient l'isomorphisme. La loi exponentielle établit par exemple que si on a une certaine population d'êtres quelconques, un pourcentage constant de ses éléments disparaît ou se multiplie par unité de temps. Cette loi s'appliquera donc aussi bien aux Livres Sterling d'un compte en banque qu'aux atomes de radium, aux bactéries, aux molécules ou aux individus d'une population. La loi logistique dit que l'accroissement, à l'origine exponentiel, est limité par des contraintes restrictives. Ainsi, dans une réaction auto-catalytique, le produit catalyse-t-il sa propre formation; mais, du fait que le nombre de molécules dans le récipient est fini, la réaction doit s'arrêter quand toutes les molécules sont transformées; elle doit ainsi approcher une valeur-limite. Une population croît exponentiellement, mais si l'espace et la nourriture sont limités,

---

[1] Je remercie ici le Professeur Otto Höfler de m'avoir indiqué ce phénomène.

la quantité de nourriture disponible par individu décroît; l'accroissement ne peut donc être illimité, mais on doit approcher d'un état d'équilibre défini comme le maximum de population compatible avec les ressources existantes. Les lignes de chemin de fer qui existent dans un pays amènent à l'intensification du trafic et de l'industrie; en retour celle-ci nécessite un réseau ferré plus dense, jusqu'à ce qu'on approche éventuellement un état de saturation; ainsi les chemins de fer se comportent-ils comme des auto-catalyseurs, accélérant leur propre croissance qui suit une courbe auto-catalytique. La loi parabolique exprime la compétition à l'intérieur d'un système; chaque élément joue un rôle en fonction de ses capacités qui sont exprimées par un coefficient spécifique. Cette loi est de la même forme que celle qui s'applique à une compétition d'individus dans un système économique suivant la loi de Pareto ou à des organes qui se concurrencent à l'intérieur d'un organisme pour avoir la nourriture et qui présentent une croissance allométrique.

Il y a évidemment trois conditions préalables à l'existence d'isomorphismes dans diverses disciplines scientifiques. Apparemment, les isomorphismes de lois reposent, d'un côté, sur notre connaissance, sur la réalité de l'autre. Trivialement, il est simple d'écrire n'importe quelle équation différentielle compliquée, encore qu'elle puisse, même avec un air innocent, être difficile à résoudre ou donner au mieux une solution antipratique. Le nombre d'expressions mathématiques simples qu'on appliquera de préférence pour décrire les phénomènes naturels est limité. C'est pour cette raison que des lois identiques par leur structure apparaissent dans des domaines intrinsèquement différents. Il en va de même des fondements du langage quotidien; ici encore, le nombre des schémas intellectuels est restreint et on les appliquera dans des disciplines assez différentes.

Cependant ces lois et ces schémas seraient de peu d'utilité si le monde (l'ensemble des événements observables) ne permettait pas qu'on les lui applique. Nous pouvons imaginer un monde chaotique ou trop compliqué pour autoriser l'application des schémas simples que notre intelligence limitée est capable de construire. Qu'il n'en soit pas ainsi est la condition préalable à l'existence de la science. C'est la structure de la réalité qui nous permet d'utiliser nos constructions conceptuelles. Nous réalisons cependant que les lois scientifiques ne représentent que des abstractions et des schématisations exprimant certains aspects de la réalité. Chaque science est une image schématique de la réalité, au sens où une construction conceptuelle particulière est sans équivoque liée à certaines particularités d'ordre dans la réalité; de même que le plan architectural d'un immeuble n'est pas cet immeuble lui-même et qu'il ne le représente en aucune façon dans tous ses détails (comme la disposition des briques et les forces qui les maintiennent unies), il existe néanmoins une correspondance sans équivoque entre le dessin sur le papier et la construction vraie en pierre, en acier ou en bois. La question de la « vérité » ultime ne se pose pas; dans quelle mesure le plan de la réalité que dessine la science est-il correct, insuffisant ou perfectible ? De même, savoir si la réalité est décrite sur un seul plan, le système de la science humaine. Diverses représentations sont probablement possibles ou même nécessaires; en ce sens, il est sans signification de se demander si une projection centrale ou parallèle, un plan horizontal ou vertical est plus « correct ». Des exemples dans lesquels la même donnée physique peut s'exprimer dans différents langages, par exemple la thermodynamique et la mécanique statistique, nous assurent qu'il s'agit bien du même cas; ou encore, des considérations complémentaires sont nécessaires, comme dans les modèles ondes-particules de la microphysique. Indépendante de ces questions, l'existence de la science prouve qu'il est possible d'exprimer certains traits de l'ordre de la réalité par des constructions abstraites. Il faut supposer à l'avance que cet ordre existe dans la réalité elle-même; de même, nous pouvons faire le plan d'une maison ou d'un cristal, mais nous ne pouvons décrire les pierres qui tournoient après une explosion ou les molécules d'un liquide qui sont en mouvement perpétuel.

Il existe une troisième raison qui explique l'isomorphisme des lois dans divers domaines; elle est importante pour ce qui nous préoccupe ici. Dans ce qui précède nous sommes partis d'une définition générale du système, « un certain nombre d'éléments en interaction », qui est exprimée par le système d'équations (3.1). Aucune hypothèse spéciale, aucune restriction n'a été faite sur la nature du système, sur ses éléments ou sur les relations qui les relient. Néanmoins, à partir de cette définition purement formelle du « système », nous pouvons déduire beaucoup de propriétés qui s'expriment d'une part par des lois bien connues dans les diverses branches de la science, et qui concernent d'autre part des concepts autrefois considérés comme anthropomorphiques, vitalistes ou métaphysiques. Le parallélisme des concepts généraux et même des lois particulières dans des domaines divers est donc la conséquence de ce que ceux-ci s'occupent de « systèmes » et de ce que certains principes généraux s'appliquent aux systèmes sans tenir compte de leur nature. C'est pourquoi des principes comme ceux de totalité et de somme, de mécanisation, d'ordre hiérarchique, d'état stable et d'équifinalité peuvent émerger dans des disciplines franchement différentes. L'isomorphisme entre les différents domaines est fondé sur l'existence de principes généraux des systèmes, sur une « théorie générale des systèmes » plus ou moins poussée.

Les limites de ce point de vue peuvent par ailleurs être mises en évidence si on distingue trois niveaux dans la description des phénomènes.

En premier lieu il y a les *analogies*, c'est-à-dire les similitudes superficielles de phénomènes qui ne se correspondent ni par leurs causes, ni par les lois qui les gouvernent. Dans cette catégorie entrent les *simulacra vitæ*, autrefois populaires; par exemple, la comparaison de la croissance d'un organisme à celle d'un cristal ou d'une cellule osmotique. Il existe des similitudes superficielles entre les deux aspects mais on peut affirmer sans risque d'erreur que la croissance d'une plante ou d'un animal ne suit pas le modèle de celle d'un cristal ou de celle d'une structure osmotique et que les lois dont il s'agit diffèrent dans les deux cas. De même en ce qui concerne la comparaison d'une biocénose (par ex. une forêt) et d'un « organisme », la différence entre l'unité d'un organisme individuel et l'inconsistance d'une association de plantes est évidente. On peut encore citer la mise en parallèle du développement d'une population avec la naissance, la croissance, la vieillesse et la mort d'un organisme; la comparaison des cycles de vie reste vraiment douteuse.

En second lieu il y a les *homologies*. Ce sont les cas où les facteurs qui agissent sont différents mais où les lois sont identiques sur le plan formel. Ces homologies ont en science une importance considérable comme modèles conceptuels. Elles s'appliquent fréquemment en physique. Prenons comme exemple la comparaison d'un flux de chaleur avec un flux de matière chaude, celle d'un flux électrique avec l'écoulement d'un liquide; plus généralement, le transfert de la notion de gradient qui trouve son origine en hydrodynamique, aux potentiels électriques, chimiques, etc. Nous savons bien sûr qu'il n'existe pas de « matière chaude », mais on peut interpréter la chaleur grâce à une théorie cinétique; en outre, le modèle permet d'énoncer des lois exactes sur le plan formel.

Cette étude s'intéresse en particulier aux homologies logiques. De quoi s'agit-il ? Si un objet est un système il doit posséder certaines caractéristiques générales des systèmes, quelle que soit par ailleurs sa nature. L'homologie logique rend possible l'isomorphisme entre les sciences, mais elle est en outre capable, en tant que modèle conceptuel, de donner des instructions pour bien appréhender et éventuellement expliquer les phénomènes.

Le troisième et dernier niveau, c'est *l'explication*, c'est-à-dire l'énoncé de lois et de conditions particulières valables pour un objet précis ou pour une classe d'objets. En langage logico-mathématique, il s'agit de remplacer les fonctions générales *f* des équations (3.1) par des fonctions particulières s'appliquant à un cas précis. Toute explication scientifique nécessite la connaissance de ces lois particulières comme par exemple celles de l'équilibre chimique, celles de la croissance d'un organisme, celles du développement d'une population, etc. Il n'est pas exclu que de telles lois spécifiques présentent entre elles des ressemblances formelles, des homologies au sens précédent ; néanmoins la structure de ces lois individuelles pourra bien sûr différer dans les cas particuliers.

Les analogies n'ont aucune valeur scientifique. Les homologies au contraire fournissent des modèles précieux ; elles sont de ce fait très utilisées en physique. De même la théorie générale des systèmes pourra servir de dispositif régulateur séparant les analogies des homologies, les mises en parallèle de modèles dénuées de sens, de celles qui en ont un. Cette fonction s'applique en particulier aux sciences auxquelles on ne peut adapter les constructions physiques et chimiques (par exemple la démographie, la sociologie, de larges parties de la biologie, etc.). On peut néanmoins établir des lois exactes en appliquant les modèles appropriés.

L'homologie entre les caractéristiques des systèmes n'implique pas la réduction d'une discipline à une autre de niveau inférieur. Il ne s'agit pas non plus d'une simple image, d'une analogie ; c'est plutôt une correspondance formelle qui existe dans la réalité, ceci dans la mesure où on peut la considérer comme formée de « systèmes » de toute sorte.

Sur le plan philosophique, la théorie générale des systèmes sous sa forme développée, remplacerait ce qu'on appelle la « théorie des catégories » (N. Hartmann, 1942), par un système exact de lois logico-mathématiques. Les notions générales déjà exprimées en langage commun prendraient une expression précise et dénuée d'ambiguïté que seul peut leur donner le langage mathématique.

L'unité de la science

Nous pouvons résumer les résultats principaux de cette présentation :

a) L'analyse des principes généraux des systèmes montre que de nombreux concepts jusqu'ici considérés comme anthropomorphiques, métaphysiques ou vitalistes, sont accessibles à une formulation exacte. C'est une conséquence de la définition des systèmes ou de certaines de leurs conditions.

b) Une telle recherche est une nécessité préalable, utile pour des problèmes scientifiques concrets. En particulier pour résoudre des problèmes que les schémas et les catégories usuelles des disciplines spécialisées n'envisagent même pas. Ainsi la théorie des systèmes montrerait-elle la voie à des processus de développement des nouvelles branches de la connaissance, vers la science exacte, c'est-à-dire vers des systèmes de lois mathématiques.

c) Cette recherche est également importante pour la philosophie des sciences dont les problèmes principaux ont des aspects nouveaux, souvent assez surprenants.

d) Certains principes s'appliquent aux systèmes en général sans tenir compte de leur nature ou de celle de leurs éléments; ceci explique l'apparition de concepts et de lois similaires dans diverses disciplines scientifiques, et ce de façon indépendante; ceci est la cause du parallélisme remarquable que l'on observe entre leur développement actuel. Ainsi les concepts de totalité, de somme, de mécanisation, de centralisation, d'ordre hiérarchique, d'état stationnaire stable, d'équifinalité, etc., se retrouvent-ils dans différents domaines de la science naturelle, aussi bien qu'en psychologie ou en sociologie.

Ces considérations apportent des bases précises au problème de l'unité de la science. L'opinion courante a été bien présentée par Carnap (1934). Il affirme que l'unité de la science se reconnaît au fait que tous les énoncés scientifiques peuvent en dernier ressort s'exprimer en langage physique, c'est-à-dire sous forme d'énoncés rattachant des valeurs quantitatives à des positions précises dans un système de coordonnées espace-temps. En ce sens tout *concept* apparemment non physique, par exemple les notions spécifiquement biologiques d'« espèce », d'« organisme », de « fécondation », etc., est défini au moyen de certains critères perceptibles, c'est-à-dire au moyen de déterminations qualitatives susceptibles d'être physicalisées. C'est en ce sens que le langage physique est le langage universel de la science. Le problème de savoir si les *lois* biologiques peuvent se ramener à des lois physiques, c'est-à-dire si les lois qui suffisent à expliquer tous les phénomènes inorganiques suffisent aussi à expliquer les phénomènes biologiques, reste sans réponse chez Carnap; sa préférence semble aller néanmoins à une réponse affirmative.

Pour nous, l'unité de la science a un sens beaucoup plus concret et en même temps beaucoup plus profond. Nous laissons aussi ouverte la question de la « réduction ultime » des lois biologiques (et de celles des autres disciplines non physiques) à des lois physiques, c'est-à-dire la question de savoir si on pourra établir un jour un système hypothético-déductif embrassant toutes les sciences, de la physique à la biologie et à la sociologie. Mais par contre, nous sommes certainement capables d'énoncer des lois scientifiques pour les différents niveaux de la réalité, ses strates. Là nous trouvons, pour parler de « manière formelle » (Carnap), une correspondance, un isomorphisme de lois et de schémas conceptuels dans différents domaines, qui met en évidence l'unité de la science. En langage « matériel », cela signifie que le monde (l'ensemble des phénomènes observables) présente une uniformité structurelle qui se manifeste par des traces isomorphiques d'ordre, dans ses divers niveaux ou disciplines.

La conception moderne de la réalité, la présente comme un gigantesque ordre hiérarchique composé d'êtres organisés qui mène, par la superposition de nombreux étages, des systèmes physiques et chimiques aux systèmes biologiques et sociologiques. L'unité de la science est obtenue, non pas par une réduction utopique de toutes les sciences à la physique et à la chimie, mais grâce aux uniformités structurelles qui existent entre les différents niveaux de la réalité.

En particulier, l'écart entre les sciences naturelles et sociales, ou en utilisant les termes Allemands plus expressifs de *Natur und Geisteswissenschaften*, est considérablement réduit, non pas au sens où on réduit la sociologie à la biologie, mais parce qu'il existe des similitudes structurelles. C'est la raison qui explique l'émergence de notions et de points de vue généraux correspondants dans les deux systèmes ; ceci peut éventuellement amener l'établissement d'un système de lois en sociologie.

La vision mécaniste du monde trouve son idéal dans l'esprit laplacien, c'est-à-dire dans l'idée que tous les phénomènes sont en définitive l'agrégation d'actions fortuites d'unités physiques élémentaires. Théoriquement, cette conception ne pouvait conduire aux sciences exactes hors du champ de la physique, c'est-à-dire aux lois des plus hauts niveaux de la réalité, biologie, psychologie et sociologie. Pratiquement, ses conséquences ont été fatales pour notre civilisation. L'attitude qui consiste à considérer les phénomènes physiques comme les seuls étalons de la réalité, a amené la mécanisation de l'humanité et la dévaluation des plus hautes valeurs. La domination incontrôlée de la technologie physique a finalement conduit le monde aux crises catastrophiques de notre époque. Après avoir ruiné l'approche mécaniste, nous devons néanmoins faire attention à ne pas glisser dans le « biologisme », c'est-à-dire à ne pas considérer les phénomènes mentaux, sociologiques et culturels d'un point de vue simplement biologique. De même que le physicalisme considérait l'organisme vivant comme une combinaison étrange d'événements physico-chimiques ou machines, le biologisme considère l'homme comme une espèce zoologique curieuse, la société humaine comme une ruche ou comme un haras. Le biologisme n'a pas fait preuve de mérites théoriques et il s'est montré fatal dans ses conséquences pratiques. Le point de vue organique ne signifie pas domination unilatérale des concepts biologiques. Tout en mettant en évidence les isomorphismes structurels entre les différents niveaux, il affirme simultanément leur autonomie, l'existence de lois spécifiques.

Nous croyons que l'élaboration future d'une théorie générale des systèmes sera un pas important vers l'unification de la science. Elle jouera, dans les sciences à venir, un rôle comparable à celui de la logique aristotélicienne dans les sciences de l'antiquité. La vision du monde des grecs était statique; ils considéraient les objets comme les images d'archétypes ou d'idées éternelles. Le problème central de la science était le classement; l'organe fondamental en était la définition de la subordination et de la superordination des concepts. Le problème central de la science moderne est l'interaction dynamique dans tous les domaines de la réalité. Ses principes généraux doivent être définis par la théorie des systèmes.

NOTES SUR LES DÉVELOPPEMENTS
DE LA THÉORIE MATHÉMATIQUE DES SYTÈMES

Le programme de la théorie mathématique des systèmes énoncé dans le chapitre qui précède s'est matérialisé ces dernières années; la théorie mathématique des systèmes est maintenant un domaine en expansion rapide. Ce développement est dû, d'un côté aux problèmes théoriques des « systèmes » en relation avec d'autres disciplines, d'un autre côté aux problèmes posés par la technologie de la commande et de la communication.

Aucun traitement systématique, aucune revue étendue des développements mathématiques ne peut être donné ici; les remarques qui suivent peuvent néanmoins amener une compréhension intuitive des diverses approches et de leurs rapports. Le lecteur est renvoyé à la littérature citée dans les « Lectures conseillées » (p. 279).

On admet généralement qu'un « système » est un *modèle* de nature générale, c'est-à-dire une analogie conceptuelle entre certains caractères assez universels des êtres observés. L'utilisation de modèles ou de constructions analogiques est un procédé général de la science (et même de la connaissance quotidienne), comme c'est aussi le principe de la simulation analogique des calculateurs. La différence avec les disciplines conventionnelles n'est pas essentielle mais réside plutôt dans le degré de généralité (ou d'abstraction) : le « système » se réfère à des caractéristiques très générales possédées par une grande classe d'entités, conventionnellement traitées par des disciplines différentes. Ici réside la nature interdisciplinaire de la théorie générale des systèmes; en même temps, ses énoncés appartiennent à des ensembles formels ou structurels qui font abstraction « de la nature des éléments et des forces, dans le système » et dont s'occupent les sciences spécialisées. En d'autres termes, les arguments de la théorie systémique se rapportent à des structures générales et ont une valeur prévisionnelle dans la mesure où c'est bien de cela qu'ils s'occupent. Une telle « explication de principe » (p. 33, 40 et ailleurs) peut avoir une valeur prévisionnelle considérable; si on veut une explication spécifique, il est nécessaire d'introduire les conditions particulières au système (*cf.* p. 82 et suiv.).

Comme on l'a déjà vu, la notion de « système » est un nouveau « paradigme » de la science, face à l'approche élémentaliste et aux conceptions qui prédominent dans la pensée scientifique. Il n'est pas surprenant, dans ces conditions, que la théorie mathématique des systèmes ait été développée dans diverses directions, avec des différences d'accents, de champs d'intérêt, de technique mathématique, etc. En outre, ces approches éclairent des aspects, des propriétés, des principes de ce qu'on englobe sous le terme de système et poursuivent des buts de nature pratique ou théorique différente. Le fait que les « théories des systèmes » vues par divers auteurs semblent assez diverses n'est pas un inconvénient, ne résulte pas d'une confusion, mais témoigne du sain développement d'un domaine en croissance et indique vraisemblablement des aspects nécessaires et complémentaires du problème. L'existence de descriptions différentes n'est pas un phénomène particulier; on le rencontre souvent en science et en mathématiques, depuis la description géométrique ou analytique d'une courbe à l'équivalence de la thermodynamique classique et de la mécanique statistique et à celle de la mécanique ondulatoire et de la physique des particules. Des approches différentes et en partie opposées peuvent cependant tendre vers une intégration ultérieure, au sens où l'une est un cas particulier de l'autre, au sens où on peut montrer qu'elles sont équivalentes ou complémentaires. Ces développements en fait ont leur place dans la théorie des systèmes.

Un système peut être défini comme un ensemble d'éléments en interaction entre eux et avec leur environnement. Ceci peut s'exprimer mathématiquement de plusieurs façons. Nous pouvons indiquer quelques descriptions typiques des systèmes.

Une des approches (un des groupes de recherche) peut être décrite vaguement comme *axiomatique*, dans la mesure où ce qui l'intéresse c'est une définition rigoureuse du système et ce qu'on peut en déduire comme implications, par les méthodes modernes des mathématiques et de la logique. Parmi d'autres exemples il y a les descriptions de systèmes de Mesarovic (1961 et suiv.), Maccia (1966), Beier et Lane (1971; théorie des ensembles), Ashby (1958; « systèmes à états déterminés ou machine »), Klir (1969) (VC = ensemble de toutes les relations entre les éléments et entre les éléments et l'environnement; ST = Ensemble de tous les états et de toutes les transitions entre eux), etc.

La *théorie dynamique des systèmes* s'intéresse à l'évolution des systèmes au cours du temps. Il y a deux méthodes principales de description, la description interne et la description externe (*cf.* Rosen, 1971).

La *description interne* ou théorie des systèmes « classique » (Rosen, 1970) définit un système par un ensemble de *n* mesures, appelées variables d'état. Du point de vue analytique, leur variation dans le temps est typiquement exprimée par un système de *n* équations différentielles simultanées du premier ordre (équ. 3.1, p. 54), appelées équations dynamiques ou équations de mouvement du système. Le comportement du système est décrit par la théorie des équations différentielles (ordinaires, du premier ordre, si on admet la définition du système par les équations 3.1) qui est une partie des mathématiques très connue et très développée. Cependant, comme nous l'avons déjà mentionné (p. 77), la considération du système pose des problèmes précis. Ainsi, par exemple, la théorie de la stabilité ne s'est-elle développée que récemment avec les problèmes de commande (et de système) : les fonctions de Liapunov (mort en 1918) datent de 1892 (en russe, 1907 en français), mais leur importance n'a été reconnue que récemment, en particulier à travers les travaux de mathématiciens soviétiques.

Du point de vue géométrique, l'évolution du système est exprimée par les trajectoires des variables d'état à travers l'espace des états, c'est-à-dire l'espace à n-dimensions des situations possibles des variables d'état. Trois types de comportement peuvent être distingués et définis comme suit :

1° Une trajectoire est dite *asymptotiquement stable* si toutes les trajectoires suffisamment proches d'elles en $t = t_0$ tendent vers elle asymptotiquement quand $t \to \infty$.

2° Une trajectoire est dite *neutralement stable* si toutes les trajectoires suffisamment proches d'elle en $t = 0$, en restent proches pour tous les instants ultérieurs mais sans nécessairement s'en approcher asymptotiquement.

3° Une trajectoire est dite *instable* si les trajectoires proches d'elle en $t = 0$, s'en éloignent quand $t \to \infty$.

Ceci correspond respectivement aux solutions qui tendent vers un état indépendant du temps (équilibre ou état stable), aux solutions périodiques et aux solutions divergentes.

Un état indépendant du temps :

$$f_i (Q_1, Q_2, \ldots Q_n) = 0$$

peut être considéré comme trajectoire dégénérée en un point unique. Ainsi, facilement visualisable dans une projection à deux dimensions, une trajectoire peut converger vers un nœud stable représenté par le point d'équilibre, peut s'en approcher comme d'un foyer stable dans le cas d'oscillations amorties, ou peut tourner autour de ce nœud dans le cas d'oscillations entretenues (solutions stables); ou alors, elle peut s'écarter d'un nœud instable, s'éloigner d'un foyer instable en oscillant, ou d'un point-selle (solutions instables).

Une notion centrale de la théorie dynamique est celle de *stabilité* : c'est-à-dire la réponse d'un système à une perturbation. Le concept de stabilité vient de la mécanique (un corps rigide est en équilibre stable s'il retourne à sa position originelle après un déplacement assez petit; un mouvement est stable s'il est insensible aux perturbations) et il a été généralisé aux « mouvements » des variables d'état d'un système. Cette question est liée à celle de l'existence d'états d'équilibre. La stabilité peut donc être analysée à partir de la solution explicite des équations difiérentielles (3.1) qui décrivent le système (appelée méthode indirecte, essentiellement fondée sur la discussion des « eigenwerte » du système d'équations). Dans le cas de systèmes non linéaires, il faut les linéariser grâce à un développement en série de Taylor dont on ne gardera que le premier terme. Cependant, la linéarisation correspond seulement à la stabilité dans le voisinage de l'équilibre. Mais des arguments de stabilité, sans solution réelle des équations différentielles (méthode directe) ou pour les systèmes non linéaires sont possibles en introduisant ce qu'on appelle les fonctions de Liapunov; ce sont essentiellement des fonctions d'énergie généralisées dont le signe indique si un équilibre est ou non asymptotiquement stable (*cf.* La Salle et Lefschetz, 1961; Hahn, 1963).

C'est ici qu'apparaît la relation entre la théorie des systèmes dynamiques et la théorie de la commande optimale : la commande signifie essentiellement qu'un système qui n'est pas asymptotiquement stable, le devient par l'introduction d'une variable de commande qui agit contre le mouvement du système s'il s'éloigne de l'état stable. C'est pour cette raison que la théorie de la stabilité, dans la description interne de la théorie des systèmes dynamiques converge vers la théorie de la commande (linéaire) et vers les systèmes de rétroaction dans le cas de la description externe (*cf.* Schwartz, 1969).

La description au moyen d'équations différentielles ordinaires (équ. 3.1) fait abstraction des variations des variables d'état dans l'espace, qui seraient exprimées par des équations aux dérivées partielles. Celles-ci (les équations de champ) sont cependant plus difficiles à manier. Une manière de surmonter cette difficulté est de supposer une « activation » complète, en sorte que la distribution dans le volume considéré soit homogène; ou de supposer l'existence de compartiments auxquels s'applique la distribution homogène, et qui soient liés par des interactions appropriées (*théorie des compartiments*).

Dans la *description externe*, le système est considéré comme une « boîte noire »; ses relations avec l'environnement et les autres systèmes sont représentées graphiquement par des diagrammes de flux et de stocks. La description du système est faite en termes de variables d'entrée et de sortie (*Klemmenverhalten* dans la terminologie allemande); sa forme générale est celle de fonctions de transfert liant entrée et sortie. On suppose que celles-ci sont linéaires et qu'elles sont représentées par des ensembles de valeurs discrètes (*cf.* décisions par OUI ou NON en théorie de l'information, machines de Turing). C'est le langage de la technologie de la commande; la description externe se fait typiquement en termes de communication (échanges d'information entre le système et l'environnement et à l'intérieur du système) et de commande de la fonction du système par rapport à l'environnement (rétroaction), ceci pour citer la définition de la cybernétique de Wiener.

Comme nous l'avons dit, les descriptions interne et externe coïncident largement avec les descriptions par des fonctions continues ou discrètes. Ce sont deux « langages » adaptés à leurs buts respectifs. Nous avons montré qu'il y a, de façon empirique, un contraste évident entre les régulations dues au libre jeu des forces à l'intérieur d'un système dynamique et les régulations dues aux contraintes imposées par des mécanismes structurels de rétroaction. Du point de vue formel, ces deux « langages » sont cependant liés et, dans certains cas, on peut démontrer qu'ils se traduisent l'un par l'autre. Par exemple, une fonction entrée-sortie peut (sous certaines conditions) être développée en une équation différentielle du n^e ordre et les termes de cette dernière peuvent être considérés comme des « variables d'état » formelles; alors que leur sens physique reste indéfini, les « traductions » formelles d'un langage dans l'autre sont donc possibles.

Dans certains cas, par exemple dans la théorie à deux facteurs, de l'excitation nerveuse (en termes de « facteurs excitateurs et inhibiteurs » ou « substances ») et la théorie du lacis nerveux (MacCulloch : réseaux de « neurones »), on peut montrer que la description par des fonctions continues dans la théorie des systèmes dynamiques et la decription par des analogies digitales dans la théorie des automates sont équivalentes (Rosen, 1967). De même les systèmes rapace-proie décrits d'habitude par les équations dynamiques de Volterra, peuvent aussi être exprimés par des circuits cybernétiques de rétroaction (Wilbert, 1970). Ce sont des systèmes à deux variables. Une « traduction » semblable peut-elle être effectuée pour des systèmes à beaucoup de variables ? Cela reste à voir, je pense.

La description interne est essentiellement « structurelle », c'est-à-dire qu'elle essaye de décrire le comportement du système en termes de variables d'état et de leur interdépendance. La description externe est « fonctionnelle », décrivant le comportement du système par ses interactions avec l'environnement.

Ainsi, comme le montre ce survol schématique, des progrès considérables ont-ils été réalisés dans la théorie mathématique des systèmes depuis que le programme a été énoncé et commencé il y a quelques 25 ans, apportant une variété d'approches liées cependant les unes aux autres.

La théorie mathématique des systèmes est un domaine qui croît rapidement, mais il est naturel que des problèmes fondamentaux comme par exemple ceux d'ordre hiérarchique (*cf.* p. 23 et suiv.; Whyte, Wilson et Wilson, 1969) ne soient approchés que lentement; ils nécessiteront sans doute des idées et des théories nouvelles. Comme nous l'avons affirmé (p. 35), la théorie générale des systèmes est en dernier ressort « une science des ensembles logico-mathématique » et son développement rigoureux est « technique », c'est-à-dire mathématique, mais les descriptions et les modèles « verbaux » ne sont pas à rejeter (comme par exemple chez Miller, 1969; Koestler, 1971; Weiss, 1970; Buckley, 1968; Gray, Duhl et Rizzo, 1968; Demerath et Peterson, 1967, et ailleurs). Les problèmes doivent être « vus » et reconnus intuitivement avant d'être formalisés mathématiquement. Sinon, le formalisme mathématique risque plutôt d'entraver l'étude des « vrais » problèmes.

CHAPITRE 4

DÉVELOPPEMENTS
DE LA THÉORIE GÉNÉRALE DES SYSTÈMES

> C'est la pensée créative qui distingue le plus les hommes des singes; on devrait donc la traiter comme un bien plus précieux que l'or et la conserver avec une grande attention.
>
> A.D. HALL, *Une méthodologie pour la technique des systèmes.*

Approches et buts en science des systèmes

Il y a 40 ans, quand je commençai ma carrière scientifique, la biologie était engagée dans la controverse mécanisme-vitalisme. La procédure mécaniste consistait essentiellement à réduire l'organisme vivant en parties et en processus partiels : l'organisme était une agrégation de cellules, la cellule une somme de colloïdes et de molécules organiques et ainsi de suite. Les problèmes de l'organisation de ces parties au service de la subsistance de l'organisme, de la régulation après une perturbation, etc., étaient, soit laissés de côté, soit, selon la théorie connue sous le nom de vitalisme, expliqués seulement par des facteurs comme l'âme, les petits lutins errant dans les cellules ou l'organisme; ceci n'était évidemment rien moins qu'une reconnaissance de la faillite de la science. C'est dans cette situation qu'avec d'autres, je fus conduit au point de vue « organique ». En bref : les organismes sont des objets organisés et en tant que biologistes c'est ce que nous devons étudier. J'essayai de réaliser ce programme organique dans diverses études sur le métabolisme, la croissance et la biophysique de l'organisme. Un pas dans cette direction fut fait par la théorie des systèmes ouverts et des états stables qui était essentiellement une extension de la chimie-physique, de la cinétique et de la thermodynamique classiques. Il apparut cependant qu'une fois cette direction prise je ne pouvais m'arrêter et je fus conduit à une généralisation plus poussée, que j'intitulai « General System Theory ». L'idée remonte à assez longtemps : je la présentai une première fois en 1937 au séminaire de philosophie de Charles Morris à l'Université de Chicago. Malheureusement, à cette époque, les théories étaient mal vues en biologie et je fus effrayé par la « clameur des Béotiens » comme disait le mathématicien Gauss. Je laissai donc mes brouillons au tiroir et ce n'est qu'après la guerre que parurent mes premières publications sur le sujet.

C'est alors qu'eut lieu un événement aussi intéressant que surprenant. Un changement de climat intellectuel avait eu lieu; la construction des modèles et les généralisations abstraites étaient devenues à la mode. En outre, un certain nombre de scientifiques avaient suivi des lignes de pensée semblables. La théorie générale des systèmes n'était plus isolée, ce n'était plus une manie personnelle comme je le pensais; elle correspondait bien à une certaine tendance de la pensée moderne.

Un certain nombre de voies originales cherchent à répondre aux besoins d'une théorie générale des systèmes. En voici un bref survol :

1° La cybernétique, fondée sur le principe de rétroaction, de chaînes causales circulaires où les mécanismes ont un comportement de « poursuite d'un but », d'« auto-régulation ».

2° La théorie de l'information, qui introduit le concept d'information en tant que quantité mesurable, par une expression isomorphe à l'entropie négative en physique, et qui développe les principes de la transmission de cette information.

3° La théorie des jeux analyse, sous une forme mathématique originale, la compétition rationnelle pour un gain maximum ou une perte minimum, entre deux antagonistes ou plus.

4° La théorie de la décision analyse aussi les choix rationnels dans les organisations humaines fondés sur l'examen d'une situation donnée et de ses conséquences possibles.

5° La topologie ou mathématique des relations, qui comprend les domaines non métriques tels que les réseaux et la théorie des graphes.

6° L'analyse factorielle, c'est-à-dire la mise en évidence des facteurs grâce à l'analyse mathématique, dans les phénomènes avec de nombreuses variables, comme en psychologie ou dans d'autres domaines.

7° La théorie générale des systèmes au sens le plus étroit (T.G.S.), qui essaye de déduire, de la définition générale du « système » comme complexe d'éléments en interaction, des concepts caractéristiques des « touts » organisés, comme l'interaction, la somme, la mécanisation, la centralisation, la compétition, la finalité, etc., et essaye de les appliquer à des phénomènes concrets.

Alors que la théorie des systèmes au sens large a le caractère d'une science fondamentale, elle a ses *corrélatifs* en science appliquée, quelquefois rangés sous le nom général de science de systèmes. Cette évolution est liée de près à l'automation moderne. Généralement parlant on distingue les domaines suivants (Ackoff, 1960; A.D. Hall, 1962) :

— Technique des systèmes, c'est-à-dire préparation scientifique, schéma, évaluation et construction de systèmes « homme-machine »;

— Recherche opérationnelle, c'est-à-dire contrôle scientifique des systèmes qui existent; systèmes d'hommes, de machines, de matériaux, d'argent, etc.;

— Technique humaine, c'est-à-dire adaptation scientifique des systèmes et en particulier des machines en vue d'obtenir un maximum d'efficacité avec un coût minimum sur le plan monétaire et sur celui des facteurs.

Les voyages aériens illustrent très simplement la nécessité d'étudier les systèmes, « homme-machine ». Quiconque a traversé les continents en jet à une vitesse incroyable et a perdu des heures sans fin à attendre, à faire la queue, à être parqué dans les aéroports peut aisément voir que les techniques physiques des voyages aériens sont très évoluées, alors que les techniques « d'organisation » en sont encore à un niveau primitif.

Quoiqu'il y ait un double emploi considérable, des outils conceptuels divers prédominent dans les domaines particuliers. En technique des systèmes on utilise la cybernétique, la théorie de l'information et aussi la théorie générale des systèmes au sens le plus restrictif. La recherche opérationnelle utilise des instruments comme la programmation linéaire et la théorie des jeux. La technique humaine qui s'occupe de la capacité, des limitations physiologiques et de l'inconstance des êtres humains, comporte parmi ses instruments la bio-mécanique, les techniques psychologiques, les facteurs humains, etc.

Ce survol ne s'occupe pas de la science des systèmes appliqués; on renvoie le lecteur au livre de Hall qui est excellent sur les techniques des systèmes (1962). Cependant il est bon de garder à l'esprit que l'approche par les systèmes en tant que concept scientifique, possède une branche parallèle en technologie.

Les motifs qui conduisent à postuler l'existence d'une théorie générale des systèmes se résument ainsi :

1° Jusqu'à il y a peu de temps la science, considérée comme une tentative nomothétique, c'est-à-dire comme un essai d'établir un système de lois explicatif et prévisionnel, se réduisait pratiquement à la physique théorique. Il semble donc que seule la réalité physique l'ait intéressée. Le postulat de « réductionnisme » en était une conséquence; c'est-à-dire que la biologie, le comportement et les sciences sociales doivent être abordés suivant le « modèle » de la physique et être éventuellement réduits à des concepts et à des entités d'ordre physique. Le développement de la physique elle-même engendra des problèmes au niveau des thèses physicalistes et réductionnistes; ces dernières apparurent bien sûr comme des préjugés métaphysiques. Les êtres dont s'occupe la physique, atomes et particules élémentaires, se montrèrent beaucoup plus ambigus qu'on ne le supposait : non pas constructions métaphysiques de l'univers, mais plutôt modèles conceptuels compliqués, inventés pour rendre compte de certains phénomènes observés. D'un autre côté les sciences sociales, biologiques et du comportement étaient entrées en possession de leur bien. Du fait de l'intérêt de ces domaines d'un côté, des exigences de la technologie nouvelle de l'autre, une *généralisation des concepts scientifiques* et des modèles devint nécessaire, due à l'apparition de nouvelles disciplines au-delà du système traditionnel de la physique.

2° Dans les domaines biologique, sociologique et du comportement, d'importants problèmes étaient négligés par la science traditionnelle, quelquefois, n'étaient même pas pris en considération. Regardons un organisme vivant; nous observons un ordre surprenant, une organisation, un continuel changement, une régulation et une apparente téléologie. De même dans le comportement humain on ne peut négliger la recherche du but et l'intention, même si on se place strictement du point de vue de l'action. Cependant, des concepts comme ceux d'organisation, de direction, de téléologie, etc., n'apparaissent même pas dans le système scientifique classique. En fait, selon la vision mécaniste du monde fondée sur la physique classique ils étaient considérés comme illusoires, métaphysiques. Cela signifie, par exemple au niveau du biologiste, que même les problèmes spécifiques de la nature vivante étaient situés au-delà du domaine légitime de la science. L'apparition des modèles conceptuels et même dans certains cas matériels, représentant tels aspects des interactions multivariables, de l'organisation, de l'auto-conservation, de la directivité, nécessite *l'introduction de nouvelles catégories* dans la pensée et la recherche scientifiques.

3° La science classique utilisait essentiellement des modèles à deux variables, des chaînes causales linéaires, une cause - un effet, quelquefois des modèles avec plusieurs variables. L'exemple classique est fourni par la mécanique. On obtient des résultats parfaits en ce qui concerne l'attraction entre deux corps célestes, une planète et un soleil; on peut en déduire des prédictions exactes sur des constellations futures et même sur l'existence de planètes encore inconnues. Néanmoins, le problème mécanique à trois corps est déjà insoluble « de principe », et ne peut être qu'approximé. Il en va de même dans les branches les plus modernes de la physique atomique (Zacharias, 1957). Ici encore on peut résoudre des problèmes à deux corps, par exemple, proton et électron, mais tout se complique dès qu'il y en a plus. De nombreux problèmes qui se posent, en particulier en biologie, en sciences du comportement et en sociologie, sont essentiellement des problèmes multivariables pour lesquels il faut de nouveaux outils conceptuels. Warren Weaver (1948), co-fondateur de la théorie de l'information, a fait sur ce sujet un exposé souvent cité. La science classique, affirmait-il, s'occupait soit de chaînes causales linéaires, c'est-à-dire de problèmes à deux variables, soit de complexes inorganisés. Ces derniers peuvent être abordés par des méthodes statistiques et découlent en dernier ressort du second principe de la thermodynamique. Cependant en physique moderne et en biologie surgissent partout *des problèmes de complexités organisées*, c'est-à-dire portant sur les interactions d'un grand nombre de variables (néanmoins fini); ils réclament de nouveaux outils conceptuels.

4° Ce qui vient d'être dit ne se ramène pas à des affirmations métaphysiques ou philosophiques. Nous ne sommes pas en train d'ériger une barrière entre l'inorganique et la nature vivante; ce serait évidemment inapproprié quand on considère les intermédiaires comme les virus, les nucléo-protéines et les unités auto-reproductrices. Nous n'affirmons pas non plus que la biologie est « irréductible à la physique », ce qui serait ridicule au vu des progrès extraordinaires réalisés par l'explication physique et chimique des processus vitaux. De même il n'est pas question de dresser une barrière entre la biologie et les sciences sociales et du comportement. Ceci n'empêche pas néanmoins que dans les domaines ci-dessus, nous ne possédions pas les outils conceptuels appropriés pour expliquer et prévoir, comme peut le faire la physique dans les nombreux cas où elle s'applique.

5° Il semble en conséquence qu'une extension de la science est nécessaire pour traiter les aspects ignorés par la physique et qui concernent les caractéristiques spécifiques des phénomènes biologiques, sociaux et du comportement. Ceci revient à introduire de *nouveaux modèles conceptuels.*

6° Ces constructions théoriques et ces modèles étendus et généralisés sont *interdisciplinaires,* c'est-à-dire qu'ils dépassent les départements conventionnels de la science et qu'ils s'appliquent à des phénomènes dans divers domaines. On revient à l'isomorphisme des modèles, puisque des principes généraux et même des lois particulières se font jour dans diverses branches.

En résumé : l'inclusion des sciences biologiques, du comportement et sociales et de la technologie moderne, nécessite une généralisation des concepts fondamentaux; ceci implique, en face de celles de la physique traditionnelle, de nouvelles catégories de pensée scientifique; les modèles introduits sont de nature pluridisciplinaire.

Un point important est à considérer : les approches variées qui viennent d'être énumérées ne sont pas et ne doivent pas être monopolistes. Un des grands aspects de l'évolution moderne de la pensée scientifique est qu'il n'existe aucun « système universel » unique et couvrant tout. Toutes les constructions scientifiques sont des modèles qui présentent certains aspects ou certaines perspectives de la réalité. Ceci s'applique aussi à la physique théorique : loin d'être une représentation métaphysique de la réalité ultime (comme le proclamait le matérialisme et comme l'implique encore le positivisme moderne), elle n'est qu'un des modèles; des développements récents montrent en outre qu'il n'est ni exhaustif, ni unique. Les diverses « théories des systèmes » sont aussi des modèles qui reflètent différents aspects. Elles ne s'excluent pas les unes les autres et se combinent souvent dans les applications. Par exemple, certains phénomènes peuvent être soumis à l'investigation scientifique au moyen de la cybernétique, d'autres au moyen de la théorie générale des systèmes au sens le plus restrictif du terme; ou encore, dans un même phénomène, certains aspects peuvent être décrits par une voie ou par une autre. Bien sûr, ceci n'exclut pas, mais au contraire implique, l'espoir d'une analyse plus poussée, à l'intérieur de laquelle les diverses approches actuelles d'une théorie de la « totalité » et de « l'organisation » pourraient être intégrées et unifiées. Actuellement une telle synthèse se développe lentement, par exemple entre la thermodynamique irréversible et la théorie de l'information.

Les méthodes de la théorie générale des systèmes

Ashby (1958 *a*) a très bien mis en évidence les deux possibilités, les deux méthodes générales pour étudier les systèmes :

« Deux lignes principales se distinguent aisément. L'une d'entre elles, très bien développée par von Bertalanffy et ses amis, prend le monde comme on le trouve, examine les divers systèmes qu'on y rencontre, zoologiques, physiologiques, etc., et établit des énoncés sur les régularités qu'on y rencontre. Cette méthode est essentiellement empirique. La seconde part de l'autre bout. Au lieu d'étudier un système, puis un deuxième, un troisième et ainsi de suite, elle part de l'autre extrême; elle considère l'ensemble des systèmes concevables et le réduit ensuite à une taille plus raisonnable. C'est la méthode que j'ai récemment suivie. »

On constatera aisément que tous les types d'étude des systèmes appartiennent à l'une ou à l'autre de ces méthodes, ou sont une combinaison des deux. Chacune d'elles a ses avantages et ses inconvénients :

1° La première méthode est empirico-intuitive; elle a pour avantage de coller à la réalité et de pouvoir être aisément illustrée et même vérifiée par des exemples pris dans des disciplines scientifiques particulières. D'un autre côté, elle manque d'élégance mathématique et de puissance déductive; elle semblera naïve et non systématique au mathématicien.

Néanmoins il ne faut pas minimiser les mérites de cette procédure empirico-intuitive.

L'auteur a énoncé un certain nombre de « principes des systèmes », en partie dans le contexte de la théorie biologique, sans se référer explicitement à la théorie générale des systèmes (von Bertalanffy, 1960 *a*, p. 37-54), et en partie dans ce qu'il a pompeusement appelé un « schéma » de cette théorie (Chapitre 3). Ce terme de schéma était pris à la lettre; on voulait attirer l'attention sur l'intérêt de ce domaine et la présentation était faite sous forme de croquis ou de plans qui illustraient l'approche par des exemples simples.

Il est toutefois apparu que ce survol intuitif semblait être remarquablement complet. Les notions essentielles qui y étaient énoncées, la totalité, la somme, la centralisation, la différenciation, les « leading parts », les systèmes ouverts ou fermés, la finalité, l'équifinalité, la croissance dans le temps, la croissance relative, la compétition, etc., ont été utilisées dans diverses directions (par exemple, définition générale d'un système : Hall et Fagen,

1956; les types de croissance : Keiter, 1951-52; la technique des systèmes :
A.D. Hall, 1962; travail social : Hearn, 1958). Hormis quelques retouches
mineures dans la terminologie dans un but de clarification ou dues au sujet
même, aucune définition ayant un sens aussi important n'a été ajoutée même
si cela était très souhaitable. Ce qui est peut-être plus significatif, c'est que
cela s'applique aussi à des travaux qui ne se réfèrent pas à ceux de l'auteur
et qu'on ne peut donc l'accuser d'influencer. La lecture d'études comme
celles de Beer (1960) et Kremyanskyi (1960) sur les principes, de Bradley
et Calvin (1956) sur le réseau des réactions chimiques, de Haire (1959) sur
la croissance des organisations, etc., montrera aisément qu'ils utilisent aussi
les « Principes de Bertalanffy ».

2° Ashby (1958 *b*) a suivi la voie de la théorie des systèmes déductive.
Dans une présentation moins formelle (1962) Ashby résume son raisonnement; elle se prête particulièrement bien à l'analyse.

Il s'interroge sur le « concept fondamental de machine » et répond à la
question en affirmant « que ce sont, son état interne et celui de ce qui
l'entoure, qui définissent de façon unique son prochain état ». Si les variables
sont continues cette définition revient à décrire un système dynamique au
moyen d'un système d'équations différentielles ordinaires où c'est le temps
qui est la variable indépendante. Cependant, cette présentation par des
équations différentielles est trop restrictive en face d'une théorie qui doit
inclure aussi bien les systèmes biologiques que les machines à calculer;
dans les deux cas il y a en effet de nombreuses discontinuités. Par conséquent
la définition moderne, c'est celle de « la machine avec intrant » : on la
définit avec un ensemble S, ensemble des états internes, un ensemble I qui
est l'ensemble des intrants et avec une application f du produit cartésien $I \times S$
dans S. On définit alors l'« organisation » en spécifiant les états de la machine S
et les conditions I. Si S est un ensemble produit $\pi_i T_i$, où i est l'indice des
parties et où T est précisé par l'application f, le mot « système auto-organisé » peut selon Ashby avoir deux sens : le système commence à fonctionner
avec ses parties séparées, puis celles-ci évoluent pour se rejoindre (exemple :
les cellules embryonnaires ont, au début, peu ou pas d'influence les unes
sur les autres; elles se joignent ensuite par formation de dendrites et de
synapses pour former le système nerveux, hautement interdépendant).
Ce premier sens est une « évolution de l'inorganisé vers l'organisé ».
Le second sens est : « évolution d'une mauvaise organisation vers une
bonne » (exemples : un enfant aura une organisation cérébrale qui lui
permettra dans un premier temps de jouer avec le feu, mais lui fera par la

suite éviter ce même feu; un pilote automatique couplé sur un avion, aura d'abord une rétroaction positive nuisible qui s'améliore presque aussitôt). « Ici l'organisation est mauvaise. Le système serait « auto-organisé » si le changement se faisait automatiquement » (faisant passer la rétroaction du positif au négatif). Mais « *aucune machine ne peut être auto-organisée en ce sens* » (italiques de Ashby). En effet, l'adaptation (par exemple celle de l'homéostat ou celle d'un calculateur auto-programmeur) signifie que l'on part d'un ensemble d'états S et que f se change en g en sorte que l'organisation se trouve être variable, par exemple fonction du temps $a(t)$ prenant d'abord la valeur f puis la valeur g. Cependant ce changement « ne peut être imputé à aucune cause interne à S; *il doit donc provenir d'un agent extérieur agissant comme un input sur le système* » (italiques de von Bertalanffy). En d'autres termes, pour être « auto-organisée » la machine S doit être couplée à une autre machine.

Cet exposé concis permet de bien voir les limites de cette approche. Nous sommes tout à fait d'accord pour reconnaître que la description par les équations différentielles est non seulement maladroite mais aussi inadéquate en ce qui concerne beaucoup de problèmes d'organisation. L'auteur en était parfaitement conscient, soulignant le fait qu'un système d'équations différentielles simultanées n'est absolument pas la formulation la plus générale et qu'elle n'est choisie que dans un but d'illustration (Chapitre 3).

Cependant en écartant cette limite, Ashby en introduisit une autre. Sa « définition moderne » d'un système comme « une machine avec intrant » reproduite précédemment remplace le modèle général de système par un autre plutôt particulier : le modèle cybernétique, c'est-à-dire un système ouvert à l'information mais fermé pour les échanges d'entropie. Ceci devient apparent quand on applique la définition aux « systèmes auto-organisés ». De façon caractéristique le type le plus important de ceux-ci n'a pas sa place dans le modèle de Ashby, à savoir les systèmes qui s'organisent eux-mêmes par le truchement d'une différenciation progressive évoluant d'états peu compliqués vers des états très complexes. Il s'agit bien sûr de la forme la plus évidente « d'auto-organisation », qui se trouve dans l'ontogenèse, probablement dans la phylogenèse et qui est sûrement valable aussi dans beaucoup d'organisations sociales. Il ne s'agit pas ici d'une question de « bonne » (c'est-à-dire utile, utilisable) ou « mauvaise » organisation, chose qui, comme le met correctement en évidence Ashby, dépend des circonstances; l'accroissement dans la différenciation et la complexité, qu'il soit utile ou non est un critère objectif et en principe qui peut devenir mesurable (en termes d'entropie décroissante, d'information). L'affirmation d'Ashby

que « aucune machine ne peut être auto-organisée », plus exactement que
« le changement ne peut être imputé à aucune cause dans l'ensemble *S*
« mais » doit venir d'un agent extérieur, d'un intrant » revient à exclure les
systèmes auto-différenciants. La raison pour laquelle de tels systèmes ne
peuvent être acceptés comme « machines d'Ashby » est manifeste. Les systèmes auto-différenciés qui évoluent vers une plus haute complexité (entropie
décroissante) sont pour des raisons thermodynamiques, obligatoirement des
systèmes ouverts ; par exemple les systèmes qui importent de la matière
contenant de l'énergie libre dans une quantité dépassant l'accroissement
d'entropie dû aux processus irréversibles à l'extérieur du système (« importation d'entropie négative » dans l'expression de Schrödinger). Cependant,
nous ne pouvons dire que « ce changement provient d'un agent extérieur,
un intrant » ; la différenciation à l'intérieur de l'embryon ou de l'organisme
qui se développe est due aux lois de leur organisation interne, et l'intrant
(par exemple, l'apport d'oxygène, qui doit varier quantitativement ou la
nutrition qui peut varier quantitativement à l'intérieur d'un large spectre)
ne fait que la rendre possible du point de vue énergétique.

   Ce qui précède est encore illustré par d'autres exemples donnés par Ashby.
Supposons qu'un calculateur digital mène à bien des multiplications au
hasard ; alors la machine « évolue » pour ne donner que des nombres pairs
(parce que le produit pair × pair, aussi bien que impair × pair donne des
nombres pairs) et éventuellement il ne « restera » plus que des zéros. Dans
une autre version, Ashby cite le dixième théorème de Shannon, établissant
que si un *canal de correction* a une capacité *H*, une *équivocation* de montant *H*
peut être résolue, mais pas plus. Ces deux exemples illustrent le fonctionnement des systèmes fermés : « l'évolution » du calculateur se fait vers la
disparition de la différenciation et l'établissement d'une homogénéité
maximale (analogue au second principe dans les systèmes fermés) ; de même
le théorème de Shannon concerne les systèmes fermés non alimentés en
entropie négative. Par comparaison avec le contenu d'information (organisation) d'un système vivant, la matière importée (nutrition, etc.) n'apporte pas
d'information mais un « signal ». Néanmoins son entropie négative sert à
maintenir ou même à accroître le contenu d'information du système. C'est
un état des choses apparemment non prévu par le dixième théorème de
Shannon et ça se comprend du fait qu'il ne traite pas les transferts d'information, dans les systèmes ouverts avec transformation de la matière.

   Sous ces deux égards, l'organisme vivant (et d'autres systèmes de comportement ou sociaux) n'est pas une machine d'Ashby parce qu'il évolue vers
une différenciation et une hétérogénéité de plus en plus accusées et peut

transformer « un bruit » à un plus haut degré qu'un canal de communication inanimé. Ces deux choses sont cependant les conséquences de ce que l'organisme est un système ouvert.

Soit dit en passant, c'est pour les mêmes raisons que nous ne pouvons remplacer le concept de « système » par le concept généralisé de « machine » d'Ashby. Même si celui-ci est plus libéral que le concept classique (machines définies comme des systèmes dont les parties et les processus sont arrangés de façon fixe) les objections contre une « théorie mécaniste » de la vie (von Bertalanffy, 1960, p. 16-20 et ailleurs) restent valides.

Ces remarques ne se veulent pas des critiques hostiles à la théorie d'Ashby, ou envers l'approche déductive en général; elles montrent seulement qu'il n'existe pas de voie royale vers la théorie générale des systèmes. Comme toute autre discipline scientifique elle devra se développer par une interaction de procédures empiriques, intuitives et déductives. Si l'approche intuitive laisse beaucoup à désirer du point de vue de la rigueur logique et de la plénitude, l'approche déductive se trouve devant la difficulté de savoir si les termes fondamentaux sont bien choisis. Ce n'est pas une faute particulière à cette théorie ou à ses chercheurs mais un phénomène assez commun en histoire des sciences; on rappellera par exemple le long débat cherchant à savoir quelle grandeur, force ou énergie, doit être considérée comme constante dans les transformations physiques, jusqu'à ce qu'on se décide enfin pour $mv^2/2$.

Dans l'esprit de l'auteur la théorie générale des systèmes fut conçue comme une hypothèse de travail; en tant que praticien de la science il voit comme fonction principale des modèles théoriques, l'explication, la prévision et le contrôle de phénomènes jusqu'ici inexplorés. D'autres pourront aussi valablement montrer l'importance de l'approche axiomatique et citer pour cela des exemples; la théorie des probabilités, les géométries non euclidiennes, et plus récemment les théories de l'information et des jeux, qui furent en premier lieu développées comme des disciplines mathématiques déductives et ultérieurement furent appliquées à la physique et à d'autres sciences. Il n'y a pas à se disputer là-dessus. Le danger dans les deux approches est de considérer trop tôt le modèle théorique comme étant clos et définitif; ce danger est particulièrement important dans le domaine des systèmes généraux, celui-ci cherchant toujours des fondements corrects.

Progrès de la théorie générale des systèmes

La question décisive est celle de la valeur explicative et prévisionnelle des « nouvelles théories » qui s'attaquent à l'armée des problèmes proches de la totalité, de la téléologie, etc. Bien sûr, l'évolution du climat intellectuel qui nous permet de voir de nouveaux problèmes antérieurement négligés ou de voir les problèmes sous un nouvel éclairage importe plus, en un certain sens, que n'importe laquelle des applications particulières. La « révolution copernicienne » fut plus que la possibilité non négligeable de calculer le mouvement des planètes; on trouve dans la relativité générale plus qu'une explication d'un très petit nombre de phénomènes physiques récalcitrants; le darwinisme fut plus qu'une réponse à des problèmes zoologiques; ce sont les changements du système général de référence qui importent (*cf.* Rapoport, 1959 *a*). Néanmoins la justification d'une telle évolution se trouve dans les réalisations particulières qui n'auraient pas été obtenues sans la nouvelle théorie.

On ne peut contester que de nouveaux horizons ont été ouverts mais les liens avec les faits empiriques restent souvent ténus. Ainsi la théorie de l'information a-t-elle été saluée comme une « percée majeure »; néanmoins en dehors du domaine technologique originel ses applications sont restées rares. En psychologie elles se limitent jusqu'ici à des applications plutôt triviales comme la lecture mécanique, etc. (Rapoport, 1956; Attneave, 1959). Quand en biologie on parle de DNA comme d'une « information codée » et de « rupture du code », quand on élucide la structure des acides nucléiques, l'utilisation du terme information est une *façon de parler* (¹) plutôt qu'une application de la théorie de l'information au sens technique qu'ont développé Shannon et Weaver (1949). « La théorie de l'information, bien que se montrant utile pour schématiser les calculateurs et pour l'analyse des réseaux, n'a pas jusqu'ici trouvé une place importante en biologie » (Bell, 1962). La théorie des jeux est aussi un nouveau développement des mathématiques qui fut considéré comme comparable par sa portée à la mécanique newtonnienne et à l'introduction du calcul différentiel; ici aussi, « les applications sont maigres et hésitantes » (Rapoport, 1959 *a*; on renvoie expressément le lecteur aux discussions de Rapoport sur l'information et la théorie des jeux, qui analysent admirablement les problèmes ci-dessus). On constate la même chose pour la théorie de la décision dont on attendait un progrès considérable de la science appliquée des systèmes; mais en ce qui concerne les jeux dont tout le monde parle, armée et affaires, « il n'y a eu aucune évaluation contrôlée de leur action en matière de formation, de sélection du personnel et de démonstration » (Ackoff, 1959).

(¹) En français dans le texte.

N'oublions pas de mentionner un danger des développements récents. Un empirisme unilatéral dominait la science d'autrefois (et actuellement encore une partie de la science). On ne considérait comme « scientifique » en biologie (et en psychologie) que les suites de données et d'expériences; « théorie » équivalait à « spéculation » ou « philosophie »; on oubliait qu'une simple accumulation de données, aussi bien rangées soient-elles, ne fait pas une « science ». Un manque de reconnaissance et de soutien au développement de l'ossature théorique nécessaire, une influence défavorable sur la recherche expérimentale elle-même (qui se faisait largement au hasard, un effort à tort et à travers) en était la conséquence (*cf.* Weiss, 1962 *a*). Dans certains domaines, c'est le contraire qui se produit ces dernières années. L'enthousiasme pour les nouveaux outils mathématiques et logiques disponibles a conduit à « construire des modèles » fièvreusement, comme un but en soi, ignorant souvent le fait empirique. Cependant l'expérience conceptuelle au hasard n'a pas plus de chances de succès que l'expérience de laboratoire au hasard. Comme le dit Ackoff (1959), c'est un malentendu fondamental de la théorie des jeux (et des autres) que de prendre pour un « problème » ce qui n'est actuellement qu'un « exercice » mathématique. Il serait bon de se rappeler la vieille maxime kantienne; l'expérience sans théorie est aveugle mais la théorie sans expérience n'est qu'un simple jeu intellectuel.

Il en va un peu différemment de la cybernétique. Le modèle appliqué ici n'est pas nouveau; bien que la croissance énorme de cette branche date de l'apparition de son nom, Cybernétique (Wiener, 1948), l'application du principe de rétroaction aux processus physiologiques remonte aux travaux de R. Wagner, il y a à peu près 40 ans (*cf.* Kment, 1959). Le modèle de rétroaction a été appliqué depuis à d'innombrables phénomènes biologiques et de façon un peu moins convaincante à la psychologie et aux sciences sociales. La raison de ce dernier point tient selon Rapoport (1956) à ce que :

> « ... habituellement, il existe une corrélation bien marquée entre la portée et la solidité des écrits... Le travail efficace se limite à la technique ou à des applications assez simples; les formulations ambitieuses restent vagues. »

Bien sûr, ceci est un danger qui reste présent dans toutes les approches d'une théorie générale des systèmes : sans aucun doute il existe une nouvelle boussole de la pensée mais il est difficile de gouverner entre les trivialités, Scylla, et les faux néologismes explicatifs, Charybde.

Le survol qui suit se limite à la théorie générale des systèmes « classiques », « classiques » non pas au sens où elle réclame une quelconque antériorité ou perfection, mais au sens où les modèles utilisés restent sous la charpente des mathématiques « classiques » par rapport aux « nouvelles » mathématiques : théorie des jeux, des réseaux, de l'information, etc. Ceci ne veut pas dire que cette théorie est une simple application des mathématiques conventionnelles. Au contraire le concept de système pose des problèmes qui sont en partie loin d'être résolus. Autrefois, les problèmes concernant les systèmes ont conduit à des développements mathématiques importants tels que la théorie de Volterra des équations intégro-différentielles et les systèmes « à mémoire » dont le comportement ne dépend pas seulement des conditions actuelles mais aussi de l'histoire antérieure. Actuellement des questions importantes attendent d'être développées; par exemple, une théorie générale des équations différentielles non linéaires, des états stables et des phénomènes cycliques, un principe général de moindre action, une définition thermodynamique des états stables, etc.

Bien sûr ça n'a aucune importance de savoir si oui ou non la recherche a été explicitement étiquetée « théorie générale des systèmes ». Il ne s'agit pas ici d'une revue complète ou exhaustive. Le but de ce survol sans prétention sera atteint s'il peut servir de guide à la recherche menée dans ce domaine, et à des lieux prometteurs pour un futur travail.

LES SYSTÈMES OUVERTS

La théorie des systèmes ouverts généralise la théorie physique, cinétique et thermodynamique. Elle conduit à de nouveaux principes et points de vues tels que le principe d'équifinalité, la généralisation du second principe de la thermodynamique, l'accroissement possible de l'ordre dans les systèmes ouverts, l'occurrence de phénomènes périodiques de dépassement et de faux départ, etc.

Le travail approfondi réalisé en biologie et dans les disciplines qui lui sont liées est en partie traité dans les chapitres 5-7 (pour une étude plus poussée, voir aussi : Bray et White, 1957; Jung, 1956; Morchio, 1956; Netter, 1953, 1959). Au-delà de l'organisme individuel, on utilise aussi les principes des systèmes en dynamique des populations et en théorie écologique (*cf.* J.R. Bray, 1958). L'écologie dynamique, c'est-à-dire la succession et la graduation des populations de plantes représente un domaine très étudié qui présente cependant une certaine tendance à glisser dans le verbalisme et à se limiter à un débat terminologique. L'approche par les systèmes offre semble-t-il, un nouveau point de vue. Whittacker (1953) a décrit la succession des communautés de plantes vers un état de climax ([1]), ceci en termes de systèmes ouverts et d'équifinalité. Selon cet auteur, le fait que des états de climax semblables puissent se développer à partir de végétations initiales différentes est un exemple frappant d'équifinalité; le degré d'indé-pendance des conditions initiales et le cours pris par l'évolution apparaissent même plus grands que dans le cas de l'organisme individuel. Patten en a donné (1959) une analyse quantitative fondée sur les systèmes ouverts, en termes de production de bio-masse considérant le climax comme un état stable atteint.

Le concept de système ouvert s'applique aussi aux sciences de la terre, géomorphologie (Chorley, 1964) et météorologie (Thompson, 1961); on y retrouve une comparaison détaillée des concepts météorologiques modernes et de la conception organique en biologie de Bertalanffy. On se rappellera que Prigogine mentionnait déjà, dans un livre devenu classique (1947), la météorologie comme domaine d'application possible des systèmes ouverts.

CROISSANCE AVEC LE TEMPS

Les formes les plus simples de la croissance, qui grâce à cette simplicité sont particulièrement aptes à montrer l'isomorphisme de loi entre divers domaines, sont la croissance exponentielle et la croissance logistique. On prendra comme exemple parmi tant d'autres, l'accroissement de la connaissance du nombre d'espèces animales (Gessner, 1952), des publications sur les drosophiles (Hersh, 1942), des entreprises industrielles (Haire, 1959). Boulding (1956 *a*) et Keiter (1951-52) ont mis en évidence une théorie générale de la croissance.

La théorie de la croissance animale selon Bertalanffy (et d'autres) qui, du fait qu'elle use de paramètres physiologiques globaux (« anabolisme », « catabolisme »), peut être rangée sous la rubrique de théorie générale des systèmes aussi bien que sous celle de biophysique, a été étudiée dans ses diverses applications (Bertalanffy, 1960 *b*).

LA CROISSANCE RELATIVE

Il existe un principe extrêmement simple et d'une grande généralité concernant la croissance relative des composantes internes d'un système. Le rapport simple de l'accroissement allométrique s'applique à la croissance

---

([1]) « Climax formation » en anglais.

de nombreux phénomènes biologiques (morphologie, biochimie, physiologie, évolution).

Un rapport similaire s'obtient pour les phénomènes sociaux. La différenciation sociale et la division du travail dans les sociétés primitives aussi bien que le processus d'urbanisation (c'est-à-dire accroissement des villes par rapport à la population rurale) suivent l'équation allométrique. L'application de celle-ci apporte une mesure quantitative de l'organisation et du développement sociaux qui peut remplacer les jugements intuitifs habituels (Naroll et Bertalanffy, 1956). Le même principe s'applique apparemment à la croissance du personnel qualifié par rapport au nombre total d'employés dans les entreprises industrielles (Haire, 1959).

LA COMPÉTITION ET LES PHÉNOMÈNES QUI LUI SONT LIÉS

Les travaux sur la dynamique des populations de Volterra, Lotka, Gause et autres appartiennent aux classiques de la théorie générale des systèmes; ils ont les premiers montré qu'il est possible de développer des modèles conceptuels pour des phénomènes comme « la lutte pour la survie », pouvant être soumis à des tests empiriques. La dynamique de la population et la génétique de la population qui y est liée sont devenues depuis, deux parties importantes de la recherche biologique.

Il importe de remarquer que les recherches de ce type n'appartiennent pas seulement à la biologie fondamentale mais aussi à la biologie appliquée. Ceci est vrai, en particulier de la biologie marine, où on utilise des modèles théoriques pour établir des conditions optimales d'exploitation de la mer (aperçu des modèles les plus importants : Watt, 1958). Le modèle dynamique le plus élaboré a été développé par Beverton et Holt (1957; aperçu rapide : Holt, à paraître) pour les populations de poissons exploitées dans les pêcheries commerciales; il peut certainement s'appliquer à des sujets plus larges. Ce modèle tient compte du recrutement (c'est-à-dire de l'entrée de nouveaux individus dans la population), de la croissance (que l'on suppose suivre les équations de croissance selon Bertalanffy), la prise (par exploitation) et la mortalité naturelle. La valeur pratique de ce modèle est illustrée par le fait qu'il a été adopté par la FAO [1] des Nations Unies, par le Ministère Britannique de l'Agriculture et de la Pêche et par d'autres services officiels.

Les études de Richardson sur la course aux armements (*cf.* Rapoport, 1957, 1960), en dépit de leurs imperfections, montrent de façon dramatique

[1] Food & agricultural organization.

l'impact possible du concept de système sur les inquiétudes les plus vitales de notre temps. Si on accorde de l'importance aux considérations rationnelles et scientifiques, ceci est un bon moyen de réfuter des slogans comme *Si vis pacem para bellum.*

Les expressions utilisées en dynamique de la population et dans la « lutte pour la survie » biologique, en économétrie, dans l'étude de la course aux armements (et autres) appartiennent toutes à la même famille d'équations (le système discuté au chapitre 3). La comparaison systématique et l'étude de ces parallélismes seraient extrêmement intéressantes et bénéfiques (*cf.* aussi Rapoport, 1957, p. 88). On pourrait par exemple imaginer que les lois qui gouvernent les cycles économiques et celles des fluctuations de population selon Volterra sont issues des mêmes conditions de compétition et d'interactions dans le système.

Boulding a discuté de façon non mathématique ce qu'il appelle les « lois d'airain » des organisations sociales (1953) : la loi de Malthus, la loi de la taille optimum, l'existence de cycles, la loi des oligopoles, etc.

LA TECHNIQUE DES SYSTÈMES

L'intérêt théorique de la technique des systèmes et de la recherche opérationnelle réside dans le fait que des entités composées de façon hétérogène peuvent être successivement soumises à l'analyse des systèmes ; hommes, machines, constructions, valeurs monétaires et autres, arrivée de matières premières, sortie de produits et de beaucoup d'autres articles, etc.

Comme nous l'avons déjà dit la technique des systèmes emploie la méthodologie de la cybernétique, de la théorie de l'information, de l'analyse des réseaux, des diagrammes de flux et stocks, etc. Il entre aussi des considérations de théorie générale des systèmes (A.D. Hall, 1962). Ces premières approches s'occupent des aspects structurés, mécaniques (décisions par OUI ou NON dans le cas de la théorie de l'information); on pourrait imaginer que les aspects de la théorie générale des systèmes pourraient acquérir de l'importance avec les aspects dynamiques, les organisations souples, etc.

THÉORIE DE LA PERSONNALITÉ

Bien qu'existent de nombreuses théories concernant la fonction nerveuse et psychologique, dans la ligne de la cybernétique, fondées sur la comparaison cerveau-calculateur, peu de tentatives ont été faites pour appliquer la théorie générale des systèmes au sens restreint, à la théorie du comportement humain (par exemple Krech, 1956; Menninger, 1957). En ce qui nous concerne ici, nous assimilerons celle-ci à la théorie de la personnalité.

Il faut d'abord réaliser que la théorie de la personnalité est actuellement le champ de bataille de théories opposées et controversées. Hall et Lindzey (1957, p. 71) affirment avec justesse : « toutes les théories du comportement sont vraiment de petites théories, et toutes laissent beaucoup à désirer sur le plan des preuves scientifiques »; remarquons que cette phrase est tirée d'un livre de presque 600 pages sur les « théories de la personnalité ».

Nous ne pouvons donc attendre de la théorie générale des systèmes qu'elle apporte des solutions à un problème auquel les théoriciens de la personnalité n'ont pu en apporter, depuis Freud et Jung jusqu'à la foule des auteurs modernes. Cette théorie aura montré sa valeur si elle ouvre de nouveaux points de vue, de nouvelles perspectives, aptes à être appliqués expérimentalement et pratiquement. C'est ce qui semble être le cas. U groupe de psychologues, dont Goldstein et Maslow, s'engage sur une théorie organique de la personnalité.

Deux questions fondamentales se posent alors : la théorie générale des systèmes n'est-elle pas essentiellement une image physicaliste inapplicable aux phénomènes psychiques ? En second lieu, un tel modèle a-t-il une valeur explicative quand les variables en question ne peuvent être définies quantitativement ? Ce qui est en général le cas pour les phénomènes psychologiques.

1° En réponse à la première question on peut dire que le concept de système est assez abstrait et assez général pour s'appliquer à des entités de toute sorte. Les notions d'« équilibre », d'« homéostase », de « rétroaction », de « contrainte », etc., ont une origine autant physiologique que technologique et s'appliquent très bien aux phénomènes psychologiques. Les théoriciens des systèmes s'accordent à penser que le concept de « système » ne se limite pas aux êtres matériels, mais qu'on peut l'appliquer à tous les « ensembles » formés d'« éléments » en interaction.

2° Si la quantification est impossible et même si les composants d'un système sont mal définis, on peut néanmoins s'attendre à ce que certains principes s'appliquent au tout *en tant que* système. Une « explication de principe » (voir plus loin) est au moins possible.

Gardant en mémoire ces limites, il est un concept qui a une importance vitale : c'est la notion organique de l'organisme comme système spontanément actif. Pour citer l'auteur de ce livre :

« Même si les conditions externes sont constantes et en l'absence de stimulus extérieurs, l'organisme n'est pas un système passif mais fondamentalement actif. Ceci est vrai en particulier de la fonction du système nerveux et du comportement. Il semble que c'est l'activité interne plus que la réponse à des stimulus qui est fondamentale. C'est ce qu'on peut montrer, d'un côté avec l'évolution des animaux les plus bas et d'un autre côté, avec le développement des premiers mouvements chez l'embryon et le fœtus, par exemple » (von Bertalanffy, 1960 *a*).

Ceci est en accord avec ce que von Holst a appelé la « nouvelle conception » du système nerveux, fondée sur le fait que les activités motrices primaires sont dues à des automatismes centraux ne nécessitant pas de stimulus externes. Ainsi ces mouvements persistent même si on supprime par exemple les connexions entre les nerfs moteurs et sensoriels. Le réflexe, au sens classique, n'est donc pas l'unité fondamentale du comportement mais plutôt un mécanisme régulateur superposé aux activités automatiques primaires. Un concept semblable est fondamental en théorie des instincts. Selon Lorenz, les mécanismes de relaxation innés (I.R.M.) jouent un rôle dominant et disparaissent quelquefois sans stimulus externe (dans les réactions sous vide ou au ralenti) : un oiseau qui n'a aucun matériel pour construire son nid peut faire les mouvements de construction du nid dans l'air. Ces considérations appartiennent à l'ossature de ce que Hebb (1955) appelait le « C.N.S. (¹) conceptuel de 1930-50 ». Les vues les plus récentes sur les systèmes activateurs du cerveau présentent différemment et avec une profusion de résultats expérimentaux, le même concept fondamental de l'activité autonome du C.N.S.

La signification de ces concepts devient évidente si nous considérons qu'ils sont en opposition fondamentale avec le schéma conventionnel du stimulus-réponse, qui suppose que l'organisme est un système essentiellement réactif répondant comme un automate à des stimulus externes. La domination du schéma S-R sur la psychologie contemporaine n'a pas besoin d'être présentée; elle est évidemment liée au *Zeitgeist* d'une société hautement mécanisée. Ce principe est fondamental pour les théories psychologiques qui s'opposent sur tous les autres aspects, en psychologie behavioriste aussi bien qu'en psychanalyse. Selon Freud l'organisme tend avant tout à éliminer les tensions et les attaques pour atteindre le repos dans un état d'équilibre gouverné par le « principe de stabilité » que Freud a emprunté au philosophe Allemand Fechner. Le comportement nerveux et psychique est ainsi un mécanisme de défense plus ou moins effectif ou abortif, qui tend

(¹) C.N.S. « Cortico - Neural - System ».

à restaurer une espèce d'équilibre (selon l'analyse de D. Rapaport (1960) de la structure de la théorie psychanalytique : « point de vue économique » et « adaptatif »).

La célèbre psychologue des enfants, Charlotte Bühler (1959) a très bien résumé la situation théorique :

> « Dans le modèle psychanalytique fondamental, il n'y a qu'une tendance de base, à savoir *la satisfaction des besoins* ou *la réduction des tensions*... Les théories biologiques actuelles insistent sur la « spontanéité » de l'activité de l'organisme due à son énergie interne. Le fonctionnement autonome de l'organisme, son « action pour réaliser certains mouvements » est mise en évidence par Bertalanffy... Ces concepts représentent *une révision complète du principe originel d'homéostase* qui insistait exclusivement sur la tendance vers un équilibre. C'est au premier principe d'homéostase que la psychanalyse a identifié sa théorie de la libération des tensions comme étant la seule tendance primaire » (italiques en partie de Bertalanffy).

En bref, nous pouvons définir notre point de vue comme « au-delà du principe homéostatique » :

1° Le schéma S-R laisse de côté le domaine du jeu, de l'activité de recherche, de la créativité, de la self-réalisation, etc. ;

2° Le schéma économique laisse de côté l'achèvement spécifique de l'homme, dont la plus grande partie est contenue dans le terme vague de « culture humaine » ;

3° Le principe d'équilibre néglige le fait que les activités psychologiques et du comportement sont plus qu'une simple relaxation des tensions; loin d'établir un état optimal, cette dernière pourrait amener des perturbations psychiques, par exemple dans les expériences de privation des sens.

Il apparaît que le modèle S-R psychanalytique est une image hautement irréaliste de la nature humaine et qu'en conséquence elle est très dangereuse. Ce que nous considérons comme l'accomplissement spécifiquement humain peut difficilement entrer dans le schéma utilitaire, homéostatique, S-R. On peut appeler l'alpinisme, la composition de sonates ou de poèmes lyriques une « homéostase psychologique », cela a été fait, mais on risque que ce concept physiologique bien défini perde son sens. En outre, si on prend comme règle d'or du comportement le principe de maintien homéostatique, ce qu'on appelle l'individu parfait sera le but ultime, c'est-à-dire un robot bien graissé, qui se maintient en homéostase biologique, psychologique et sociale optimale. C'est *le meilleur des mondes,* qui n'est pas pour tout le monde l'état idéal de l'humanité. En outre cet équilibre mental précaire ne doit pas être dérangé : d'où, dans ce qu'on appelle assez comiquement l'éducation progressive, la peur de surmener l'enfant, de lui imposer des contraintes et de minimiser les influences avec comme résultat : une moisson inouïe d'illétrés et de délinquants juvéniles.

Contrairement à la théorie conventionnelle, on peut affirmer sans crainte que non seulement les contraintes et les tensions mais aussi la libération complète des stimulus et le vide mental qui en résulte peuvent être neuro-sogéniques ou même psychosogéniques. Expérimentalement, ceci se trouve vérifié par les expériences de privation sensorielle; un sujet, isolé de tous les stimulus extérieurs, développe après quelques heures ce qu'on appelle une psychose modèle avec hallucinations, anxiété insupportables, etc. Du point de vue clinique cela revient au même quand l'isolement amène à la psychose du prisonnier et à l'exaspération de la maladie mentale par isolation des patients dans la salle. Au contraire, les contraintes maximales ne produisent pas nécessairement un dérangement mental. Si la théorie conventionnelle était correcte, l'Europe, avec les tensions physiologiques aussi bien que psychologiques extrêmes qu'elle a connues au cours de la guerre et après celle-ci, aurait dû être un gigantesque asile de fous. En fait, il n'y a eu aucun accroissement statistique des perturbations nerveuses ou psychiques, hormis celles bien explicables du type névrose du combat (voir chapitre 9).

Nous en arrivons au fait qu'une grande partie du comportement biologique et humain se situe au-delà des principes d'utilité, d'homéostase et de stimulus-réponse, et que c'est justement cela qui caractérise les activités humaines et culturelles. Ce regard nouveau ouvre des perspectives nouvelles non seulement en théorie mais aussi dans les implications pratiques, hygiène mentale, éducation, société en général (voir chapitre 9).

Ce qui vient d'être dit peut aussi s'énoncer en termes philosophiques. Si les existentialistes parlent du vide de la vie, de son absurdité, s'ils y voient une source, non seulement de l'anxiété, mais aussi de la maladie mentale réelle, c'est essentiellement le même point de vue : le comportement n'est pas simplement une affaire de satisfaction des mouvements biologiques et de maintien de l'équilibre psychologique et social; il y a quelque chose de plus. Si la vie devient incroyablement vide dans une société industrialisée, que peut-on faire d'autre que de développer une névrose ? Le principe que l'on peut appeler de façon vague, activité spontanée de l'organisme psycho-physique, est une formulation plus réaliste de ce veulent dire les existentia-listes dans leur vocabulaire souvent obscur. Quand les théoriciens de la personnalité comme Maslow ou Gardner Murphy parlent de « réalisation » comme but de l'homme, c'est encore une expression assez pompeuse de la même idée.

L'HISTOIRE THÉORIQUE

Nous en arrivons à ces entités supérieures et mal définies appelées cultures humaines et civilisations. C'est le domaine souvent intitulé « philosophie de l'histoire ». Il serait peut-être préférable de parler d'« histoire théorique » considérée comme à ses débuts. Ce nom exprime que le but est de créer un lien entre la « science » et les « humanités »; plus particulièrement entre les sciences sociales et l'histoire.

Il est évident, bien sûr, que les techniques de la sociologie et de l'histoire sont entièrement différentes (sondages, analyse statistique face à étude des archives, preuves intrinsèques des vestiges historiques, etc.). Cependant l'objet de l'étude est essentiellement le même. La sociologie s'occupe essentiellement des cross-sections temporelles comme en *sont* les sociétés humaines : l'histoire de l'étude « longitudinale » du *devenir* des sociétés, de leur développement. L'objet et les techniques d'études justifient la différenciation pratique; il est cependant moins clair qu'ils justifient des philosophies fondamentalement différentes.

Cette dernière affirmation pose déjà le problème des constructions historiques, comme celles énoncées sous une forme imposante de Vico à Hegel, Marx, Spengler et Toynbee. Les historiens professionnels les considèrent au mieux comme de la poésie, au pire comme des fantaisies enfermant les faits historiques, avec une obsession paranoïaque, dans un lit de procuste théorique. Il semble que l'histoire peut recevoir de la part des théoriciens des systèmes, si ce n'est une solution ultime, un regard méthodologique de sondeur. Des problèmes jusqu'ici considérés comme philosophiques ou métaphysiques, peuvent très bien être définis dans leur sens scientifique si on regarde les développements récents (par exemple la théorie des jeux) apparus sur le tapis.

La critique historique se situe hors du domaine de cette étude. Par exemple, Geyl (1958) et beaucoup d'autres ont analysé les présentations erronées des faits historiques évidentes dans les travaux de Toynbee; le lecteur non spécialiste lui-même peut facilement dresser la liste des erreurs, en particulier dans les derniers volumes, du *magnum opus* de Toynbee, inspirés par le Saint-Esprit. Le problème est cependant plus large que les erreurs de fait ou d'interprétation ou même que la question des mérites respectifs des théories de Marx, Spengler ou Toynbee; c'est plus un problème de principe : peut-on admettre des lois et des modèles en histoire ?

Une prétention largement répandue dit que ce n'est pas possible. C'est le concept de méthode « nomothétique » en science et de méthode « idiographique » en histoire. Alors que la science peut dans une certaine mesure établir des « lois » des événements naturels, l'histoire, qui s'intéresse aux événements humains d'une très grande complexité par leurs causes et leurs conséquences, et probablement déterminés par les décisions libres d'individus, ne peut que décrire plus ou moins correctement ce qui a eu lieu dans le passé.

Ici le méthodologiste peut faire un premier commentaire. Dans l'attitude précitée, l'histoire académique condamne les constructions historiques comme « intuitives », « contraires aux faits », « arbitraires », etc. Cette critique est sans aucun doute très acerbe vis-à-vis de Spengler ou de Toynbee. Elle est cependant relativement moins convaincante si nous regardons les travaux de l'historiographie conventionnelle. Par exemple l'historien Hollandais Peter Geyl, qui a développé une thèse très violente contre Toynbee à partir de telles considérations méthodologiques, a aussi écrit un livre très brillant sur Napoléon (1949); il conclut en disant qu'il existe une douzaine ou plus d'interprétations différentes, nous pourrions dire de *modèles*, sur le personnage et la carrière de Napoléon, en histoire académique, toutes fondées sur les « faits » (la période Napoléonienne est une des mieux documentées) et qui se contredisent toutes platement les unes les autres. Grossièrement, elles vont du Napoléon, tyran brutal, ennemi égotiste de la liberté humaine, au Napoléon, planificateur avisé d'une Europe unifiée; et si vous avez un peu étudié Napoléon (ce que l'auteur a fait dans une petite mesure), vous pourrez facilement produire un document original qui réfute les erreurs que l'on trouve dans les histoires standard généralement acceptées. Il n'y a pas à discuter. Si même une figure comme Napoléon, assez proche dans le temps et sur laquelle on est très bien documenté, peut s'interpréter de façons contradictoires, on ne peut blâmer les « philosophes de l'histoire » pour leur procédure intuitive, leurs biais subjectifs, etc., alors qu'ils s'intéressent à ce phénomène énorme qu'est l'histoire universelle. Dans les deux cas, on a un modèle conceptuel qui ne représentera toujours que certains aspects et qui pour cette raison sera partisan ou même bancal. C'est pourquoi la construction de modèles conceptuels en histoire, outre qu'elle est possible, est à la base de toute interprétation historique, interprétation face à une simple énumération de données, c'est-à-dire chroniques ou annales.

Si cela est accepté, l'antithèse entre les procédures idiographiques et nomothétiques se ramène à ce que les psychologues appellent habituellement les approches « moléculaires » et « molaires ». On peut soit analyser les événements à l'intérieur d'un tout complexe, réactions chimiques individuelles dans un organisme, perceptions psychiques, par exemple ; on peut encore regarder les lois globales intéressant le tout comme la croissance et le développement dans le premier cas, la personnalité dans le second. En termes historiques, cela signifie étude détaillée des individus, des traités, des œuvres d'art, des causes et des effets particuliers, etc., ou alors des phénomènes globaux, avec l'espoir de trouver de grandes lois. On trouve bien sûr toutes les étapes transitoires entre ces deux démarches ; les extrêmes peuvent être illustrés par Carlyle et son culte du héros d'un côté, par Tolstoï (« historien théorique » beaucoup plus grand qu'on ne l'admet en général), de l'autre.

Le problème de l'« histoire théorique » est donc essentiellement celui des modèles « molaires » dans ce domaine ; c'est à cela que se ramènent les constructions historiques, une fois dépouillées de leurs broderies philosophiques.

L'évaluation de ces modèles doit suivre les règles générales de vérification. Il y a d'abord la considération des fondements empiriques. Dans le cas qui nous intéresse, on est ramené à la question de savoir si un nombre limité de civilisations, une vingtaine au mieux, fournit ou non un échantillon suffisant et représentatif permettant de formuler des généralisations justifiées. A cette question et à celle de la valeur des modèles proposés on répondra par le critère général : le modèle a-t-il ou non une valeur explicative et prévisionnelle, c'est-à-dire jette-t-il une lumière nouvelle sur des faits connus et sur des faits correctement prévus du passé ou du futur antérieurement inconnus ?

Bien qu'élémentaires, ces considérations peuvent supprimer beaucoup d'erreurs et écarter le brouillard philosophique qui masquait le problème.

1° Comme on l'a déjà dit, l'évaluation des modèles devrait être simplement pragmatique, en termes de mérites explicatifs ou prévisionnels (ou du manque de mérites) ; les considérations *a priori* comme leur attrait ou leurs conséquences morales n'entrent pas en jeu.

Nous sommes en face d'une situation assez rare. Il existe peu d'objections contre ce qu'on appelle les lois « synchroniques », c'est-à-dire les régularités supposées gouverner les sociétés à un certain moment ; en fait, à côté de l'étude empirique, elles sont le but de la sociologie. De même certaines lois « diachroniques », c'est-à-dire régularités du développement au cours du temps, ne sont pas discutées, comme par exemple les lois de Grimm établissant des règles de changement des consonnes dans l'évolution des langages Indo-Germaniques. Il est banal de dire qu'il existe une sorte de « cycle vital » des domaines particuliers de la culture, état primitif, maturité, dissolution baroque de la forme et même décadence, pour lequel aucune cause externe particulière ne peut être précisée ; c'est le cas de la sculpture grecque, de la peinture de la Renaissance et de la musique allemande. Ceci a bien sûr un pendant dans certains phénomènes de l'évolution biologique, qui montrent, comme chez l'ammonite ou le dinosaure, une première phase explosive de formation de nouveaux types, suivie d'une phase de spécialisation et éventuellement d'une phase de décadence.

Une critique violente se présente quand on applique ce modèle à la civilisation comme un tout. Il est légitime de se demander pourquoi des modèles souvent assez irréalistes en sciences sociales restent matière à discussion académique, alors que les modèles historiques rencontrent une résistance passionnée acceptant toutes les critiques factuelles formulées contre Spengler et Toynbee ; il semble évident que des facteurs émotionnels sont impliqués. Les chemins de la science sont jonchés des corps de théories mortes, de celles tombées en décadence ou conservées mommifiées dans le musée de l'histoire de la science. Au contraire les constructions historiques et en particulier les théories des cycles historiques semblent toucher un nerf à vif et l'opposition qui leur est faite est beaucoup plus que la critique classique d'une théorie scientifique.

2° Cette implication émotionnelle est liée à la question de « l'inévitabilité historique », à une dégradation hypothétique de la « liberté » humaine. Avant de regarder ce point, il est nécessaire de discuter des modèles mathématiques et non mathématiques.

Les avantages et les limites des modèles mathématiques en sciences sociales sont bien connus (Arrow, 1956 ; Rapoport, 1957). Tout modèle mathématique est une simplification poussée, et on peut se demander s'il dépouille les événements réels jusqu'aux os ou s'il tranche des parties vitales de leur anatomie. D'un autre côté, aussi loin qu'il aille, il permet des déductions nécessaires avec souvent des résultats inattendus qui n'auraient pas été obtenus par le « sens commun » ordinaire.

En particulier Rashevsky a montré, dans diverses études, comment construire des modèles mathématiques pour les processus historiques (Rashevsky, 1951, 1952).

D'autre part, il ne faudrait pas sous-estimer la valeur des modèles purement qualitatifs. Par exemple, le concept « d'équilibre écologique » a été développé bien avant que Volterra et d'autres introduisent les modèles mathématiques; la théorie de la sélection appartient aux réserves de la biologie, mais la théorie mathématique de la « lutte pour l'existence » est relativement récente et en outre elle est loin d'être vérifiée dans des conditions de vie sauvage.

Dans le cas des phénomènes complexes, l'« explication de principe » (Hayek, 1955) par des modèles qualitatifs est préférable à « pas d'explication du tout ». Ceci ne se limite en aucune sorte aux sciences sociales et à l'histoire; on l'applique aussi à des domaines comme la météorologie et l'évolution.

3° « L'inévitabilité historique », sujet d'une étude très connue de Sir Isaiah Berlin (1955), redoutée comme étant une conséquence de l'« histoire théorique », soi-disant contraire à notre expérience directe des libres choix et éliminant tout jugement moral et toutes valeurs, est une phantasmagorie fondée sur une vision du monde qui n'existe plus. Comme le montre en fait Berlin, elle est fondée sur le concept d'esprit laplacien, totalement capable de prédire le futur à partir du passé au moyen de lois déterministes. Aucune ressemblance avec le concept moderne de « lois de la nature ». Toutes les « lois de la nature » ont un caractère statistique. Elles ne prédisent pas un futur inexorablement déterminé mais des probabilités qui, selon la nature des événements et des lois appropriées, peuvent approcher la certitude ou en rester très éloignée. Il est absurde de demander ou de craindre plus d'« inévitabilité » en théorie historique qu'on en trouve dans les sciences assez compliquées comme la météorologie ou l'économie.

Paradoxalement, alors que la cause de la libre volonté s'appuie sur le témoignage de l'intuition ou plutôt de l'expérience immédiate et qu'on ne peut jamais la prouver objectivement (« Est-ce la libre volonté de Napoléon qui l'a conduit à la campagne de Russie ? »), le déterminisme (au sens statistique) peut-être prouvé, au moins dans les modèles à petite échelle. Bien sûr, les affaires dépendent de l'« initiative » personnelle, de la « décision » individuelle et de la « responsabilité » de l'entrepreneur; le choix du manager d'étendre les affaires ou non en employant du personnel nouveau est « libre » précisément dans le même sens que le choix de Napoléon d'accepter ou non la bataille de la Moskowa. Cependant quand on analyse la courbe de croissance des compagnies industrielles, on constate que les déviations « arbitraires » sont suivies d'un retour rapide à la courbe normale, comme si des forces invisibles agissaient. Haire (1959, p. 283) affirme que « le retour au modèle prédit par des croissances antérieures suggère l'action de *forces inexorables* sur l'organisme social » (italiques de von Bertalanffy).

Il est caractéristique qu'un des points de Berlin est « le faux raisonnement du déterminisme historique qui ressort de la contradiction absolue où il se trouve avec le sens commun et la vie de tous les jours, quand il se préoccupe des affaires humaines ». Cet argument caractéristique est de même nature que le refus du système de Copernic parce que tout le monde peut constater que c'est le soleil et pas la terre qui bouge du matin au soir.

4° De récents développements des mathématiques permettent même de soumettre la « libre volonté », qui semble le problème philosophique le plus résistant à l'analyse scientifique, à l'examen mathématique.

A la lumière de la théorie moderne des systèmes, l'alternative entre l'approche molaire et l'approche moléculaire, nomothétique et idiographique peut recevoir un sens précis. Pour le comportement de masse, des lois des systèmes s'appliqueraient qui, si elles pouvaient être mathématisées, prendraient la forme d'équations différentielles du type de celles utilisées par Richardson (*cf.* Rapoport, 1957) et qui sont citées précédemment. Au contraire, le libre choix de l'individu serait décrit par des formules du type de celles de la théorie des jeux et de la décision.

Du point de vue axiomatique, la théorie des jeux et de la décision s'intéresse aux choix « rationnels ». Choix qui « maximise l'utilité ou satisfaction de l'individu »; choix que « l'individu est libre de faire au milieu de plusieurs actions possibles, sa décision étant prise sur la base de leurs conséquences; il peut « opter, en étant informé de toutes les conséquences possibles de ses actes, pour ce qui se trouve en tête de sa liste »; il « préfère avoir plus d'un bien que moins, toutes autres choses restant égales par ailleurs », etc. (Arrow, 1956). A la place du gain économique on peut prendre n'importe quelle valeur plus élevée sans changer le formalisme mathématique.

La définition ci-dessus du « choix rationnel » inclut tout ce qu'on peut entendre par « libre volonté ». Si nous ne voulons pas confondre « libre volonté » avec arbitraire complet, avec manque de jugement de valeur et par conséquent avec les actes totalement inconséquents (comme l'exemple favori du philosophe : ma libre volonté c'est de pouvoir remuer mon petit doigt gauche ou de ne pas le remuer), le moraliste, le prêtre ou l'historien s'intéressent à une bonne définition de ces actes : libre décision entre des alternatives, fondée sur une vision de la situation et de ses conséquences, guidée par des valeurs.

Les difficultés d'application de la théorie à des situations réelles, même simples, sont bien sûr énormes; il en va de même de la difficulté d'établir des lois globales. Cependant, sans formulation explicite, les deux approches peuvent être évaluées en principe, amenant un paradoxe inattendu.

Le « principe de rationalité » s'ajuste, non pas à la majorité des actes humains, mais plutôt au comportement « irraisonné » des animaux. Les animaux et les organismes ont en général tendance à fonctionner de façon « ratio-morphique », maximisant des valeurs comme le maintien, la satisfaction, la survivance, etc.; ils choisissent en général ce qui est bon biologiquement pour eux, et préfèrent plus d'un bien (par exemple la nourriture) que moins.

Le comportement humain par ailleurs, passe à côté du principe de rationalité. Pas besoin de citer Freud pour montrer la petite étendue du comportement rationnel chez l'homme. Les femmes dans un supermarché ne maximisent pas en général leur utilité, mais sont sensibles aux ruses de la publicité et de l'emballage; elles ne font pas un choix rationnel tenant compte de toutes les possibilités et de leurs conséquences; en outre elles ne choisiront pas une plus grande quantité du bien emballé de façon neutre mais une moindre quantité emballée dans une grande boîte rouge avec des dessins attirants. Dans notre société, c'est le rôle d'une spécialité influente, la publicité, la recherche en motivations, etc., de *rendre* les choix irrationnels; ceci se fait essentiellement en accouplant des facteurs biologiques, réflexes conditionnés, mouvements inconscients, à des valeurs symboliques (*cf.* von Bertalanffy, 1956 *a*).

Impossible de se réfugier dans l'idée que cette irrationalité du comportement humain concerne seulement les actions triviales de la vie quotidienne; il en va de même des décisions « historiques ». Ce vieux sage d'Oxenstierna, Chancelier suédois pendant le Guerre de Trente Ans, a très bien exprimé cela : *Nescis, mi fili, quantilla ratione mundus regatur,* tu ne sais pas mon cher enfant, avec combien peu de raison le monde est gouverné. La lecture des journaux, la radio, montrent aisément que cela s'applique peut-être plus au XXe siècle qu'au XVIIe.

Du point de vue méthodologique, ceci nous amène à une conclusion remarquable. Si un des deux modèles doit être appliqué et si on adopte le « principe d'actualité », fondamental dans des domaines historiques comme la géologie et l'évolution (c'est-à-dire l'hypothèse qu'aucun autre principe explicatif pouvant être observé comme actif dans le présent ne sera utilisé), alors c'est le modèle statistique ou de masse qui est vérifié par les résultats empiriques. Les travaux du chercheur en motivation et en opinion, du psychologue statisticien, etc., sont fondés sur le prémisse que le comportement humain est gouverné par des lois statistiques; c'est pour cette raison qu'un échantillon petit mais bien choisi permet d'extrapoler à l'ensemble de la population considérée. Les assez bons résultats des sondages Gallup et des prévisions vérifient ce prémisse, avec néanmoins quelques échecs accidentels comme l'exemple bien connu de l'élection manquée de Truman; on doit d'ailleurs s'y attendre avec les prévisions statistiques. L'affirmation contraire, c'est-à-dire que l'histoire est gouvernée par la « libre-volonté » au sens philosophique (c'est-à-dire un choix rationnel en faveur de ce qu'il y a de meilleur, de la plus haute valeur morale, ou même guidé par l'intérêt personnel), n'est guère étayée par les faits. C'est dans le caractère même de la loi statistique d'être mise en échec de temps à autres par de « vigoureux individualistes ». De même le rôle joué par les « grands hommes » ne contredit guère la conception systématique de l'histoire; on peut concevoir qu'ils ont un rôle de « parties dominantes », de « détentes », de « catalyseurs » dans le processus historique, phénomène très bien expliqué par la théorie générale des systèmes.

5° Un autre problème est posé par l'« analogie organique », unanimement condamnée par les historiens. Ils combattent sans répit la nature « métaphysique », « poétique », « mythique » et tout à fait antiscientifique des affirmations de Spengler selon lesquelles les civilisations sont des sortes d'« organismes », qui naissent, se développent selon leurs lois internes et meurent éventuellement. Toynbee (par exemple, 1961), se donne beaucoup de mal pour montrer qu'il n'est pas tombé dans le piège de Spengler, même s'il est assez difficile de voir que ses civilisations, liées aux relations biologiques de « filiation » et d'« apparentement », même avec une durée de développement assez stricte, ne sont pas conçues de façon organique.

Personne ne peut savoir mieux que le biologiste que les civilisations ne sont pas des « organismes ». Il est trivial à l'extrême de constater qu'un organisme biologique, un être matériel avec unité d'espace et de temps, est quelque chose de différent d'un groupe social formé d'individus distincts, et encore plus d'une civilisation formée de générations d'êtres humains, de produits matériels, d'institutions, d'idées, de valeurs, que sais-je encore. C'est vraiment sous-estimer l'intelligence de Vico et de Spengler (ou de tout individu normal) que de supposer qu'ils n'ont su discerner l'évidence.

Néanmoins, il est intéressant de noter que, contrairement aux scrupules des historiens, les sociologues ne méprisent pas « l'analogie organique » mais qu'ils la considèrent plutôt comme acquise. Par exemple, pour citer Rapoport et Horvath (1959) :

> « Il n'est pas dénué de sens de considérer une organisation réelle comme un organisme; il y a des raisons de croire que cette comparaison ne se ramène pas à une analogie métaphorique stérile comme il était classique d'en trouver dans les spéculations scholastiques sur l'État. On peut trouver des fonctions quasi biologiques dans les organisations. Elles se maintiennent; quelquefois elles se reproduisent ou essaiment; elles réagissent aux tensions; elles vieillissent et elles meurent. Elles ont des anatomies perceptibles et, au moins celles qui transforment la matière (comme les industries), ont des physiologies.

Citons encore Sir Geoffrey Vickers (1957) :

> « Les institutions croissent, se réparent, se reproduisent, tombent en décadence et disparaissent. Dans leurs relations externes elles présentent beaucoup des caractéristiques de la vie organique. Certains pensent que dans leurs relations internes aussi, les institutions humaines sont destinées à devenir de plus en plus organiques, que la coopération humaine s'approchera toujours plus de l'intégration des cellules dans le corps. Je pense que cette vision est assez peu convaincante et relativement désagréable ». (N.B. : L'auteur de ce livre le pense aussi).

Citons enfin Haire (1959, p. 272) :

> « Le modèle biologique des organisations sociales, et en particulier des organisations industrielles, entend prendre comme modèle l'organisme vivant, ainsi que les processus et les principes qui règlent sa croissance et son développement. Cela signifie recherche de processus valables pour la croissance organisationnelle. »

Le fait que des lois de croissance simples s'appliquent à des entités sociales comme les entreprises industrielles, l'urbanisation, la division du travail, etc., prouve que sous certains aspects l'« analogie organique » est correcte. En dépit des protestations des historiens, l'application des modèles théoriques, en particulier le modèle des systèmes dynamiques, ouverts et évolutifs (MacClelland, 1958), aux processus historiques, a certainement un sens. Ceci n'implique pas un « biologisme », c'est-à-dire une réduction des concepts sociaux aux concepts biologiques, mais indique que les principes des systèmes s'appliquent aux deux domaines.

6° Acceptant toutes les objections, méthode pauvre, erreurs factuelles, complexité énorme des processus historiques, il nous faut néanmoins admettre que les modèles cycliques de l'histoire supportent l'examen le plus poussé de la théorie scientifique. Les prévisions de Spengler dans *Le Déclin de l'Occident*, de Toynbee quand il prévoit une époque de troubles et de luttes, de Ortega y Gasset dans *Révolte des Masses*, et on peut ajouter *Le Meilleur des Mondes* ([1]) et 1984, ont été vérifiées dans une inquiétante mesure, et beaucoup mieux que de nombreux modèles très respectables des savants en sciences sociales.

Est-ce que ceci implique l'« inévitabilité historique », la dissolution inexorable ? Ici encore les historiens, moralisant et philosophant, ont laissé passer la réponse simple. Ce n'est pas en extrapolant les cycles de vie des civilisations antérieures qu'on aurait pu prévoir la révolution industrielle, l'explosion démographique, le développement de l'énergie atomique, l'émergence de nations sous-développées, et l'extension de la civilisation occidentale à tout le globe. Est-ce que cela réfute le modèle cité et la « loi » de l'histoire ? Non; on constate simplement que ce modèle, comme tout modèle scientifique, ne reflète que certains aspects, certaines facettes de la réalité. Un modèle ne devient dangereux que s'il commet l'erreur du « tout ou rien » qui trouble non seulement l'histoire théorique, mais aussi les modèles de la vision mécaniste du monde, de la psychanalyse et beaucoup d'autres.

Nous désirions montrer dans ce survol que la théorie générale des systèmes a contribué à l'extension de la théorie scientifique; qu'elle a conduit à de nouveaux points de vue et à de nouveaux principes; qu'elle a débloqué de nouveaux problèmes « étudiables », c'est-à-dire dont l'étude peut être poussée sur le plan expérimental ou mathématique. Les limites de la théorie et ses applications dans leur statut actuel sont évidentes; mais les principes semblent être très solides comme l'a montré leur application à divers domaines.

([1]) *The Decline of the West ; Revolt of the Masses ; Brave New World.*

CHAPITRE 5

L'ORGANISME CONSIDÉRÉ COMME UN SYSTÈME PHYSIQUE

L'organisme en tant que système ouvert

La chimie-physique s'occupe de la théorie de la cinétique et de l'équilibre des systèmes chimiques. Considérons par exemple la réaction réversible d'estérification :

$$C_2 H_5 OH + CH_3 COOH \rightleftarrows CH_3 COOC_2 H_5 + H_2O,$$

dans laquelle s'établit toujours un certain rapport quantitatif entre l'alcool et l'acide acétique d'un côté et l'ester et l'eau de l'autre côté.

L'application des principes d'équilibre physico-chimiques, en particulier ceux de la cinétique chimique et les lois d'action de masse, s'est révélée d'une importance fondamentale pour expliquer les processus physiologiques. Par exemple le rôle du sang, qui transporte l'oxygène des poumons aux tissus du corps et inversement le bioxyde de carbone des tissus aux poumons, qui le rejettent; le processus résulte des équilibres entre l'hémoglobine, l'oxyhémoglobine et l'oxygène en vertu de la loi d'action de masse, et on peut établir des formules quantitatives non seulement pour les conditions simples de l'hémoglobine en solution, mais aussi pour les cas plus compliqués du sang des vertébrés. Le fait de tenir compte de l'importance cinétique des réactions d'enzymes, de celles de respiration, de fermentation, etc., est bien connu. De même, d'autres équilibres physico-chimiques (distribution, diffusion, absorption, équilibres électrostatiques) ont un sens fondamental du point de vue physiologique (cf. Moser et Moser-Egs, 1934).

Si on considère l'organisme comme un tout, il présente des caractéristiques semblables à celles des systèmes en équilibre (cf. Zwaardemaker, 1906, 1927). Nous trouvons, dans la cellule et dans l'organisme multicellulaire une certaine composition, un rapport constant des composants qui ressemble à première vue, à la répartition des composants dans un système clinique en équilibre et qui, dans une certaine mesure est maintenue sous différentes conditions, après un écart, à des tailles différentes du corps, etc., une indépendance de composition des quantités absolues des composants, une capacité de régulation après une perturbation, une composition constante sous des conditions qui changent et avec une nourriture changée, etc. (*cf.* von Bertalanffy, 1932, p. 190 et suiv., 1937, p. 80 et suiv.).

Cependant, nous réalisons sur le champ que bien qu'il puisse y avoir des systèmes en équilibre dans l'organisme, l'organisme en tant que tel ne peut être considéré comme un système en équilibre.

L'organisme n'est pas un système fermé, mais un système ouvert. Nous appelons « fermé » un système, si aucune matière n'y entre ou n'en sort ; il est appelé « ouvert » s'il y a importation ou exportation de matière.

Il y a donc un contraste fondamental entre les équilibres cliniques et les organismes à métabolisme. L'organisme n'est pas un système statique fermé à l'extérieur et qui contient toujours des composants identiques ; c'est un système ouvert, en état (quasi) stable, dont les relations de masse restent constantes au cours d'une variation continue des composants en matière et en énergie, dans lequel la matière vient continuellement de l'environnement extérieur et y retourne.

Le caractère de système en état stable (ou plutôt quasi stable) de l'organisme est un de ses critères principaux. D'une façon générale, le phénomène fondamental de la vie peut être considéré comme une conséquence de ce fait. Si on considère l'organisme sur un court espace de temps il apparaît comme un ensemble maintenu dans un état stable par l'échange de composants. C'est ce qui correspond au premier domaine de la physiologie générale, c'est-à-dire la physiologie du métabolisme sous ses aspects chimique et énergétique. Superposés à l'état stable, se trouvent des processus ondulatoires moins importants, essentiellement de deux sortes. Il y a d'abord les processus périodiques qui ont leur origine dans le système même et sont donc autonomes (par exemple, les mouvements automatiques des organes de respiration, de circulation et de digestion ; les activités électriques auto-rythmées des centres nerveux et du cerveau qu'on suppose résulter de décharges chimiques rythmiques ; les mouvements automatiques de l'organisme considéré comme un tout). En second lieu, l'organisme réagit à des changements temporaires de l'environnement, à des « stimulus », par des fluctuations réversibles de son état stable. C'est le groupe des processus dus à des variations des conditions extérieures, de là hétéronomes, rassemblés dans la physiologie de l'excitation. Ils peuvent être considérés comme des perturbations temporaires de l'état stable à partir desquelles l'organisme revient à

« l'équilibre », au flux égal à celui de l'état stable. De telles considérations se sont montrées utiles et mènent à des formules quantitatives (*cf.* p. 141). En définitive, la définition de l'état de l'organisme comme un état stable n'est valable qu'en première approximation, dans la mesure où nous considérons des périodes de temps plus courtes dans un organisme « adulte » que nous ne le faisons par exemple quand nous étudions le métabolisme. Si nous prenons tout le cycle de la vie, le processus n'est plus stationnaire mais seulement quasi stationnaire, sujet à des changements suffisamment lents pour qu'on en fasse abstraction quand on vise certaines recherches et comportant le développement embryonnaire, la croissance, le vieillissement, la mort, etc., les phénomènes qui ne sont pas totalement renfermés sous le terme de morphogenèse représentent le troisième grand ensemble de problèmes qui se posent en physiologie générale. Ces considérations se montrent particulièrement utiles dans les domaines accessibles à la formulation quantitative.

En général, la chimie-physique se limite presque exclusivement aux processus des systèmes fermés. C'est à ceux-ci que se réfèrent les formules bien connues de la chimie-physique ; la loi d'action de masse en particulier est utilisée seulement pour la définition d'équilibres chimiques vrais dans les systèmes fermés. L'applicabilité des équilibres chimiques, par exemple aux réactions de transfert, est fondée sur le fait qu'il s'agit de réactions à ionisation rapide conduisant à un équilibre. Les systèmes chimiques ouverts ne sont guère pris en considération par la chimie-physique. Cette restriction de la cinétique aux systèmes fermés se comprend aisément ; les systèmes ouverts sont plus difficiles à réaliser techniquement et en outre ils n'ont pas une importance majeure sur le plan purement physique. Néanmoins on peut trouver facilement de tels équilibres ; par exemple quand, dans une réaction $a \leftrightarrows b$ le produit b du second membre est retiré de façon continue du système par des moyens appropriés (précipitation, dialyse à travers une membrane poreuse pour b et pas pour a, etc.), alors que a est introduit de façon continue dans le système. On trouve quelquefois des systèmes de ce type en chimie technique ; la fermentation continue qui a lieu dans la production de l'acide acétique donne un exemple de ce qu'on appelle ici « système chimique ouvert ».

Cependant, de tels systèmes ont une grande importance pour le biologiste. Les systèmes chimiques ouverts existent en effet dans la nature sous la forme d'organismes vivants survivant par un échange constant de leurs composants. « La vie est un équilibre dynamique dans un système polyphasé » (Hopkins).

Il nous faut alors trouver une définition de cet équilibre stationnaire caractérisé par la régularité de composition du système alors que changent les composants, semblable aux expressions bien connues qui définissent en chimie physique des équilibres chimiques vrais dans les systèmes fermés. Manifestement, le système de réaction et les conditions de celle-ci sont infiniment plus compliqués pour les organismes que pour les systèmes dont s'occupe en général la chimie-physique. Ces réactions portent sur un nombre extraordinairement grand de composants. En outre, la cellule et l'organisme ne sont pas des systèmes homogènes (pour lesquels une solution est vraie) mais sont hétérogènes, colloïdaux, en sorte que les réactions ne dépendent pas seulement de l'action de masse mais aussi de beaucoup d'autres facteurs physico-chimiques tels que l'absorption, la diffusion, etc. Même les réactions enzymaires en éprouvette ne suivent pas en général la seule loi d'action de masse. En sorte qu'il est clair que les réactions ne peuvent s'exprimer par un système fermé d'équations, même pour les systèmes organiques simples; ceci n'est possible que pour des systèmes partiels isolés. Il est cependant possible : *premièrement* d'établir certains principes généraux pour les systèmes ouverts sans tenir compte de la nature particulière de chacun. *Deuxièmement,* bien qu'au vu du très grand nombre de réactions dans l'organisme et même dans la cellule individuelle il soit impossible de suivre les réactions individuelles, on peut utiliser des expressions qui représentent les moyennes statistiques d'une multitude incalculable de processus, quelquefois d'ailleurs non connus. Une telle procédure s'emploie déjà en chimie en utilisant des formules globales pour les réactions à plusieurs étapes. De même les équations d'équilibre en physiologie du métabolisme et en bio-énergétique, sont fondées sur des moyennes statistiques résultant de processus nombreux du métabolisme intermédiaire, en général inconnus. Nous pouvons par exemple résumer les processus anabolique et catabolique sous les termes d'« assimilation » et de « dissimilation » et considérer en première approximation l'état stable comme un équilibre entre « assimilation » et « dissimilation ». De telles grandeurs qui représentent les moyennes statistiques d'une multitude de processus inextricables, peuvent être utilisées dans des calculs, de même que celles qu'on utilise en chimie-physique pour des composants et des réactions individuels.

Les problèmes essentiels du métabolisme organique sont : la survivance du système par un flux et un échange continu de matière et d'énergie; l'ordre des innombrables réactions physico-chimiques dans la cellule ou l'organisme qui permet cet échange; le maintien d'un taux constant entre les composants même dans des conditions différentes, après un dérangement, à des tailles différentes, etc. L'évolution à deux faces des systèmes vivants, assimilation et dissimilation, présente, selon les mots de von Tschermaks (1916), une tendance au maintien d'un certain état, la régénération compensant le désordre causé par la dégénérescence. Comment se fait-il que ce qui a été perdu pendant le processus se reconstruise à partir de la matière apportée comme nourriture, que les cubes libérés par les enzymes trouvent la place exacte dans le système organique qui le fera se maintenir en métabolisme ? Qu'est-ce que le principe d'« auto-régulation automatique » du métabolisme ? Nous possédons une grande connaissance des processus physico-chimiques dans la cellule et dans l'organisme ; mais nous ne devons pas sous-estimer le fait « que même après une explication complète des processus individuels, un monde nous sépare encore de la compréhension du métabolisme total d'une cellule » (M. Hartmann, 1927, p. 258). On ne connaît que très peu de choses sur les principes qui gouvernent les processus individuels au sens indiqué ci-dessus. Il n'est pas étonnant que ce problème ait conduit sans cesse à des conclusions vitalistes (par exemple, Kottje, 1927).

Manifestement, les principes généraux comme ceux que nous allons développer ne peuvent fournir une explication détaillée de ces problèmes ; ils peuvent cependant indiquer les fondements physiques généraux de cette caractéristique essentielle de la vie qu'est l'auto-régulation du métabolisme, la survivance avec changement des composants. La façon particulière par laquelle ils s'expriment dans les processus métaboliques individuels ne peut être déterminée que par la recherche expérimentale. On peut cependant espérer que les considérations générales attireront le regard sur des possibilités jusqu'ici peu envisagées et que les formulations proposées ou les équations, seront aptes à décrire des phénomènes individuels concrets.

Caractéristiques générales des systèmes chimiques ouverts

Les équilibres vrais des systèmes fermés et les « équilibres » stationnaires des systèmes ouverts montrent une certaine similitude, dans la mesure où le système pris comme un tout et du point de vue de ses composants reste invariable dans les deux cas. Mais la situation physique diffère fondamentalement. Les équilibres chimiques des systèmes fermés sont fondés sur des réactions réversibles ; conséquence du second principe de la thermodynamique, ils sont définis par un minimum d'énergie libre. Dans les systèmes ouverts au contraire, l'état stable n'est pas réversible que ce soit dans le système considéré comme un tout ou dans les nombreuses réactions individuelles. En outre, le second principe ne s'applique par définition qu'aux systèmes fermés et il ne définit pas l'état stable.

Selon le second principe un système fermé *doit* éventuellement atteindre un état d'équilibre indépendant du temps, défini par le maximum de l'entropie et le minimum de l'énergie libre (équilibre calorifique, dérivation thermodynamique de la loi d'action de masse par Van't Hoff, etc.), où le taux entre les phases demeure constant. Un système clinique ouvert *peut* atteindre (sous certaines conditions) un état stable indépendant du temps, où le système demeure invariant en tant que tout et dans ses phases (macroscopiques), bien qu'il y ait un flux continu des matières qui le composent.

Un système fermé en équilibre ne nécessite pas d'énergie pour sa conservation et il ne peut fournir d'énergie. Par exemple, un réservoir fermé contient une certaine quantité d'énergie potentielle; néanmoins, il ne peut faire tourner un moteur. Il en va de même d'un système chimique en équilibre. Il ne s'agit pas d'un état de repos chimique; au contraire, des réactions ont continuellement lieu, réglées par la loi d'action de masse, en sorte qu'il se forme autant de chaque espèce de molécules ou d'ions qu'il en disparaît. Néanmoins, l'équilibre chimique est incapable de réaliser un travail. Pour que le processus continue, aucun travail n'est nécessaire; aucun travail ne peut en être obtenu. La somme algébrique du travail obtenu des réactions élémentaires ou utilisé par elles est nulle. Pour obtenir du travail, il est nécessaire que le système ne soit pas dans un état d'équilibre mais tende à en atteindre un; c'est dans ce cas seulement qu'on pourra obtenir de l'énergie. Pour que ceci soit obtenu continuellement, le système hydrodynamique aussi bien que le système clinique doivent être aménagés stationnairement, c'est-à-dire qu'il faut entretenir un flux stable d'eau ou de substances chimiques dont le contenu énergétique est transformé en travail. Il ne peut donc y avoir une capacité de travail continue dans un système fermé qui tend à atteindre le plut tôt possible un équilibre; ceci n'est possible que dans un système ouvert. L'«équilibre» apparent que l'on trouve dans l'organisme n'est pas un équilibre vrai incapable de fournir du travail; il s'agit plutôt d'un pseudo-équilibre dynamique, maintenu invariable à une certaine distance de l'équilibre vrai; ainsi, il peut fournir du travail mais d'un autre côté il a besoin d'un apport continu d'énergie pour se maintenir éloigné de l'équilibre vrai.

Pour la survie d'un « équilibre dynamique », il est nécessaire que les taux d'évolution des processus soient exactement harmonisés. C'est seulement de cette façon qu'il est possible à certains composants de se décomposer en libérant une énergie utilisable alors qu'en même temps l'apport évite que le système n'atteigne l'équilibre. Les réactions rapides, dans l'organisme aussi, conduisent à l'équilibre chimique (par exemple, celui de l'hémoglobine et de l'oxygène); les réactions lentes n'atteignent pas un équilibre mais sont maintenues dans un état stable. Ainsi, la condition pour qu'existe un système chimique en état stable est une certaine lenteur des réactions. Les réactions passagères, comme celles entre les ions conduisent à un équilibre en un temps « infiniment court ». L'existence d'un état stable dans l'organisme est due au fait qu'il est formé de composés complexes du carbone; d'un côté ils sont riches en énergie et chimiquement inertes en sorte qu'il est possible de conserver un potentiel chimique considérable; de l'autre côté la libération rapide et régulière de cette quantité d'énergie est réalisée par l'action des enzymes, en sorte que l'état stable est conservé.

Pour trouver les conditions et les caractéristiques des états stables il nous faut utiliser une équation générale de transport. Soit Q_i une mesure du i^e élément du système; par exemple une concentration ou encore une énergie dans un système d'équations simultanées. On peut exprimer ses variations par la relation :

$$\frac{\partial Q_i}{\partial t} = T_i + P_i \qquad (5.1)$$

où T_i représente la vitesse de transport de l'élément Q_i dans un élément de volume en un certain point de l'espace, alors que P_i est le taux de production.

Beaucoup des équations qui apparaissent en physique, en biologie et même en sociologie peuvent être considérées comme des cas particuliers de (5.1). Par exemple, dans le domaine moléculaire, les P_i sont des fonctions qui indiquent le taux des réactions par lesquelles se forment et disparaissent les substances Q_i; les T_i auront des formes différentes selon le système dont il s'agit. Si par exemple aucune force extérieure n'influence les masses, les T_i seront exprimés par l'équation de diffusion de Fick. Dans le cas où les T_i disparaissent nous retrouvons les équations classiques qui gouvernent un ensemble de réactions dans un système fermé; si ce sont les P_i qui disparaissent nous obtenons l'équation de diffusion simple dans laquelle T_i est de la forme : $T_i = D_i \nabla^2 Q_i$ où le symbole laplacien ∇^2 représente la somme des dérivées partielles par rapport à x, y, z, et les D_i, les coefficients de diffusion. En biologie on trouve aussi des équations de ce type, par exemple pour la croissance; de même elles apparaissent en sociologie et en dynamique des populations. En général le taux de croissance d'une population est égal à la somme des mouvements de population (immigration moins émigration) et du taux de reproduction (taux de natalité moins celui de décès).

On se trouve donc en général devant un ensemble d'équations aux dérivées partielles simultanées. Les P_i aussi bien que les T_i seront des fonctions non linéaires des Q_i et d'autres variables du système; en outre ils seront fonctions des coordonnées x, y, z et du temps t. Pour résoudre ces équations il faudra connaître leur forme particulière ainsi que les conditions, aussi bien initiales que finales.

Dans le cas qui nous intéresse, deux considérations sont importantes que nous appellerons études temporelles et sections longitudinales [1]. Le premier problème est celui de l'entretien d'un état stable, c'est-à-dire du point de vue biologique, le problème fondamental du métabolisme. Le second concerne les modifications du système par rapport au temps, exprimé biologiquement, par exemple, la croissance. Mentionnons brièvement un troisième problème, celui des variations périodiques dans le domaine organique, qui sont caractéristiques des processus autonomes comme les mouvements automatico-rythmiques, etc. Ces trois aspects correspondent aux problèmes généraux que cherchent à résoudre les trois principales branches de la physiologie (*cf.* p. 124 et suiv.).

Le problème des « sections temporelles longitudinales », des variations du système dans le temps sera résolu grâce aux équations différentielles du type (5.1).

Prenons un exemple simple : soit un système chimique ouvert formé d'un seul constituant Q avec apport continu de la matière de la réaction et retrait des produits qui en résultent. Soit E la quantité de matière mise dans le système par unité de temps; soit k la constante de réaction conformément à la loi d'action de masse; kQ est donc la quantité qui varie par unité de temps; alors, si on suppose que l'apport initial est supérieur à ce qui se transforme, l'accroissement de la concentration du système suivra l'équation:

$$\frac{dQ}{dt} = E - kQ. \qquad (5.2)$$

Comme on le voit aisément, il s'agit d'un cas particulier de l'équation générale (5.1). Comme nous avons supposé que l'apport est constant et que ce qu'on retire est égal à la réaction chimique, le gradient de diffusion et de concentration était négligé (ou, comme on peut le dire, on a supposé

[1] En anglais « temporal cross and longitudinal sections ».

un « mixage » ([1]) complet du système), les coordonnées disparaissent dans (5.1); au lieu d'une équation aux dérivées partielles nous obtenons une équation différentielle ordinaire. La concentration au temps t est alors :

$$Q = \frac{E}{k} - \left(\frac{E}{k} - Q_0\right) e^{-kt} \tag{5.3}$$

où Q_0 est la concentration initiale à $t = 0$. La concentration croît alors de façon asymptotique vers une certaine limite pour laquelle l'écoulement est égal à l'apport (supposé constant). Cette concentration maximale est :

$$Q_\infty = E/k.$$

Le système qui suit est plus proche des conditions biologiques. Supposons qu'il y ait apport de matière dans le système, proportionnel à la différence entre la concentration à l'extérieur et la concentration à l'intérieur du système $(X - x_1)$. On peut penser simplement, sur le plan biologique, aux sucres ou aux acides aminés. La matière importée a_1 peut donner au cours d'une réaction monomoléculaire et réversible un composé a_2 de concentration x_2 (par exemple les monosaccharides transformés en polysaccharides, les acides aminés en protéines). D'un autre côté, la substance peut être détruite au cours d'une réaction irréversible (par ex. oxydation, désamination) en a_3; de plus a_3 peut sortir du système proportionnellement à sa concentration. Nous avons alors le système de réaction suivant :

$$
\begin{array}{c}
\quad K_1 \qquad k_1 \\
X \longrightarrow x_1 \underset{k_2}{\overset{}{\rightleftharpoons}} x_2 \\
\quad k_3 \downarrow \\
\quad x_3 \\
\quad K_3 \mid \\
\quad \downarrow \\
\text{Sortie}
\end{array}
$$

([1]) En anglais « shaking ».

et les équations :

$$(5.4) \begin{cases} \dfrac{dx_1}{dt} = K_1 (X - x_1) - k_1 x_1 + k_2 x_2 - k_3 x_1 \\ \qquad\qquad\qquad = x_1 (- K_1 - k_1 - k_3) + k_2 x_2 + K_1 X \\[2mm] \dfrac{dx_2}{dt} = k_1 x_1 - k_2 x_2 \\[2mm] \dfrac{dx_3}{dt} = k_3 x_1 - k_2 x_3 \end{cases}$$

Annulons la première équation afin d'éliminer les constantes; soient $x_1^*, x_2^* \dots$ les racines de ces équations. Introduisons les nouvelles variables :

$$x_1' = x_1^* - x_1 \tag{5.5}$$

et réécrivons (5.4).

Le modèle général de telles équations est :

$$(5.6) \begin{cases} \dfrac{dx_1'}{dt} = a_{11} x_1' + a_{12} x_2' + \dots + a_{1n} x_n' \\[2mm] \dfrac{dx_2'}{dt} = a_{21} x_1' + a_{22} x_2' + \dots + a_{2n} x_n' \\[2mm] \dots\dots\dots\dots\dots\dots\dots\dots\dots\dots\dots \\[2mm] \dfrac{dx_n'}{dt} = a_{n1} x_1' + a_{n2} x_2' + \dots + a_{nn} x_n' \end{cases}$$

dont la solution générale est (*cf.* p. 56) :

$$(5.7) \begin{cases} x_1' = C_{11} e^{\lambda_1 t} + C_{12} e^{\lambda_2 t} + \dots + C_{1n} e^{\lambda_n t} \\ x_2' = C_{21} e^{\lambda_1 t} + C_{22} e^{\lambda_2 t} + \dots + C_{2n} e^{\lambda_n t} \\ \dots\dots\dots\dots\dots\dots\dots\dots\dots\dots\dots \\ x_n' = C_{n1} e^{\lambda_1 t} + C_{n2} e^{\lambda_2 t} + \dots + C_{nn} e^{\lambda_n t} \end{cases}$$

Les λ_i sont donnés par l'équation caractéristique (déterminant) :

$$(5.8) \quad \begin{vmatrix} a_{11} - \lambda & a_{12} & \dots & a_{1n} \\ a_{21} & a_{22} - \lambda & \dots & a_{2n} \\ \dots\dots\dots\dots\dots\dots\dots\dots\dots \\ a_{n1} & a_{n2} & \dots & a_{nn} - \lambda \end{vmatrix} = 0$$

Considérons maintenant la « cross-section » temporelle, c'est-à-dire la distribution des composants dans l'état stable indépendant du temps. En général un système défini par l'équation (5.1) peut avoir trois types de solution différents. Il peut y avoir accroissement illimité des Q_i; on peut atteindre un état stable qui ne dépend pas du temps; enfin il peut y avoir des solutions périodiques.

Il est difficile de montrer l'existence d'un état stable pour le système très général (5.1), mais on peut la montrer dans certains cas. Supposons que les deux termes sont linéaires en Q_i et indépendants de t; alors la solution est donnée par des méthodes standard d'intégration; elle est de la forme :

(5.9) $Q_i = Q_{i1}(x, y, z) + Q_{i2}(x, y, z, t),$

où Q_{i2} est une fonction de t qui tend vers zéro avec le temps pour certaines relations entre les constantes et les conditions limites.

D'un autre côté, s'il y a un état stable indépendant du temps exprimé par Q_{i1} dans (5.9), Q_{i1} doit suffire pour l'équation indépendante du temps :

$$T_i + P_i = 0 \qquad (5.10)$$

Nous voyons que :

1° S'il y a une solution stationnaire, la composition du système à l'état stable reste constante par rapport aux composants Q_i bien que les réactions continuent sans atteindre un équilibre comme dans le cas des systèmes fermés et bien qu'il y ait apport et retrait de matière; c'est la situation hautement caractéristique des systèmes organiques.

2° A l'état stable le nombre d'éléments qui entrent dans l'état $Q_i(x, y, z, t)$ par transport et réaction chimique, par unité de temps est égal au nombre de ceux qui sortent.

Les mêmes considérations peuvent être faites en ce qui concerne les solutions périodiques. Il est vrai que les résultats ci-dessus supposent des hypothèses assez particulières sur la nature des équations. Cependant, bien qu'on ne connaisse aucun critère général d'existence de solutions du système (5.1), stationnaires et périodiques, ces conditions peuvent être indiquées dans un certain nombre de cas linéaires et même non linéaires. Pour nous ce qui importe c'est qu'on puisse montrer l'existence d'« équilibres » dynamiques stationnaires, ou encore l'existence d'un certain ordre de processus garantis par des principes dynamiques plutôt que structuro-mécaniques, à partir de considérations générales.

En résolvant les équations (5.4) pour l'état stable, nous obtenons :

$$x_1 : x_2 : x_3 = 1 : \frac{k_1}{k_1} : \frac{k_3}{K_2}.$$

Nous voyons donc s'établir à l'état stable un taux constant entre les composants, bien que cet état stable ne soit pas fondé sur un équilibre de réactions réversibles comme dans un système fermé, mais contienne des réactions en partie irréversibles. En outre le taux des composants à l'état stable ne dépend que des constantes de réaction et pas de la quantité d'intrant; le système présente alors une « auto-régulation » comparable à celle des systèmes organiques où la composition ne se modifie pas avec l'apport, la taille absolue, etc.

En outre nous trouvons :

$$x_1^* = \frac{K_1 X}{K_1 + k_3}.$$

Au cas où une modification extérieure (« stimulus ») amène un catabolisme accru, par exemple, accroissement de la constante de réaction k_3 alors que les autres constantes restent inchangées, x_1 décroît. Cependant, du fait que le flux d'entrée est proportionnel à la différence entre les concentrations $X - x_1$, un accroissement de celle-ci en induira un du flux d'entrée. Après la fin du « stimulus », si la constante de catabolisme reprend sa valeur normale, le système reviendra à son état antérieur. Cependant, si la modification et par là la variation du taux de catabolisme persistent, un nouvel état stable s'établira. Ainsi, le système met en action des forces dirigées contre la perturbation afin de compenser l'accroissement du catabolisme par un accroissement du flux d'entrée. Il y a « adaptation » à une situation nouvelle. Ce sont les caractéristiques « auto-régulatrices » du système.

On peut donc voir que les propriétés que nous avons considérées comme caractéristiques des systèmes organiques sont les conséquences de la nature même des systèmes ouverts. « Equilibre dynamique », composition indépendante de la quantité absolue des composants, stabilité de la composition quand varient les conditions et la nutrition, retour à l'équilibre dynamique après un catabolisme normal ou même accru par un stimulus, ordre dynamique des processus, etc. « L'auto-régulation du métabolisme » peut se comprendre en s'appuyant sur des principes physiques.

Equifinalité

Les termes de « dessein », « finalité », « but à atteindre », etc., décrivent une caractéristique importante des systèmes biologiques. Des considérations physiques peuvent-elles contribuer à clarifier ces termes ?

On a souvent affirmé que tout système qui atteint un équilibre présente, en un certain sens, un comportement « finaliste » comme cela a déjà été discuté (*cf.* p. 73 et suiv.).

La considération suivante est plus importante. Des efforts fréquents ont été réalisés pour comprendre les régulations organiques comme l'établissement d'un « équilibre » (de nature très compliquée, bien sûr) (par ex. Köhler, 1927), pour appliquer des principes comme celui de Le Chatelier. Nous ne sommes pas en position de définir un tel « état d'équilibre » pour les processus organiques complexes, mais on peut facilement voir qu'une telle conception est en principe inadéquate. En effet, mis à part certains processus individuels, les systèmes vivants ne sont pas des systèmes fermés en équilibre vrai mais des systèmes ouverts en état stable.

Néanmoins les états stables des systèmes ouverts possèdent des caractéristiques remarquables.

Un aspect caractéristique de l'ordre dynamique dans les processus organiques peut être appelé *équifinalité*. Les processus qui ont lieu dans des structures mécanisées suivent un chemin fixé. Ainsi, si les conditions initiales ou si le cours du processus sont altérés, l'état final sera modifié. Au contraire, dans le cas des processus organiques, on peut atteindre le même état final, le même « but », à partir de conditions initiales différentes ou par des chemins différents. Des exemples sont fournis par le développement d'un organisme normal à partir d'un œuf entier, divisé, ou de deux œufs réunis, ou à partir de n'importe quel morceau chez les hydrozoaires ou les planaires ou encore, l'obtention d'une taille finale précise, à partir de tailles initiales différentes et après une croissance différente, etc.

Nous pouvons poser la définition :

Un système formé d'éléments Q_i (x, y, z, t) est équifinal pour tout sous-système d'éléments Q_j, si les conditions initiales Q_{io} (x, y, z) peuvent être modifiées sans changer la valeur de Q_j (x, y, z, ∞).

On peut établir deux théories intéressantes :

1° S'il existe une solution de la forme (5.9) les conditions initiales n'interviennent pas dans l'état stable. Ceci signifie : *si les systèmes ouverts* (du type considéré) atteignent un état stable, celui-ci a *une valeur équifinale ou encore, indépendante des conditions initiales*. Il est difficile de le démontrer en général, car il n'existe pas de critère général d'existence des états stables; on peut néanmoins fournir des démonstrations de cas particuliers.

2° Dans un système fermé, il y a une fonction des éléments, par exemple la masse totale ou l'énergie, qui est par définition constante. Considérons une telle intégrale du système, $M(Q_i)$. Si les conditions initiales de Q_i sont données, Q_{io}, nous devons avoir :

$$M(Q_i) = M(Q_{io}) = M \qquad (5.11)$$

indépendamment de t. Si les Q_i tendent vers une valeur asymptotique Q_{i1},

$$M(Q_{i1}) = M \qquad (5.12)$$

M ne peut cependant être entièrement indépendant de Q_{io}; si on change Q_{io}, alors M et par conséquent $M(Q_{i1})$ sont modifiés. Si cette intégrale change de valeur, alors au moins certains Q_{i1} doivent changer. Cependant, ceci est contraire à la définition de l'équifinalité. Nous devons donc affirmer : *un système fermé ne peut être équifinal par rapport à tous les Q_i.*

Par exemple, dans le cas le plus simple d'un système chimique ouvert qui suit l'équation (5.2), la concentration au temps t est donnée par (5.3); pour $t = \infty$, $Q = E/k$, c'est-à-dire qu'elle ne dépend pas de la concentration initiale Q_o et ne dépend que des constantes du système, E et k. Un dérivé de l'équifinalité, c'est-à-dire l'obtention d'un état stable indépendant du temps et des conditions initiales, dans les systèmes de diffusion, se trouve chez Rashevsky (1938, chapitre 1).

Les considérations générales ne fournissent bien sûr aucune explication des phénomènes spécifiques, si nous ne connaissons pas les conditions particulières. Mais cette formulation générale n'est pas sans intérêt. Nous voyons tout d'abord qu'il est possible de donner une formulation physique à un concept de finalité apparemment métaphysique ou vitaliste; comme il est bien connu, le phénomène d'équifinalité est le fondement des soi-disant « preuves » du vitalisme de Driesch. En second lieu, nous voyons la relation étroite qui existe entre une caractéristique fondamentale de l'organisme, à savoir le fait qu'il n'est pas un système fermé en équilibre thermodynamique mais un système ouvert en état (quasi) stationnaire, et une autre, l'équifinalité ([1]).

Un problème qui n'est pas considéré ici, est celui de la dépendance d'un système, non pas seulement des conditions actuelles, mais aussi des conditions passées et du cours passé des événements. Ce sont les phénomènes « avec retard », « héréditaires » (au sens mathématique : E. Picard) ou « historiques » (Volterra) (*cf.* D'Ancona, 1939, chap. XXII). C'est à cette catégorie qu'appartiennent les phénomènes d'hystérésis en élasticité, en électricité, en magnétisme, etc. Le passé étant pris en considération, nos équations deviendront des équations intégro-différentielles, comme celles discutées par Volterra (*cf.* D'Ancona) et Donnan (1937).

Applications biologiques

Il devrait être devenu évident maintenant, que beaucoup de caractéristiques des systèmes organiques, souvent considérées comme vitalistes ou mystiques, dérivent du concept de système et des caractéristiques de certains systèmes d'équations assez généraux en connection avec des considérations thermodynamiques et statistico-mécaniques.

Si l'organisme est un système ouvert, les principes généraux qui s'appliquent aux systèmes de ce type *doivent* s'y appliquer (survivance dans le changement, ordre dynamique des processus, équifinalité, etc.), sans tenir compte de la nature des relations et des processus entre les composants, évidemment très compliqués.

Naturellement, une telle considération générale n'explique pas les phénomènes particuliers de la vie. Les principes devraient cependant fournir une ossature, un schéma général, à l'intérieur duquel seraient possibles des théories quantitatives des phénomènes spécifiques de la vie. En d'autres termes, les théories des phénomènes biologiques individuels devraient se présenter comme des cas particuliers de nos équations générales. Sans chercher à être complet, quelques exemples peuvent montrer que, et comment, la conception de l'organisme comme système chimique ouvert en état stable, s'est montrée une hypothèse de travail efficace dans divers domaines.

([1]) Les limitations de la régulation organique sont fondées sur le fait que l'organisme (du point de vue ontogénèse et du point de vue phylogénèse) passe de l'état d'un *système* d'élément qui interagissent dynamiquement à un état de « mécanismes » culturels et de chaînes causales individuelles (*cf.* p. 66 et suivantes). Si les composants sont en outre indépendants les uns des autres, le changement de chacun d'eux dépend seulement de ses conditions internes. La variation ou le retrait d'un composant doit amener un état final différent de l'état normal, la régulation est impossible dans un système complètement « mécanisé », désintégré en chaînes causales mutuellement indépendantes (excepté pour les mécanismes contrôlés par rétroaction, *cf.* p. 40 et ailleurs).

Rashevsky (1938) a étudié comme modèle théorique simplifié d'une cellule, le comportement métabolique d'une gouttelette, dans laquelle pénètrent des susbstances extérieures, qui y subissent des réactions chimiques, et dont ressortent les produits de la réaction. Cette étude d'un cas simple de système ouvert (dont les équations sont des cas particuliers de nos équations (5.1)), permet des déductions mathématiques d'un grand nombre de caractéristiques toujours considérées comme des phénomènes essentiels de la vie. Il en résulte un ordre de grandeur pour de tels systèmes qui correspond à celui des cellules actuelles, une croissance et une division périodique, l'impossibilité d'une génération spontanée (*omnis cellula e cellula*), des caractéristiques générales de la division cellulaire, etc.

Osterhout (1932-33) appliqua et élabora quantitativement l'utilisation des systèmes ouverts, sur les phénomènes de perméabilité. Il étudia la pénétration dans des modèles cellulaires formés par une enveloppe non aqueuse séparant un intérieur fluide d'un extérieur aqueux (le premier correspondant au cytoplasme). Il se produit une accumulation de la substance, qui pénètre, à l'intérieur de la cellule, ceci s'expliquant par la constitution saline de cette substance. Il n'en résulte pas un équilibre mais un état stable dans lequel la composition du cytoplasme ne change pas, bien que son volume croisse. Ce modèle est semblable à celui mentionné page 130. Les expressions mathématiques en sont tirées, et la cinétique de ce modèle est similaire à celle des cellules vivantes.

Les systèmes ouverts et les états stables jouent en général un rôle fondamental dans le métabolisme bien que la formulation mathématique n'ait été possible que dans le cas de quelques modèles simples. Par exemple, le déroulement de la digestion n'est possible que grâce à la résorption continue par l'intestin des produits de l'action enzymatique ; elle n'atteint donc jamais un état d'équilibre. Dans d'autres cas, l'accumulation des produits de la réaction peut amener l'arrêt de celle-ci, ce qui explique quelques processus régulatifs (*cf.* von Bertalanffy, 1932, p. 191). C'est le cas de l'utilisation des matériaux stockés : la décomposition en produits solubles de l'amidon emmagasiné dans l'endosperme de beaucoup de graines est réglée par les besoins en carbohydrates de la plante qui pousse ; si on limite expérimentalement le développement, l'utilisation d'amidon dans l'endosperme s'arrête. Pfeffer et Hansteen (cité par Höber, 1926, p. 870) ont à coup sûr montré que l'accumulation de sucre provenant de la digestion de l'amidon et non utilisé par la jeune pousse inhibée, est cause de l'arrêt de la décomposition de l'amidon dans l'endosperme. Si l'endosperme est isolé et relié à une petite colonne de plâtre, la décomposition de l'amidon dans l'endosperme continuera si le sucre peut se diffuser à travers la colonne de plâtre, dans une grande quantité d'eau; si la colonne n'est placée que dans une petite quantité d'eau, la décomposition est inhibée du fait que la concentration du sucre inhibe l'hydrolyse.

Il y a un domaine où les processus peuvent déjà être mis sous forme d'équations; c'est la théorie de la croissance. On peut supposer (von Bertalanffy, 1934) que la croissance est fondée sur l'opposition de processus anaboliques et cataboliques : l'organisme croît quand la construction dépasse la destruction et devient stationnaire quand les deux processus s'équilibrent. On peut en outre supposer que dans beaucoup d'organismes, le catabolisme est proportionnel au volume (au poids) et l'anabolisme à la résorption, c'est-à-dire à la surface. Cette hypothèse est étayée par un certain nombre d'arguments morphologiques et physiologiques et peut être partiellement vérifiée en mesurant la surface intestinale, chez quelques cas simples comme les planaires (von Bertalanffy, 1940 *b*). Si κ est la constante de catabolisme par unité de masse, le catabolisme total sera κw ($w = $ poids); de même avec η comme constante par unité de surface, l'anabolisme sera ηs, et l'accroissement de poids, défini par la différence de ces deux grandeurs :

$$\frac{dw}{dt} = \eta s - \kappa w. \tag{5.13}$$

De cette équation fondamentale on peut tirer des expressions qui représentent quantitativement les courbes de croissance empirique et qui expliquent un nombre considérable de phénomènes de croissance. Dans des cas simples ces lois de croissance se réalisent avec l'exactitude des expériences physiques. En outre, le taux de catabolisme peut être calculé à partir des courbes de croissance, et en comparant les valeurs calculées avec celles déterminées directement par l'expérience physiologique, on trouve une excellente concordance. Ceci tend à montrer : premièrement, que les paramètres des équations ne sont pas des entités construites mathématiquement, mais qu'ils sont des réalités physiologiques; deuxièmement, que les processus fondamentaux de croissance sont bien rendus par la théorie (*cf.* chapitre 7).

Cet exemple illustre bien le principe d'équifinalité vu ci-dessus. De (5.13), on tire comme accroissement du poids :

$$w = \left[\frac{E}{k} - \left(\frac{E}{k} - \sqrt[3]{w_0} \right) e^{-kt} \right]^3, \tag{5.14}$$

où E et k sont des constantes liées à η et κ et où w_0 est le poids initial. Le poids final stationnaire est donné par $w^* = (E/k)^3$; il est donc indépendant du poids initial. On peut aussi le montrer expérimentalement puisque le même poids final défini par les constantes spécifiques de l'expèce E et k, peut être atteint par une courbe de croissance totalement différente de la courbe normale (*cf.* von Bertalanffy, 1934).

Evidemment, cette théorie de la croissance suit les conceptions de la cinétique des systèmes ouverts; l'équation (5.13) est un cas particulier de l'équation générale (5.1). La caractéristique fondamentale de l'organisme, qui le fait être un système ouvert, est le principe de la croissance organique.

Un autre domaine où ce concept a porté des fruits, est celui du phénomène d'excitation. Hering le premier considéra les phénomènes d'irritabilité, comme des perturbations réversibles du flux stationnaire des processus organiques. En état de repos, l'assimilation et la dissimulation s'équilibrent; un stimulus accroît la dissimilation; mais, quand la quantité de substances décomposables baisse, le processus opposé d'assimilation s'accélère, jusqu'à ce qu'on atteigne un nouvel état stable entre l'assimilation et la dissimilation. Cette théorie s'est montrée très fructueuse. La théorie de Pütter (1918-1920), ultérieurement développée par Hecht (1931), considère la formation de substances excitatrices à partir de substances sensitives (par exemple, le pourpre rétinien sur les verges de l'œil vertébré) et leur disparition, comme le fondement de l'excitation.

A partir de l'opposition de ces processus, production et destruction de substances excitatrices, on peut déduire les relations quantitatives de l'excitation sensorielle sur la base de la cinétique chimique et de la loi d'action de masse : les phénomènes de seuil d'excitation, l'adaptation à la lumière et à l'obscurité, la discrimination de l'intensité, la loi de Weber et ses limites, etc. Une hypothèse semblable de substances excitatrices et inhinitrices et d'un mécanisme de dissimilation sous l'influence de stimulus forme la base de la théorie de Rashevsky (1938): excitation nerveuse par stimulus électriques; elle est identique du point de vue formel avec la théorie de l'excitation de Hill (1936). La théorie des substances excitatrices ne se limite pas aux organes des sens et au système nerveux périphérique mais s'applique aussi à la transmission de l'excitation d'un neurone à l'autre par les synapses. Sans entrer dans la question, toujours irrésolue, d'une théorie de la transmission clinique ou électrique dans le système nerveux central, la première explique beaucoup des particularités fondamentales du système nerveux central en comparaison du système périphérique, comme la non-réciprocité de la conduction, le retard de la transmission dans le système nerveux central, l'inhibition et la sommation; ici aussi, des formulations quantitatives sont possibles. Lapicque par exemple, a développé une théorie mathématique de la sommation dans le système nerveux central; selon Umrath, on peut l'interpréter comme la production et la disparition de substances excitatrices.

Il nous faut alors dire, tout d'abord que les larges domaines du métabolisme, la croissance, l'excitation, etc., commencent à se fondre en une discipline théorique intégrée, sous la conduite du concept de système ouvert; en second lieu, qu'un grand nombre de problèmes et de formulations quantitatives possibles résultent de ce concept.

En lien direct avec les phénomènes d'excitation on peut signaler que ces conceptions sont intéressantes pour les problèmes pharmacologiques. Lœwe (1928) a appliqué le concept d'organisme comme système ouvert à l'analyse quantitative des effets pharmacologiques et en a tiré les relations quantitatives pour le mécanisme actif de certaines drogues (« put-in », « drop-in », « black-out » systèmes).

Finalement, des problèmes similaires à ceux que nous venons de voir pour l'organisme individuel se posent pour des entités supra-individuelles qui, par la mort et la naissance continuelles, l'émigration et l'immigration d'individus, représentent des systèmes ouverts de plus haut niveau. En fait, les équations étudiées par Volterra pour la dynamique des populations, la biocénose, etc. (*cf.* D'Ancona, 1939) appartiennent bien au type général discuté ci-dessus.

En conclusion, on peut dire que l'étude des phénomènes organiques sous l'angle considéré ci-dessus, dont nous n'avons développé que quelques principes, a déjà fait ses preuves en ce qui concerne l'explication des phénomènes spécifiques de la vie.

CHAPITRE 6

LE MODÈLE DU SYSTÈME OUVERT

La machine vivante et ses limites

Commençons par nous poser une de ces questions triviales auxquelles il est souvent très difficile de répondre scientifiquement. Quelle différence y a-t-il entre un organisme normal, un organisme malade et un organisme mort ? La physique et la chimie répondent seulement que cette différence ne peut se définir sur la base de la théorie mécaniste. En termes de physique et de chimie, un organisme vivant est l'agrégation d'un grand nombre de processus qui, grâce à beaucoup de travail et de connaissances, peuvent être définis au moyen de formules chimiques, d'équations mathématiques et de lois de la nature. Il est vrai que ces processus diffèrent selon que le chien est vivant, malade ou mort; les lois de la physique ne montrent néanmoins aucune différence; elles ne s'intéressent pas au fait que le chien soit vivant ou mort. Cela reste vrai, même en tenant compte des derniers résultats de la biologie moléculaire. Une molécule DNA, enzyme ou processus hormonal en vaut bien une autre; chacune est déterminée par des lois physiques et chimiques, aucune n'est meilleure, en meilleure santé ou plus normale qu'une autre.

Néanmoins, il existe une différence fondamentale entre un organisme vivant et un mort; habituellement nous distinguons sans difficulté un organisme vivant d'un objet mort. Dans un être vivant, on trouve d'innombrables processus chimiques et physiques « ordonnés » de façon à permettre au système vivant de survivre, de croître, de se développer, de se reproduire, etc. Que signifie cependant cette notion d'ordre ? On la rechercherait en vain dans un livre de physique. Pour la définir et l'expliquer nous avons besoin d'un modèle, d'un schéma conceptuel. Un tel modèle est utilisé depuis les débuts de la science moderne. C'est le modèle de la machine vivante. Selon l'état des connaissances, le modèle trouve différentes interprétations. Quant au XVIIe siècle, Descartes introduisit le concept d'animal en tant que machine, il n'existait que des *machines mécaniques*; l'animal fut donc considéré comme une horlogerie complexe. Borelli, Harvey et bien d'autres « iatro-physiciens » expliquèrent les fonctions des muscles, du cœur, etc., par des principes mécaniques comme celui de levier, de pompe, etc. On peut encore s'en rendre compte à l'Opéra, quand dans les *Contes d'Hoffmann* la ravissante Olympia se révèle être une poupée magnifiquement réalisée, un automate comme on le disait à cette époque. Plus tard, on inventa la machine à vapeur et la thermodynamique; elles amenèrent à considérer l'organisme comme une *machine thermique*, notion qui a conduit aux calculs de calories, etc. Cependant l'organisme n'est pas une machine thermique transformant en chaleur l'énergie d'un carburant, puis en énergie mécanique. Ce serait plutôt une *machine chimicodynamique* qui transforme directement l'énergie du fuel en travail réel; c'est le fondement, par exemple, de la théorie de l'action du muscle. Plus tard apparurent sur le devant de la scène les machines autorégulées comme les thermostats, les missiles à tête chercheuse et les servomécanismes de la technologie moderne. L'organisme devint donc une *machine cybernétique* expliquant beaucoup de phénomènes homéostatiques. Les plus récents développements se font en termes de *machines moléculaires*. Quand on parle du « moulin » du cycle d'oxydation de Kreb ou de la mitochondrie comme « bloc moteur » de la cellule, ceci signifie que ce sont des structures ressemblant à des machines, au niveau moléculaire, qui déterminent l'ordre des réactions enzymaires; de même c'est une micromachine qui transforme le code génétique du D.N.A. des chromosomes en protéines spécifiques et éventuellement en un organisme complexe.

En dépit de son succès, le modèle mécanique de l'organisme éprouve des difficultés et a des limites.

Tout d'abord, il y a le problème de *l'origine de la machine*. Pour le vieux Descartes, il n'y avait aucun problème puisque sa machine animale était la création d'un horloger divin. Mais comment surgissent les machines dans un univers d'événements physico-chimiques non contrôlés ? Les horloges, les machines à vapeur et les transistors ne grandissent pas seuls dans la nature. D'où provient la machine vivante qui est infiniment plus compliquée ? Bien sûr, nous avons l'explication darwiniste, mais il subsiste un doute particulièrement du point de vue physique; il reste des questions sur lesquelles les livres sur l'évolution ne se penchent guère.

En second lieu, il y a le problème de la *régulation*. Il est certain qu'on peut concevoir en termes de théorie moderne des automates, des machines qui s'auto-entretiennent. Le problème se retrouve avec la régulation et la réparation après des perturbations arbitraires. Est-ce qu'une machine, disons un embryon ou un cerveau, peut être programmée pour se régler, non pas après une certaine perturbation ou un ensemble fini de perturbations, mais après des perturbations en nombre infini ? Les machines de Turing peuvent en principe réduire un processus, aussi compliqué soit-il, à des étapes qui, si elles sont en nombre fini, peuvent être représentées par un automate. Cependant le nombre d'étapes peut être ni fini, ni infini, mais « immense », c'est-à-dire transcendant le nombre de particules ou d'événements possibles dans l'univers. Peut-on alors considérer l'organisme comme une machine ou comme un automate ? Il est bien connu que les vitalistes ont utilisé de telles régulations organiques pour prouver que la machine organique est contrôlée et remise en état par des agents super-physiques, appelés entéléchies.

Une troisième question est encore plus importante. L'organisme vivant est maintenu en *échange continu de composants*; le métabolisme est une caractéristique fondamentale des systèmes vivants. S'il en était ainsi, nous aurions une machine composée de fuel, se consommant continuellement et en même temps se régénérant. De telles machines n'existent pas dans la technologie actuelle. En d'autres termes, une structure mécanique de l'organisme ne peut être la raison ultime de l'ordre des processus vitaux, parce que la machine elle-même se trouve placée à l'intérieur d'un flux ordonné de processus. L'ordre premier doit donc se trouver dans le processus lui-même.

Quelques caractéristiques des systèmes ouverts

On peut résumer ce qui précède en disant que les systèmes vivants sont fondamentalement des systèmes ouverts (Burton, 1939; von Bertalanffy, 1940 *a*; chapitre 5). Un système ouvert est défini par son échange continuel de matière avec son environnement; on constate une entrée et une sortie, une construction et une destruction de ses composants matériels. Jusqu'à une époque relativement récente, la chimie-physique se restreignait en cinétique et en thermodynamique aux systèmes fermés; la théorie des systèmes ouverts est pratiquement neuve et beaucoup de problèmes restent à résoudre. Le développement de la théorie cinétique des systèmes ouverts provient de deux sources : en premier lieu, des biophysiciens de l'organisme vivant; en second lieu, des développements de la chimie industrielle qui par l'intermédiaire des réactions en container fermé ou des processus en fournée, utilise de façon croissante des systèmes à réaction continue; ceux-ci sont plus efficaces et ont d'autres avantages. La thermodynamique des systèmes ouverts est ce qu'on appelle la thermodynamique irréversible (Meixner et Reik, 1959); elle est devenue une généralisation importante de la théorie physique par les travaux de Meixner, Onsager, Prigogine, etc...

Les systèmes ouverts simples possèdent eux-mêmes des caractéristiques remarquables (chapitre 5). Sous certaines conditions, les systèmes ouverts tendent vers un état indépendant du temps appelé état stable (*Fliessgleichgewicht* selon von Bertalanffy, 1942). L'état stable est maintenu à une certaine distance de l'équilibre vrai; il peut ainsi fournir du travail; c'est ce qui se passe dans les systèmes vivants, contrairement aux systèmes en équilibre. La composition du système reste constante en dépit de l'existence de processus irréversibles continus, importation et exportation, construction et destruction. L'état stable présente des caractéristiques régulatrices remarquables qui sont particulièrement évidentes dans son équifinalité; si un état stable peut être atteint dans un système ouvert, il ne dépend pas des conditions initiales et n'est déterminé que par les paramètres du système, c'est-à-dire les taux de réaction, de transport, etc. C'est ce qu'on appelle l'équifinalité; on la trouve dans beaucoup de processus organiques, comme par exemple la croissance (fig. 6.1). Au contraire des systèmes physico-chimiques fermés, le même état final peut donc être atteint à partir de conditions initiales différentes et après une perturbation du processus.

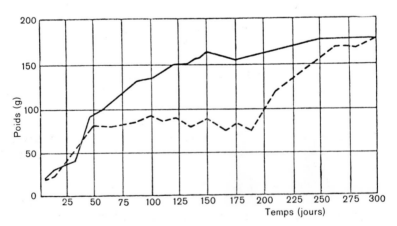

Fig. 6.1 — Equifinalité de la croissance. Courbe pleine : croissance normale des rats. Courbe pointillée : au 50e jour, la croissance a été stoppée par un manque de vitamines. Après rétablissement du régime normal, les animaux ont atteint le poids final normal. (D'après Höber tiré de von Bertalanffy, 1960 *b*).

De plus, on sait que l'équilibre chimique ne dépend pas des catalyseurs qui peuvent accélérer le processus; au contraire, l'état stable dépend des catalyseurs et de leur constante de réaction. Dans les systèmes ouverts des phénomènes de *dépassement* ou de *faux départ* [1] peuvent se produire (fig. 6.2),

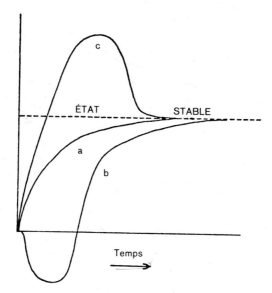

Fig. 6.2 — Approche asymptotique de l'état stable : (*a*); faux départ : (*b*); overshoot : (*c*), dans les systèmes ouverts. Schématiquement.

le système commençant par prendre une direction opposée à celle qui conduit à l'état stable. Réciproquement, des phénomènes de dépassement ou de faux départ, qu'on trouve fréquemment en physiologie, peuvent indiquer qu'on est devant un processus de système ouvert.

Du point de vue thermodynamique les systèmes ouverts peuvent se maintenir dans un état d'ordre et d'organisation hautement improbable sur le plan statistique.

Selon le second principe de la thermodynamique, les processus physiques tendent en général vers une entropie plus grande, à savoir des états de plus grande probabilité et d'ordre moins poussé. Les systèmes vivants se maintiennent dans un état très ordonné et fortement improbable, ou peuvent

[1] En anglais « Overshoot » et « False Start ».

même évoluer vers une différenciation et une organisation plus grande comme c'est le cas pour le développement organique et l'évolution. Ceci s'explique par la fonction d'entropie étendue de Prigogine. Dans un système fermé, l'entropie croît toujours selon l'équation de Clausius :

$$dS \geqslant 0 \qquad (6.1)$$

Dans un système ouvert au contraire, la variation totale d'entropie s'écrit selon Prigogine :

$$dS = d_e S + d_i S, \qquad (6.2)$$

où $d_e S$ est la variation d'entropie par apport et $d_i S$ la variation d'entropie due à des processus irréversibles à l'intérieur du système tels que les réactions chimiques, la diffusion, les transports de chaleur, etc. Suivant le second principe, le terme $d_i S$ est toujours positif; $d_e S$, entropie externe ([1]) peut être positive ou négative; négative par exemple dans le cas d'une importation de matière en tant que porteur potentiel d'énergie libre ou « entropie négative ». C'est le fondement de la tendance non entropique des systèmes organiques et de l'affirmation de Schrödinger selon laquelle : « l'organisme se nourrit d'entropie négative ».

Des modèles de systèmes ouverts plus complexes approximant les problèmes biologiques ont été développés et analysés par Burton, Rashevsky, Hearon, Reiner, Denbigh et autres. Ces dernières années on a beaucoup appliqué les techniques des calculateurs pour résoudre de grands ensembles d'équations simultanées (souvent non linéaires) (par exemple : Franks, 1967; B. Hess et autres) et pour la *simulation* de processus ouverts complexes en physiologie (par exemple Zerbst et ses co-auteurs, 1963). La théorie des compartiments (Rescigno et Segre, 1967; Locker, 1966 b) fournit des méthodes recherchées pour le cas où les réactions n'ont pas lieu dans un espace homogène mais dans des sous-systèmes en partie perméables aux réactifs; c'est le cas des systèmes industriels et évidemment de beaucoup de processus dans la cellule.

Comme on peut le constater les systèmes ouverts présentent par rapport aux systèmes fermés classiques, des caractéristiques qui semblent en contradiction avec les lois physiques classiques et qui ont souvent été considérées comme des caractéristiques vitalistes de la vie; il s'agit en effet d'une violation des lois physiques qui ne peut s'expliquer que par l'introduction de facteurs comme l'âme ou les entéléchies à l'intérieur de l'événement

([1]) « Entropy transport » en anglais.

organique. Ceci est vrai de l'équifinalité des régulations organiques, si par exemple, le même « but », un organisme normal, est obtenu à partir d'un *ovaire* normal, divisé, fusion de deux autres, etc. En fait, selon Driesch, il s'agissait de la plus importante « preuve du vitalisme ». De même, la contradiction apparente entre la tendance à une entropie et à un désordre croissant dans la nature physique et la tendance non entropique du développement et de l'évolution servait toujours d'argument vitaliste. Les contradictions apparentes disparaissent avec l'extension et la généralisation de la théorie physique aux systèmes ouverts.

Les systèmes ouverts en biologie

Le modèle des systèmes ouverts s'applique dans beaucoup de problèmes des divers domaines de la biologie (Beier, 1962, 1965; Locker et autres, 1964, 1966 *a*). Un survol de la biophysique des systèmes ouverts comprenant fondements théoriques et applications a été fait il y a quelques années (von Bertalanffy, 1953 *a*); une édition revue (avec W. Bier, R. Laue et A. Locker) est en cours de préparation. Ce qui suit se limite à quelques exemples représentatifs.

Il y a tout d'abord le large domaine du *Stirb und Werde* de Gœthe, la dégénérescence et la régénération continuelle, la structure dynamique des systèmes vivants à tous les niveaux d'organisation (tableaux 6.1 à 6.3). En général on peut dire que cette régénération a lieu à un taux de renouvellement plus élevé que celui qu'on envisageait. Par exemple, les calculs réalisés sur la base des systèmes ouverts ont révélé de façon surprenante que les protéines du corps humain ont un taux de renouvellement qui ne dépasse pas de beaucoup cent jours. La même chose se vérifie pour les cellules et les tissus. Dans l'organisme adulte, beaucoup de tissus sont dans un état stable; les cellules disparaissent continuellement par désquamation et sont remplacées par la mitose (F.D. Bertalanffy et Lau, 1962). Des techniques comme l'application de colchicine qui arrête la mitose et permet le dénombrement de la division cellulaire pendant une certaine période ou comme l'étiquetage à la thymidine tritiumée, ont révélé un taux de régénération quelquefois surprenant. Avant que de telles recherches n'aient été menées, on n'aurait jamais supposé que les cellules des voies digestives ou du système respiratoire n'avaient une durée de vie que de quelques jours.

Après l'exploration des réactions métaboliques individuelles en biochimie, ce qui est devenu important, c'est la compréhension des systèmes

TABLEAU 6.1

Taux de renouvellement des intermédiaires du métabolisme cellulaire.
(D'après B. Hess, 1963).

Structure	Espèce	Organe	Temps de renouvellement
Mitochondrie	souris	foie	$1,3 \times 10^6$
Hémoglobine	homme	érythrocytes	$1,5 \times 10^7$
Aldolase	lapin	muscle	$1,7 \times 10^6$
Pseudocholinestérase	homme	sérum	$1,2 \times 10^6$
Cholestérine	homme	sérum	$9,5 \times 10^5$
Fibrinogène	homme	sérum	$4,8 \times 10^4$
Glucose	rat	organisme total	$4,4 \times 10^3$
Méthionine	homme	organisme total	$2,2 \times 10^3$
ATP glycolyse	homme	érythrocytes	$1,6 \times 10^3$
ATP glycolyse + respiration	homme	thrombocytes	$4,8 \times 10^2$
ATP glycolyse + respiration	souris	tumeur ascites	$4,0 \times 10^1$
Cycle intermédiaire citrique	rat	rein	$1 - 10$
Intermédiaires glycolytiques	souris	tumeur ascites	$0,1 - 8,5$
Flavoprotéine$_{réd.}$/flavoprotéine$_{oxyd.}$	souris	tumeur ascites	$4,6 \times 10^{-2}$
Fe^{2+}/Fe^{3+} — cytochrome a	sauterelle	muscle de l'aile	10^{-2}
Fe^{2+}/Fe^{3+} — cytochrome a3	souris	tumeur ascites	$1,9 \times 10^{-3}$

TABLEAU 6.2

Renouvellement des protéines déterminé par introduction de glycine marquée au ^{15}N.
(D'après Sprinson & Rittenberg 1949 b).

		Taux de renouvellement
RAT	protéines totales	0,04
	protéines du foie, du plasma et des organes internes	0,12
	reste du corps	0,033
HOMME	protéines totales	0,0087
	protéines du foie et du sérum	0,0693
	protéines des muscles et des autres organes	0,0044

TABLEAU 6.3

Taux de mitose dans les tissus des rats. (D'après F.D. Bertalanffy, 1960).

	Taux quotidien de mitose (pour cent)	Temps de renouvellement (jours)
Organes sans mitose cellules nerveuses, neuroépithélium, neurilemme, rétine, moelle adrénale	0	
Organes avec mitose occasionnelle mais pas de renouvellement des cellules parenchyme du foie, cortex rénal et moelle, la plupart des tissus glandulaires, urètre, épididyme, vas deferens, muscle, endothélium vasculaire, cartilage, os	moins de 1	—
Organes avec renouvellement cellulaire voies digestives supérieures	7 — 24	4,3 — 14,7
gros intestin et anus	10 — 23	4,3 — 10
estomac et pylore	11 — 54	1,9 — 9,1
intestin grêle	64 — 79	1,3 — 1,6
trachée et bronches	2 — 4	26,7 — 47,6
uretère et vessie	1,6 — 3	33 — 62,5
épiderme	3 — 5	19,1 — 34,5
glandes sébacées	13	8
cornée......................................	14	6,9
nœud lymphatique	14	6,9
cellules alvéolaires des poumons	15	6,4
epithélium seminifère........................	—	16

métaboliques intégrés en tant qu'unités fonctionnelles (Chance et autres, 1965). La voie est tracée par la chimie-physique des réactions enzymaires comme on l'applique dans les systèmes ouverts. Le réseau et les effets réciproques complexes de nombre de réactions ont été clarifiés dans des fonctions telles que la photosynthèse (Bradley et Calvin, 1956), la respiration (B. Hess et Chance, 1959; B. Hess, 1963) et la glycolyse; cette dernière ayant été étudiée sur un modèle pour calculateur de quelque cent équations différentielles non linéaires (B. Hess, 1969). D'un point de vue plus général, on commence à comprendre qu'à côté de l'organisation morphologique telle qu'elle peut être vue au microscope électronique, au microscope classique ou à l'œil nu, il en existe une autre invisible qui résulte des effets réciproques des processus, qui est déterminée par des taux de réaction et de transport et qui se défend contre les perturbations causées par l'environnement.

L'hydrodynamique (Burton, 1939; Garavaglia et autres, 1958; Rescigno, 1960) et en particulier le calcul analogique permettent une nouvelle approche, parallèle aux expériences physiologiques; ils apportent en particulier des solutions à des problèmes multivariables qui exigeraient autrement trop de temps et des méthodes mathématiques peu pratiques. Dans cette direction Zerbst et d'autres (1963) ont obtenu des résultats importants sur l'adaptation à la température des battements du cœur, sur l'action potentielle des cellules sensitives (prolongement de la théorie de la rétroaction de Hodgkin-Huxley), etc.

En outre, il faut tenir compte des conditions énergétiques. La concentration, disons des protéines, ne correspond pas à l'équilibre chimique; une dépense d'énergie est nécessaire pour maintenir l'état stable. Des considérations thermodynamiques permettent d'estimer la dépense d'énergie et de la comparer avec la balance énérgétique de l'organisme (Schultz, 1950; von Bertalanffy, 1953 *a*).

Un autre domaine de recherche est le transport actif dans les processus cellulaires d'apport et de rejet, la fonction rénale, etc. Ceci est lié aux potentiels bio-électriques. Pour cela il faut appliquer la thermodynamique irréversible.

Le prototype du système ouvert dans l'organisme humain est le sang; il possède divers niveaux de concentration maintenus constants. Les concentrations et la destruction à la fois des métabolites et des substances d'examen administrés suivent la cinétique des systèmes ouverts. Des tests cliniques valables ont été réalisés sur cette base (Dost, 1953-1962). Dans un contexte plus large, l'action pharmacodynamique représente en général des processus qui ont lieu quand on introduit une drogue dans le système ouvert qu'est l'organisme vivant. Le modèle des systèmes ouverts peut servir de fondement aux lois des effets pharmacodynamiques et aux relations dose-effet (Lœve, 1928; Druckery et Kuepfmüller, 1949; G. Werner, 1947).

En outre l'organisme répond à des stimulus externes. On peut concevoir cela comme une perturbation et le rétablissement de l'état stable qui s'ensuit. En conséquence les lois quantitatives de la physiologie sensorielle, telles que la loi de Weber-Fechner, appartiennent à la cinétique des systèmes ouverts. Hecht (1931), bien avant l'introduction formelle des systèmes ouverts, exprima la théorie des photorécepteurs et les lois qui existaient sur ce sujet, en termes de réactions cinétiques « ouvertes » de matière sensible.

Le plus grand de tous les problèmes biologiques, éloigné de la théorie exacte, est celui de la morphogenèse ; ce mystérieux processus par lequel une gouttelette de protoplasme quasi indifférencié, l'œuf fertilisé, devient l'organisme multicellulaire, merveilleuse architecture. Au moins peut-on développer une théorie de la croissance en tant qu'accroissement quantitatif (*cf.* p. 176 et suivantes). Ceci est devenu une méthode routinière dans les pêcheries internationales (par exemple Beverton et Holt, 1957). Cette théorie intègre la physiologie du métabolisme et celle de la croissance en démontrant que divers types de croissance, tels ceux que l'on rencontre dans certains groupes d'animaux dépendent de constantes métaboliques. C'est ce qui rend intelligible l'équifinalité de la croissance par laquelle une taille finale particulière à l'espèce est atteinte, même quand les conditions initiales diffèrent ou quand le processus de croissance a été interrompu. Une partie au moins de la morphogenèse est réalisée par ce qu'on appelle la croissance relative (J. Huxley, 1932), c'est-à-dire par des taux de croissance différents des divers organes. C'est une conséquence de la compétition entre les composants de l'organisme pour les ressources disponibles, comme le montre la théorie des systèmes ouverts (chapitre 7).

Il n'y a pas que les cellules, l'organisme, etc., qui puissent être considérés comme des systèmes ouverts mais aussi des intégrations plus poussées comme les biocénoses, etc. (*cf.* Beier, 1962, 1965). Le modèle du système ouvert s'impose à l'évidence (et a une importance pratique) dans les cultures cellulaires pratiquées dans certains processus technologiques (Malek, 1958, 1964; Brunner, 1967).

Ces quelques exemples doivent suffire à montrer l'étendue du domaine d'application du modèle des systèmes ouverts. Il y a quelques années on a montré que les caractéristiques fondamentales de la vie, le métabolisme, la croissance, le développement, l'autorégulation, la réponse aux stimulus, l'activité spontanée, etc., devaient être considérées en dernier ressort comme des conséquences de ce que l'organisme est un système ouvert. La théorie de tels systèmes devrait donc être un principe unificateur capable de combiner des phénomènes divers et hétérogènes sous le même concept général et d'en déduire des lois quantitatives. Je crois que dans l'ensemble cette prédiction s'est montrée correcte et qu'elle a été vérifiée par de nombreuses recherches.

Au-delà de ces faits nous devons lancer les bases d'une généralisation encore plus large. La théorie des systèmes ouverts n'est qu'une partie d'une *théorie générale des systèmes.* Cette science s'attache aux principes qui s'appliquent aux systèmes en général, sans tenir compte de la nature de leurs composants et des forces qui les gouvernent. Avec la théorie générale des systèmes, nous atteignons un niveau où nous ne parlons plus d'entités physiques ou chimiques mais où nous discutons d'ensembles d'une nature beaucoup plus générale. Déjà certains principes des systèmes ouverts restent valables et peuvent s'appliquer avec succès à de nouveaux domaines, depuis l'écologie, c'est-à-dire la compétition et l'équilibre entre les espèces, jusqu'à l'économie humaine et les autres branches sociologiques.

Les systèmes ouverts et la cybernétique

Ici se pose le problème important des relations entre la théorie générale des systèmes et la cybernétique; entre les systèmes ouverts et les mécanismes régulateurs (*cf.* p. 164 et suiv.). Dans ce contexte quelques remarques suffiront.

Le fondement du modèle des systèmes ouverts est l'interaction dynamique des composants. Le fondement de la cybernétique est le cycle de la rétroaction (fig. 1.1) dans lequel grâce à une rétroaction de l'information on maintient la valeur voulue (Sollwert), on atteint un but, etc. La théorie des systèmes ouverts est une généralisation de la cinétique et de la thermodynamique. La théorie cybernétique est fondée sur la rétroaction et l'information. Dans leurs domaines respectifs, ces deux modèles ont été appliqués avec succès. Il est cependant nécessaire de connaître leurs différences et leurs limites.

Le modèle des systèmes ouverts dans sa formulation cinétique et thermodynamique ne parle absolument pas d'information. D'autre part le modèle de rétroaction est un système fermé du point de vue cinétique et thermodynamique; il ne possède pas de métabolisme.

Dans un système ouvert l'accroissement d'ordre et la baisse d'entropie sont possibles thermodynamiquement. La grandeur « information » est définie grâce à une expression formellement identique à l'entropie négative. Cependant, à l'intérieur d'un mécanisme de rétroaction fermé, l'information ne peut que décroître, c'est-à-dire que l'information peut être transformée en « signal » mais pas le contraire.

Un système ouvert doit tendre « de façon active » vers un état mieux organisé, c'est-à-dire qu'il doit passer d'un état peu ordonné à un état plus ordonné par suite des conditions du système. Un mécanisme de rétroaction peut atteindre « de façon réactive » un état d'organisation plus poussée par suite de sa « connaissance », c'est-à-dire de l'information qui lui a été fournie.

En résumé, le modèle de rétroaction s'applique avant tout à des régulations fondées sur des dispositions structurelles au sens large de ce mot. Cependant, comme les structures de l'organisme sont maintenues en métabolisme et en échange de composants, les régulations « primaires » doivent provenir de la dynamique d'un système ouvert. L'organisme devient de plus en plus « mécanisé » au cours du développement; c'est pourquoi les dernières régulations correspondent particulièrement à des mécanismes de rétroaction (homéostase, comportement dirigé, etc.).

Le modèle des systèmes ouverts représente donc une hypothèse de travail fertile qui permet de nouveaux regards, des études quantitatives et une vérification expérimentale. Je voudrais cependant mentionner quelques problèmes non résolus.

Problèmes non résolus

Tout d'abord, nous ne possédons pas de critère thermodynamique permettant de définir l'état stable des systèmes ouverts de la même façon que l'entropie maximum définit l'équilibre des systèmes fermés. On a cru un temps que le minimum d'entropie produite fournissait un tel critère : c'était le « théorème de Prigogine ». S'il est toujours considéré comme allant de soi par quelques biologistes (par exemple, Stoward, 1962), on montrerait facilement que le théorème de Prigogine, et son auteur le savait bien, ne s'applique que sous des conditions particulièrement restrictives. En particulier il ne définit pas l'état stable des systèmes en réaction chimique (Denbigh, 1952, von Bertalanffy, 1953 a, 1960 b; Foster et autres, 1957). Une généralisation plus récente du théorème de production d'entropie minimum (Glansdorff et Prigogine, 1964; Prigogine, 1965) renfermant des considérations cinétiques a été réalisée, mais on n'a pas encore évalué ses conséquences.

Un autre problème fondamental non résolu, a pour origine un paradoxe de la thermodynamique. Eddington appela l'entropie : « la flèche du temps ». En fait, c'est l'irréversibilité des événements physiques exprimée par la fonction entropie qui oriente le temps. Sans l'entropie, c'est-à-dire dans un univers où les processus seraient complètement réversibles, il n'y aurait aucune différence entre le passé et le futur. Néanmoins, les fonctions d'entropie ne contiennent pas explicitement le temps. Ceci est à la fois vrai de la fonction d'entropie classique de Clausius pour les systèmes fermés, et de la fonction généralisée de Prigogine pour les systèmes ouverts et la thermodynamique irréversible. La seulte tentative que je connaisse pour combler cette lacune est une généralisation plus poussée de la thermo-dynamique irréversible par Reik (1953), qui a essayé d'introduire explicite-ment le temps dans les équations de la thermodynamique.

Un troisième problème qu'on peut envisager est celui du lien qui existe entre la thermodynamique irréversible et la théorie de l'information. L'ordre étant le fondement de l'organisation il s'agit donc du problème le plus fondamental de la biologie. En un sens, l'ordre peut être mesuré par une entropie négative au sens conventionnel de Boltzmann. Ceci a été montré par exemple par Schultz (1951) pour les arrangements non aléatoires des amino-acides à l'intérieur d'une chaîne de protéines. Leur organisation, au contraire d'un arrangement aléatoire, peut être mesurée par un terme appelé entropie de chaîne ([1]) (*Kettenentropie*). Il existe cependant une approche différente du problème, par mesure en termes de décision par OUI ou NON, appelés bits, régis par la théorie de l'information. Comme on le sait, l'information est définie par un terme identique sur le plan formel à l'entropie négative, ce qui met en évidence une correspondance entre les deux systèmes théoriques différents que sont la thermodynamique et la théorie de l'information. Il semble que la prochaine étape soit l'élaboration d'un dictionnaire permettant de passer du langage thermodynamique à celui de la théorie de l'information et vice versa. Il est évident que, dans ce but, il faudra employer la thermodynamique irréversible généralisée car il n'y a que dans les systèmes ouverts que la survie et l'élaboration d'un ordre ne contrarient pas le principe fondamental de l'entropie.

Le biophysicien russe Trincher (1965) est arrivé à la conclusion que la fonction d'état, entropie, ne s'applique pas aux systèmes vivants; il oppose le principe physique de l'entropie au « principe biologique de l'adaptation et de l'évolution », qui exprime un accroissement de l'information. Il nous faut ici tenir compte du fait que le principe de l'entropie a une base physique dans l'étude de Boltzmann, en mécanique statistique et dans le passage à des distributions plus probables comme cela est nécessaire dans les processus aléatoires; actuellement on ne peut donner aucune explication physique aux principes phénoménologiques de Trincher.

Nous parlons ici de problèmes fondamentaux qui, je pense, sont « mis sous le couvert » par les croyances biologiques actuelles. La théorie synthé-tique de l'évolution considère actuellement cette dernière comme le résultat de mutations aléatoires, de « fautes de frappe » dans la duplication du code

([1]) « Chain entropy » en anglais.

génétique engendrées par la sélection ; à savoir, la survivance des populations ou des génotypes qui produisent le plus grand nombre de descendants compte tenu des conditions externes. On explique de même l'origine de la vie par l'apparition aléatoire de composés organiques (acides aminés, acides nucléiques, enzymes, ATP, etc.), dans l'océan primitif ; par la sélection ils ont formé des unités pouvant se reproduire, des virus, des proto-organismes, des cellules, etc.

Contrairement à ce qui précède, il faudrait montrer que la sélection, la compétition et la « survivance du plus fort » supposent déjà l'existence de systèmes auto-entretenus ; ces derniers ne peuvent donc être le résultat d'une sélection. Nous ne possédons actuellement aucune loi physique qui énonce que dans une « soupe » de composés organiques il se forme des systèmes ouverts s'auto-maintenant dans un état hautement improbable. Même si on accepte de tels systèmes comme des « données » il n'existe aucune loi physique pour affirmer que leur évolution se fera vers une plus grande organisation, c'est-à-dire vers l'improbable. La sélection des génotypes ayant la plus grande descendance apporte peu à cet égard. On comprend difficilement pourquoi, grâce à une reproduction différenciée l'évolution aurait été au-delà des lapins, des harengs ou même des bactéries, dont le taux de reproduction est inégalé. La production de conditions locales d'ordre (d'improbabilité) n'est physiquement possible que si des « forces organisationnelles » d'un certain type entrent en scène ; c'est le cas de la formation des cristaux où les « forces organisationnelles » sont les valences, les forces de treillis, etc. De telles forces organisationnelles sont cependant explicitement rejetées quand on considère le génome comme une accumulation de « fautes de frappe ».

La recherche future devra probablement tenir compte de la thermodynamique irréversible, de l'accumulation de l'information dans le code génétique et des « lois organisationnelles » dans ce dernier. Actuellement le code génétique représente le *vocabulaire* de la substance héréditaire, c'est-à-dire les codons qui « appellent » les acides aminés des protéines de l'organisme. Il doit évidemment exister aussi une *grammaire* de ce code ; ce dernier ne peut être, comme le disent les psychiatres, une salade de mots, une série aléatoire de mots sans aucun liens (ici les codons et les acides aminés qui leur correspondent dans les molécules de protéine). Sans une telle « grammaire » le code pourrait au mieux produire une pile de protéines, mais jamais un ensemble organisé. Certaines expériences de régulation génétique montrent l'existence d'une telle organisation du substrat héréditaire ; leurs effets devront aussi être confrontés aux lois macroscopiques de l'évolution (von Bertalanffy, 1949 *a*; Rensch, 1961). Je crois dans ces conditions, que la « théorie synthétique de l'évolution » généralement acceptée est, au mieux, une vérité partielle, mais pas une théorie complète. En plus de la recherche biologique qui reste à faire, il faudra tenir compte dans la théorie des systèmes ouverts et dans les problèmes frontaliers, de considérations physiques.

Conclusion

Le fait de considérer l'organisme comme un système ouvert s'est montré utile pour l'explication et la formulation mathématique de nombreux phénomènes de la vie; cela conduit en outre, c'est ce qu'on attend d'ailleurs de toute hypothèse de travail scientifique, à des problèmes plus poussés, relativement fondamentaux. Ceci implique que son importance n'est pas seulement scientifique mais aussi « méta-scientifique ». Le concept mécaniste de la nature qui prédominait ramena les événements à des chaînes causales linéaires; une conception du monde comme le résultat d'événements aléatoires, comme un « jeu de dés » physique et darwiniste (Einstein); la réduction des processus biologiques à des lois issues de la nature inanimée. Au contraire dans la théorie des systèmes ouverts (et dans sa généralisation, la théorie générale des systèmes) apparaissent des principes d'interaction multivariable (par exemple cinétique des réactions, flux et forces en thermodynamique irréversible), une organisation dynamique des processus et une extention possible des lois physiques au royaume biologique. Ces développements prennent ainsi part à la nouvelle formulation de la vision scientifique du monde.

CHAPITRE 7

QUELQUES ASPECTS DE LA THÉORIE DES SYSTÈMES EN BIOLOGIE

> Introduisant ce symposium sur la biologie quantitative du métabolisme, la tâche de l'orateur est, semble-t-il, de dessiner la structure conceptuelle de cette branche, en illustrant ses idées directrices, ses théories, ou mieux les constructions conceptuelles et modèles qu'elle applique.

Selon une opinion largement répandue, il existe une distinction fondamentale entre d'un côté « les faits observés », qui sont le fin fond indiscutable de la science et devraient être collectés et imprimés dans les journaux scientifiques en plus grand nombre possible, la « théorie pure » de l'autre côté, qui est le produit de la spéculation et de ce fait est plus ou moins suspecte. Je voudrais d'abord mettre en évidence qu'une telle antithèse n'existe pas. En fait, quand vous prenez des données considérées comme simples dans notre domaine, disons par exemple la détermination de Q_{O_2}, les taux de métabolisme basal ou les coefficients de température, il faudrait des heures pour démêler la quantité énorme de présuppositions théoriques nécessaires pour définir ces concepts, pour préparer des modèles expérimentaux valables, pour créer les machines capables de faire ce travail ; tout ceci est impliqué dans ce qu'on pense être des données d'observation brutes. Quand vous avez obtenu une telle série de valeurs, la chose la plus « empirique » que vous puissiez faire est d'en dresser une table des valeurs moyennes et de leurs écarts. Ceci suppose que le modèle suive une loi de distribution binominale, ce qui nous amène à toute la théorie des probabilités, c'est-à-dire à un problème difficile et partiellement non résolu de mathématiques, de philosophie et même de métaphysique. Si vous avez de la chance, le graphe représentant vos données pourra être une droite. Mais quand on considère la complexité incroyable des processus, même dans une simple cellule, le fait que le modèle le plus simple possible, à savoir une équation linéaire entre deux variables, s'applique à un grand nombre de cas, confine au miracle.

Ainsi, même si les faits observés ne sont pas altérés, ils sont mêlés à toutes sortes d'images conceptuelles, de concepts, de théories quelle que soit l'expression que vous choisissiez. Le choix n'est pas entre rester dans le domaine des données et faire de la théorie; il se fait simplement entre des modèles plus ou moins abstraits, plus ou moins généralisés, plus ou moins éloignés de l'observation directe, plus ou moins aptes à représenter les phénomènes observés.

D'un autre côté, il ne faudrait pas prendre les modèles scientifiques trop au sérieux. Kroeber (1952), le grand anthropologue américain étudie une fois la mode féminine. Comme vous le savez, les jupes allongent quelquefois jusqu'à empêcher les femmes de marcher, puis elles raccourcissent jusqu'à l'autre extrême. Une analyse quantitative montra à Kroeber une tendance séculaire en même temps que des fluctuations de courte période dans la longueur des jupes féminines. C'est une parfaite « petite loi » de la nature; néanmoins, elle est de peu d'importance dans la réalité ultime de la nature. Je crois qu'un peu de modestie intellectuelle, le manque de dogmatisme et la bonne humeur pourraient jouer un grand rôle en facilitant les débats aigris sur les théories et les modèles scientifiques.

C'est en ce sens que je veux discuter des quatre modèles qui suivent et qui sont assez fondamentaux dans le domaine du métabolisme quantitatif. Les modèles que j'ai choisis sont : celui de l'organisme comme système ouvert, en état stable; celui de l'homéostase; celui de l'allométrie; enfin celui qu'on appelle « modèle de croissance de Bertalanffy ». Ceci ne veut pas dire que ces modèles sont les plus importants de la spécialité; ils sont largement utilisés et illustrent aussi bien que d'autres l'infrastructure conceptuelle.

Systèmes ouverts et états stables

Toute recherche moderne sur le métabolisme et la croissance doit tenir compte de ce que l'organisme vivant ainsi que ses composants sont ce qu'on appelle des systèmes ouverts, c'est-à-dire des systèmes qui se maintiennent

continuellement en échange de matière avec leur environnement (fig. 7.1).
L'essentiel est que les systèmes ouverts se situent au-delà des limites des

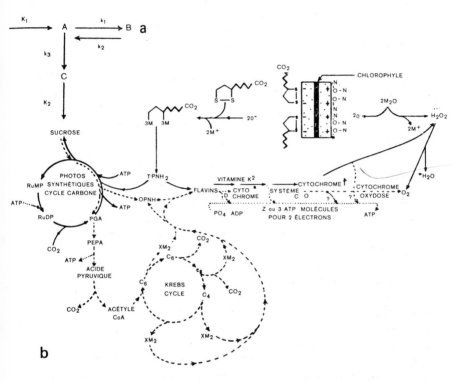

Fig. 7.1 — *a*) Modèle d'un système ouvert simple montrant le maintien de concentrations constantes dans un état stable, équifinalité, adaptation et stimulus-réponse, etc. Ce modèle peut être interprété comme un schéma simplifié de la synthèse des protéines (*A* : acides aminés; *B* : protéine; *C* : produits de la désamination; k_1 : polymérisation des acides aminés en protéines; k_2: dépolymérisation; k_3 : désamination; $k_2 \ll k_1$, l'apport d'énergie pour la synthèse des protéines n'est pas indiqué). Sous une forme simplifiée, ce modèle est celui de Sprinson & Rittenberg (1949) pour le calcul du renouvellement des protéines par l'expérimentation isotopique. (D'après von Bertalanffy, 1953 *a*).

b) Système ouvert des cycles de réaction de photosynthèse chez l'algue. (D'après Bradley & Calvin, 1957).

deux branches principales de la physique et de la chimie conventionnelles, la cinétique et la thermodynamique. En d'autres termes, la cinétique et la thermodynamique conventionnelles ne peuvent s'appliquer à de nombreux processus de l'organisme vivant; en biophysique, qui est l'application de la physique à l'organisme vivant, une *extension* de la théorie est nécessaire. La cellule vivante et l'organisme ne sont pas des modèles statiques ou des structures mécaniques construits avec des « matériaux » plus ou moins durables et dans lesquels les « matières apporteuses d'énergie » par la nutrition sont détruites pour fournir les besoins énergétiques des processus vitaux. Il s'agit de processus continus, dans lesquels ce qu'on appelle les matériaux et les apporteurs d'énergie (*Bau et Betriebsstoffe* de la physiologie classique) sont détruits et en même temps régénérés. Mais cette destruction et cette synthèse sont réglées en sorte que la cellule et l'organisme soient approximativement maintenus en ce qu'on appelle un état stable (*Fliess-gleichgewicht*, von Bertalanffy). C'est un mystère capital des systèmes vivants; toutes les autres caractéristiques telles que le métabolisme, la croissance, le développement, l'auto-régulation, la reproduction, le stimulus-réponse, l'activité autonome, etc., sont des conséquences ultimes de ce fait fondamental. L'organisme en tant que « système ouvert » est maintenant reconnu comme le critère le plus fondamental des systèmes vivants, tout au moins par les scientifiques allemands (par exemple, von Bertalanffy, 1942; Zeiger, 1955; Butnandt, 1955, 1959).

Avant d'aller plus loin, je veux attirer l'attention sur nos collègues allemands qui se sont penchés sur ces matières, que je présente souvent moi-même. Comme Dost (1962 *a*) l'a affirmé dans un article récent, « nos fils ont déjà cette matière inscrite au programme de leurs examens de médecine », à savoir la théorie des systèmes ouverts dans leur formulation cinétique et thermodynamique. Rappelons, pour ne citer que deux exemples, la présentation de cette matière par Blasius (1962) dans la nouvelle édition du manuel classique de Landois-Rosemann, et Netter dans sa monumentale *Biochimie théorique* (1959). Je ne peux que regretter que cela ne s'applique pas à la Biophysique et à la Physiologie aux Etats-Unis. C'est en vain que j'ai recherché dans les principaux ouvrages américains les termes de « système ouvert », d'« état stable » et de « thermodynamique irréversible ». Tout ceci pour dire que le critère qui distingue fondamentalement les systèmes vivants des systèmes inorganiques classiques est en général ignoré ou laissé de côté.

Deux questions se posent si on considère les organismes vivants comme des systèmes ouverts échangeant de la matière avec leur environnement; tout d'abord leur *statique*, la survie d'un système dans un état indépendant du temps; en second lieu leur *dynamique*, c'est-à-dire les variations du système au cours du temps. Ce problème peut être envisagé du point de vue de la cinétique et de la thermodynamique.

On peut trouver dans la littérature une discussion détaillée de la théorie des systèmes ouverts (bibliographies importantes dans von Bertalanffy, 1953 *a*, 1960 *b*). Je me bornerai donc à dire que de tels systèmes ont des caractéristiques remarquables et je n'en citerai que quelques-unes. Une différence fondamentale réside dans le fait que les systèmes fermés *peuvent* atteindre éventuellement un état d'équilibre chimique et thermodynamique indépendant du temps; au contraire, les systèmes ouverts *doivent* atteindre, sous certaines conditions, un état indépendant du temps appelé état stable, *Fliessgleichgewicht*, pour utiliser un terme que j'ai introduit il y a quelques vingt ans. A l'état stable, la composition du système ne varie pas, bien que les composants changent continuellement. Les états stables ou *Fleissgleichgewicht* sont équifinaux (fig. 6.1); cela veut dire qu'un état indépendant du temps peut être atteint à partir de conditions initiales différentes et par divers chemins, ceci au contraire des systèmes physiques classiques où l'état d'équilibre est déterminé par les conditions initiales. Même les plus simples systèmes de réaction ouverts possèdent cette caractéristique qui définit la restitution biologique, la régénération, etc. De plus, la thermodynamique classique ne s'occupe, par définition, que de systèmes fermés qui n'échangent pas de matière avec l'extérieur. Pour pouvoir s'occuper de systèmes ouverts, il a fallu une extension et une généralisation connue sous le nom de *thermodynamique irréversible*. Une des conséquences en est la solution d'un vieux puzzle vitaliste. Selon le second principe de la thermodynamique les événements physiques se dirigent en général vers des états d'entropie et de probabilité maximum, de désordre moléculaire, les différenciations existantes étant nivelées. Au contraire, et en étant en « contradiction violente » avec le second principe (Adams, 1920), les organismes vivants se maintiennent dans un état fantastiquement improbable, conservent leur ordre en dépit de processus irréversibles continus et même se dirigent, dans le cas du développement embryonnaire et de l'évolution, vers une différenciation plus poussée. Cette énigme apparente disparaît si on considère que le second principe ne s'applique par définition qu'aux systèmes fermés. Alors, dans les systèmes ouverts alimentés en matière riche en énergie, le maintien d'un haut degré d'organisation et même le progrès vers un ordre plus poussé sont possibles thermodynamiquement.

Les systèmes vivants subissent un échange plus ou moins rapide de leurs composants, dégénérescence et régénération, catabolisme et anabolisme. L'organisme vivant est un ordre hiérarchisé de systèmes ouverts. Ce qui se présente comme une structure permanente à un certain niveau n'est en fait maintenu que par un échange continu de composants au niveau juste inférieur. Dans ces conditions l'organisme multicellulaire se maintient en changeant de cellules, celles-ci en changeant de structure, ces dernières en changeant leurs composés chimiques, etc. En règle générale, les taux de renouvellement sont d'autant plus rapides que les composants envisagés sont petits (tableaux 6.1-3). C'est une bonne illustration du flux d'Héraclite, dans et grâce auquel l'organisme survit.

Voilà pour la statique des systèmes ouverts. Si nous regardons maintenant les variations des systèmes ouverts avec le temps, nous trouvons aussi des caractéristiques remarquables. De telles variations peuvent se produire parce qu'initialement, le système vivant est dans un état instable et qu'il tend vers un état stable; grossièrement, il en est ainsi des phénomènes de croissance et de développement. Ou encore, l'état stable peut être détruit par un changement des conditions externes, ce qu'on appelle un stimulus; c'est le cas, toujours grossièrement, de l'adaptation et du stimulus-réponse. Ici encore on obtient des différences caractéristiques avec les systèmes fermés. Les systèmes fermés tendent en général asymptotiquement vers les états d'équilibre. Au contraire, dans le cas des systèmes ouverts il peut se produire des phénomènes de faux départ ou de dépassement (fig. 6.2). En d'autres termes, si nous trouvons un dépassement ou un faux départ, comme c'est le cas dans beaucoup de phénomènes physiologiques, nous pouvons envisager qu'il s'agit d'un processus dans un système ouvert; certaines caractéristiques mathématiques en sont alors prévisibles.

Comme le montre un survol des travaux récents (chapitre 6), la théorie de l'organisme en tant que système ouvert se développe de façon éclatante, ce qui correspond à la nature fondamentale du *Fliessgleichgewicht* biologique. Les exemples ci-dessus ont été donnés, parce que, après les recherches fondamentales de Schönheimer (1947) et de son groupe sur « l'état dynamique des constituants du corps » au moyen des traces isotopiques, ce domaine a été étonnamment négligé par la biologie américaine; celle-ci, sous l'influence des concepts cybernétiques a eu tendance à retourner au concept mécaniste de la cellule et de l'organisme, négligeant ainsi les principes importants apportés par la théorie des systèmes ouverts.

Rétroaction et homéostase

A la place de la théorie des systèmes ouverts, il existe un autre modèle, le plus familier à l'école américaine. C'est le concept de régulation par rétroaction (feedback), fondamental en cybernétique, qui fut formulé pour la biologie par Cannon, dans le concept d'homéostase (à savoir, Wiener,

1948; Wagner, 1954; Mittelstaedt, 1954, 1956; Kment, 1957). Nous ne pouvons lui accorder ici que de brèves considérations.

Comme on le sait en général, le modèle fondamental est un processus circulaire dans lequel une partie de l'extrant (output) est reconduit dans l'intrant (input) en tant qu'information sur le résultat préliminaire de la réponse (fig. 7.2 *a*); le système est ainsi auto-régulé; ceci au sens du maintien de certaines variables ou du guidage vers un but choisi. Dans le premier cas, il y a par exemple le simple thermostat et le maintien de la température constante, de même que beaucoup d'autres paramètres de l'organisme; dans le second, on trouve les missiles auto-guidés et le contrôle proprio-réceptif des mouvements volontaires. Tout ce qu'on peut trouver de rétroaction en technologie et en physiologie (par exemple fig. 7.2 *b*) sont des variantes ou des agrégations du schéma de base.

Les phénomènes de régulation suivant le mécanisme de rétroaction se rencontrent fréquemment dans tous les domaines de la physiologie. En outre ce concept fait appel au temps alors que fleurissent le contrôle et l'automation, alors que les calculateurs, les servomécanismes, etc., sont le centre de l'intérêt et que le modèle de « l'organisme comme servomécanisme » fait appel au *Zeitgeist* d'une société mécanisée. Le concept de rétroaction a ainsi assuré un monopole, rejetant d'autres points de vue très valables : le modèle de rétroaction est en général confondu avec la « théorie des systèmes » (Grodin, 1963; Jones et Gray, 1963; Caey, 1962), ou la « biophysique » avec la « technique des calculateurs et la théorie de l'information » (Elsasser, 1958, p. 9). Il est donc important de faire remarquer que la rétroaction et le contrôle « homéostatique » ne forment qu'une classe spéciale, même si elle en est une grande partie, des systèmes auto-régulés et des phénomènes d'adaptation (*cf.* chapitre 6). Les points qui suivent semblent être les critères essentiels des systèmes régulés par rétroaction.

1° La régulation est fondée sur des arrangements préétablis (« structures » au sens large). Le terme allemand de *Regelmechanismen* exprime bien cela; il montre clairement que les systèmes dont il s'agit ont une nature de « mécanisme » au contraire des régulations de nature « dynamique », qui elles résultent du jeu des forces et de l'interaction mutuelle entre des composants, et qui tendent vers un équilibre ou un état stable.

2° Les suites causales à l'intérieur du système à rétroaction sont linéaires et unidirectionnelles. Le schéma fondamental de rétroaction (fig. 7.2) n'est que le schéma classique stimulus-réponse (S-R) auquel la boucle de régulation a été ajoutée afin de rendre la causalité circulaire.

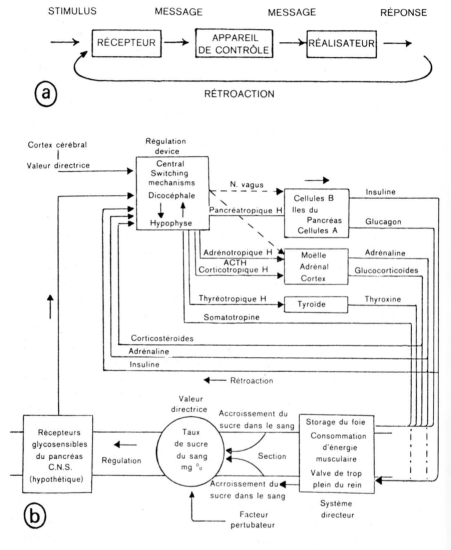

Fig. 7.2 — *a*) Schéma simple de rétroaction; *b*) régulation homéostatique du taux de sucre dans le sang. (D'après Mittelstaedt, 1954).

3° La rétroaction classique ou les phénomènes homéostatiques sont « ouverts » par rapport à l'information, mais « fermés » par rapport à la matière et à l'énergie. Les concepts de la théorie de l'information, en particulier en ce qui concerne l'équivalence entre l'information et l'entropie négative, correspondent donc à une thermodynamique « fermée » (thermostatique) plutôt qu'à une thermodynamique irréversible de systèmes ouverts. Cependant il faut présupposer cette dernière si ont veut que le système soit « auto-organisé » (comme l'organisme vivant), c'est-à-dire si on veut que sa différenciation s'accentue (Foerster et Zopf, 1962). Comme on l'a déjà dit, nulle synthèse n'est encore atteinte. Le schéma cybernétique permet, grâce aux diagrammes fonctionnels, de clairifier beaucoup de phénomènes importants concernant l'autorégulation en physiologie et se prête en outre à une analyse selon la théorie de l'information. Le schéma des systèmes ouverts permet une analyse cinétique et thermodynamique.

La comparaison des diagrammes de flux, dans le cas de la rétroaction (fig. 7.2), et dans le cas des systèmes ouverts (fig. 7.1) montre intuitivement la différence. Ainsi la dynamique des systèmes ouverts et les mécanismes de rétroaction sont deux modèles différents chacun étant valable dans sa sphère. Le modèle du système ouvert est fondamentalement non mécaniste et il transcende, non seulement la thermodynamique conventionnelle, mais aussi la causalité mono-directionnelle qui est, on le sait, fondamentale en théorie physique classique (*cf.* chapitre 4). L'approche cybernétique adopte le modèle de la machine cartésienne de l'organisme, la causalité mono-directionnelle et les systèmes fermés ; sa nouveauté réside dans l'introduction de concepts qui transcendent la physique conventionnelle, particulièrement ceux de la théorie de l'information. En dernier ressort, les deux représentent l'expression moderne de l'ancienne antithèse entre « processus » et « structure » ; une nouvelle synthèse dialectique servira éventuellement à résoudre ce problème.

Du point de vue physiologique le modèle de rétroaction intervient dans ce qu'on peut appeler les « régulations secondaires » du métabolisme (et d'autres domaines), c'est-à-dire les régulations par des mécanismes préétablis, selon des chemins fixés, comme dans le cas du contrôle neuro-hormonal. Son caractère mécaniste le fait appliquer en particulier à la physiologie des organes et des systèmes d'organes. De l'autre côté, le jeu des réactions dans les systèmes ouverts s'applique aux « régulations primaires » telles que le métabolisme cellulaire (*cf.* Hess et Chance, 1959), où l'on obtient le système ouvert de régulation le plus général et le plus primitif.

Allométrie et loi de surface

Continuons avec le troisième modèle, qui est ce qu'on appelle le principe d'allométrie. On sait déjà que beaucoup de phénomènes du métabolisme et de la biochimie, morphogenèse, évolution, etc., suivent une équation simple :

$$y = bx^\alpha, \tag{7.1}$$

à savoir, si y est portée en fonction de x sur un graphique logarithmique, on obtient une droite. Cette équation s'applique si souvent qu'il n'est pas nécessaire de donner des exemples. Regardons plutôt ses fondements. Ce qu'on appelle l'équation allométrique est en fait la plus simple des lois de croissance relative, ce terme étant pris au sens large; accroissement d'une variable y en fonction d'une autre variable x. C'est ce qu'on constate immédiatement en écrivant l'équation sous une forme légèrement différente :

$$\frac{dy}{dt} \cdot \frac{1}{y} : \frac{dx}{dt} \cdot \frac{1}{x} = \text{Taux de croissance Relative } (y, x) = \text{R.G.R. } (y, x)\,(^1)$$

$$= \alpha \tag{7.2}$$

Comme on le voit facilement l'équation allométrique est la solution de cette fonction qui établit que le taux de croissance relative de y par rapport à x est constant. Nous obtenons la relation allométrique de façon simple en considérant que toute croissance relative peut s'exprimer en général (si on la suppose seulement continue) :

$$\text{R.G.R. } (y, x) = F \tag{7.3}$$

où F est une fonction non précisée des variables x et y. L'hypothèse la plus simple est que F soit une constance α; c'est le principe d'allométrie.

On sait cependant qu'historiquement, le principe d'allométrie s'est présenté en physiologie d'une manière différente de ce qui vient d'être fait. Il est apparu sous une forme très spéciale quand, aux environs de 1840, Sarrus et Rameaux trouvèrent que le taux métabolique chez les animaux de poids différents ne croissait pas proportionnellement au poids mais plutôt à la surface. C'est ce qui est à l'origine de la célèbre loi de surface du métabolisme ou loi de Rubner et il est intéressant de jeter un coup d'œil sur les données de Rubner lui-même, qui datent de 1880 (table 7.1). Chez des chiens de poids différents le taux métabolique décroît si on le calcule par

---

(¹) En anglais R.G.R. : Relative Growth Rate.

TABLEAU 7.1

Métabolisme chez les chiens. (D'après Rubner ; environs de 1880).

Poids (kg)	Production calorifique (kcal/kg)	Production calorifique (kcal/m² de surface de corps)
3,1	85,8	1 909
6,5	61,2	1 073
11,0	57,3	1 191
17,7	45,3	1 047
19,2	44,6	1 141
23,7	40,2	1 082
30,4	34,8	984

unité de poids; il reste-à-peu près constant par unité de surface; à-peu-près 1 000 kcal par mètre carré et par jour. Cette « loi de surface » a provoqué beaucoup de discussions et d'écrits. En fait la loi de Rubner est un cas particulier de la fonction allométrique, où y représente le taux de métabolisme basal, x le poids du corps et où α vaut approximativement 2/3.

Je pense que ce qui vient d'être dit remet la loi de surface à sa juste place. Les discussions qui ont eu lieu pendant 80 ans sont dépassées si on la considère comme un cas particulier de l'allométrie et si on considère l'équation allométrique comme ce qu'elle est effectivement : une formule d'approximation hautement simplifiée qui s'applique à un champ très large de phénomènes, mais qui n'est pas un dogme, ni même une explication de quoi que ce soit. Dans ces conditions nous nous attendrons à trouver toutes sortes de relations allométriques entre les mesures métaboliques et la taille du corps, avec une certaine prépondérance de la loi de surface (fonction puissance 2/3), tenant compte du fait que beaucoup de processus métaboliques sont contrôlés par des lois de surface. C'est précisément ce que nous avons trouvé (tableau 7.2). En d'autres termes, 2/3 n'est absolument pas un nombre magique, pas plus que la puissance 3/4 que l'on préfère depuis peu à la loi de surface classique (Brody, 1945; Kleiber, 1961). Même l'expression : *Gesetz der fortschreitenden Stoffwechsefreduktion* (Lehmann, 1956), loi de réduction progressive du taux de métabolisme, n'est pas générale, parce qu'il existe des processus métaboliques qui ne régressent pas quand la taille croît.

En outre, il résulte de ce qui précède que le lien entre les taux de métabolisme et la taille du corps n'est pas invariant comme le supposait la loi de

TABLEAU 7.2

Equations liant les propriétés quantitatives au poids des corps chez les mammifères.
(D'après Adolph, 1949; modifié).

	régression α		*régression* α
Entrée d'eau (ml/h)............	0,88	Poids de myoglobine (g)........	1,31
Sortie d'urine (ml/h)	0,82	Poids de cytochrome (g)........	0,62
Elimination d'urée (ml/h)	0,72	Nombre nephra	0,62
— d'inuline (ml/h) ...	0,77	Diamètre du corps rénal (cm) ...	0,08
— de créatinine (ml/h).	0,69	Poids des reins (g)	0,85
— de diodraste (ml/h) .	0,89	— du cerveau (g)	0,70
— hippurate	0,80	— du cœur (g)	0,98
Consommation basale d'O_2		— des poumons (g)	0,99
(ml T.P.N./h)	0,734	— du foie (g)	0,87
Longueur du battement cardiaque		— de la thyroïde (g)	0,80
(h)	0,27	— de l'adrénale (g)	0,92
Durée de la respiration (h)	0,28	— de la glande pituitaire (g) .	0,76
Taux de ventilation (ml/h)	0,74	— de l'estomac + intestin (g).	0,94
Volume de fond (ml)	1,01	— du sang (g)	0,99
Durée des battements intestinaux			
(h)	0,31	*Loi de surface :* $\alpha = 0,66$ relatif au poids	
Output N - total (g/h)	0,735	absolu ($y = bw^\alpha$); — 0,33, relatif à	
Output N - endogène (g/h)	0,72	l'unité	
Output de créatinine N (g/h)....	0,90		
Output de soufre (g/h)	0,74	poids $\left(\dfrac{y}{w} = bw^\alpha\right)$	
Consommation d'O_2 par les parties du foie (ml T.P.N./h) ...	0,77		
Poids d'hémoglobine (g)	0,99		

surface. Il peut varier, et il varie en particulier, en fonction (1) de l'organisme ou le tissu dont il est question; (2) des conditions physiologiques; (3) des facteurs expérimentaux.

En ce qui concerne la variation du taux de métabolisme en fonction de l'organisme ou du tissu, je donnerai plus loin des exemples tenant compte du métabolisme total. La figure 7.3 montre des différences entre la relation taille-Q_{O_2} dans divers tissus. Le tableau 7.3 présente un exemple semblable, tenant compte de la comparaison entre allométries intraspécifique et interspécifique. Les variations de la relation taille-taux de métabolisme dues aux *conditions physiologiques* sont bien mises en évidence par les données que notre laboratoire a obtenues dans ce domaine peu exploré.

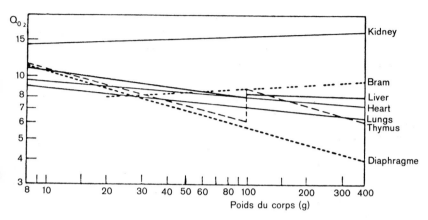

Fig. 7.3 — Q_{O_2} (μl O_2/mg de poids sec/h) de plusieurs tissus du rat. Seules les droites de régression sont présentées dans cette figure et dans celles qui suivent; pour des données plus complètes voir les originaux. (D'après von Bertalanffy & Pirozynski, 1953).

La relation taille-métabolisme exprimée par l'exposant allométrique varie selon que l'on mesure le taux de métabolisme basal (B.M.R.) [1], c'est-à-dire le métabolisme au repos, ou le métabolisme en cours d'activité musculaire. La figure 7.4 présente ces variations chez les rats; comparaison des taux de métabolisme basal et non basal. La figure 7.5 donne une comparaison plus large chez la souris, grâce à plusieurs degrés d'activité musculaire. Les données confirment ce que pensait Locker (1961 *a*); si l'intensité du taux de métabolisme croît, α tend à décroître. On trouve aussi des variations de la pente des droites de régression chez les invertébrés si on compare les taux de métabolisme d'animaux jeûnant ou non (fig. 7.6). Les variations de α avec les *conditions expérimentales* méritent beaucoup plus d'attention que celle qu'on leur accorde en général. Souvent on considère Q_{O_2} comme une caractéristique constante du tissu étudié. Or ce n'est absolument pas le cas. On peut constater des variations selon la base de référence, par exemple, poids frais, poids sec, *teneur en azote*, etc. (Locker, 1961 *b*). La démonstration la plus simple est le changement de milieu. Comme tout chercheur le sait, la quantité absolue de Q_{O_2} n'est pas la seule à beaucoup varier selon que l'on utilise par exemple un milieu salin ou un milieu contenant des métabolites; il en est de même de la relation avec la taille ou du paramètre α

[1] Basal Metabolic Rate.

TABLEAU 7.3

Allométrie intraspécifique et interspécifique (constantes α) dans les organes des mammifères. (D'après von Bertalanffy & Pirozynski, 1952).

| | Rat B. & P. | Brody | Divers auteurs | | | | | Mammifères adultes: interspécifique |
			Chat	Chien	Singe	Chèvre	Cheval	
Cerveau	0,20	0,17		0,25	0,62	0,30	0,24	0,66 0,69 0,58 0,54
Cœur	0,82	0,80	♂ 0,92 ♀ 0,82	1,00 0,86 0,93	0,69	0,93		0,83 0,82 0,85 0,84 0,98
Poumon	0,73	0,75		0,82	0,92		0,58	0,98 0,99
Foie	1. Cycle : 1,26	1. Cycle : 1,14		0,71		0,70	0,61	0,87
Reins	2. Cycle : 0,67 0,80	2. Cycle : 0,68 0,82	♂ 0,65 ♀ 0,61	0,70			0,66	0,88 0,92 0,85 0,87 0,76

(fig. 7.7). Ici encore la règle de Locker, déjà citée, est vérifiée; sa confirmation par les expériences résumées dans les figures (7.4), (7.5) et (7.7.) est particulièrement impressionnante car ces dernières sont antérieures et indépendantes de la publication de cette règle. La variation de Q_{O_2} dans différents milieux indique qu'on mesure différents processus partiels de respiration.

C'est d'ailleurs pour cette raison que je doute qu'on puisse obtenir le métabolisme total ou B.M.R. par ce qu'on appelle *la respiration totale des tissus* (Martin et Fuhrmann, 1955). Quel Q_{O_2} des tissus individuels pourrait-il être additionné ? Doit-on retenir le Q_{O_2} obtenu par exemple par la solution

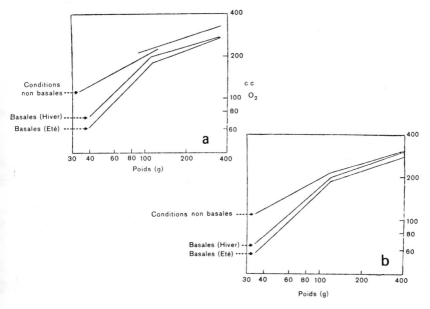

Fig. 7.4 — Variation du taux de métabolisme en fonction du poids chez le rat dans des conditions basales ou non. 25 animaux jeûnaient pendant 18 heures avant l'expérience (les petits animaux moins longtemps); déterminations à 29-30° C; conditions de repos musculaire. Une rupture des lignes de régression est supposée pour un poids du corps de 110 g qui correspond à beaucoup de variations physiologiques (*cf.* fig.7.11). Les déterminations « Basales-Été » ont été faites avec une période de climatisation de 15-18 heures avec thermoneutralité avant l'expérience; « Basales-Hiver », sans climatisation; les « conditions non-basales » avec 10 heures de jeûne suivies d'un repas 45 à 60 minutes avant l'expérience. *a* ♂, *b* ♀. (Données non publiées de Racine & von Bertalanffy).

de Ringer, ou celui obtenu par les métabolites, qui peut être deux fois plus grand ? Comment les différents α des divers tissus s'ajoutent-ils pour faire les 2/3 du B.M.R. de l'animal entier ? De même Locker (1962) a montré que les processus formateurs de Q_{O_2} tels que le carbohydrate et la respiration graisseuse peuvent avoir des régressions différentes.

Avant d'abandonner ce sujet, je voudrais faire une autre remarque de principe. Nous avons décidé que l'équation allométrique était au mieux une approximation simplifiée; néanmoins c'est plus qu'une manière pratique de tracer une courbe de données. En dépit de ses simplifications et de ses imperfections mathématiques, le principe allométrique exprime l'interdépendance, l'organisation et l'harmonie des processus physiologiques.

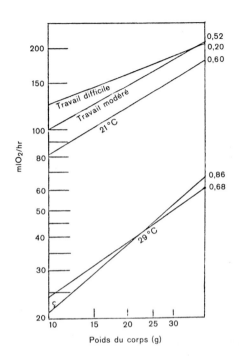

Fig. 7.5 — Variation du taux de métabolisme en fonction du poids chez les souris. Déter
minations à 29 et 21 °C : jeûne préalable et climatisation. Dans les expériences avec
activité musculaire, l'imprécision des valeurs est considérable à cause de la difficulté
de maintenir constant le travail effectué. Ainsi l'affirmation qualitative que la pente des
lignes de régression décroît est bien établie, mais aucune signification particulière ne peut
être attachée aux valeurs numériques de α. (Données non publiées de Racine & von
Bertalanffy).

Ce n'est que parce qu'il existe une harmonie des processus que l'organisme
reste vivant et en état stable. Le fait que beaucoup de processus suivent le
principe d'allométrie montre que celui-ci est une règle générale de l'harmo-
nisation des processus (Adolph, 1949) : « Du fait que beaucoup de propriétés
sont liées par des équations d'un type, il semble peu probable que d'autres
propriétés puissent être reliées par des équations d'un type radicalement
différent; s'il en était ainsi ces derniers seraient incompatibles avec les
propriétés précédentes.

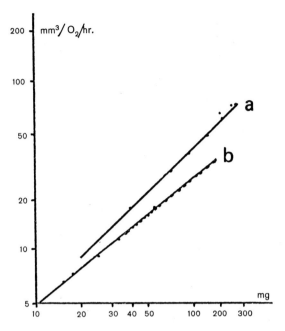

Fig. 7.6 — Consommation d'oxygène des larves du *Tenebrio molitor* (20 °C). *a*) Larves nourries; *b*) Privées pendant deux jours. Dans *b*, les valeurs de Müller et Teissier sont combinés. (D'après von Bertalanffy & Müller, 1943).

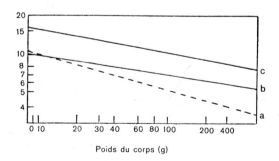

Poids du corps (g)

Fig. 7.7 — Relation entre poids et Q_{O_2} du diaphragme dans divers milieux. *a*) Solution de phosphate de Krebs-Ringer; *b*) Milieu de Krebs II, type A, avec glucose; *c*) Même milieu avec glucose et métabolites. (D'après von Bertalanffy & Estwick, 1953).

En outre, bien que le domaine dans lequel se trouvent les constantes allométriques soit très grand, ces dernières ne sont certainement pas accidentelles. On peut même dire, qu'au sens large, elles dépendent de principes bio-techniques. Les ingénieurs savent bien que pour toute machine, si on veut la construire dans différentes tailles, il est nécessaire, pour qu'elle reste fonctionnelle, d'en modifier les proportions, par exemple pour agrandir un modèle d'une petite échelle, à la taille de travail désirée. Plus largement on comprend pourquoi certains types d'allométrie, dépendance de la surface de la masse du corps, etc., sont obtenus dans des cas particuliers. Les études de Günther et Guerra (1955) et de Guerra et Günther (1957) sur la similitude biologique, les relations des ailes d'oiseaux (Meunier, 1951), du taux de pulsation (von Bertalanffy, 1960 *b*), du poids du cerveau (von Bertalanffy et Pirozynski, 1952) avec la taille du corps sont des exemples d'analyse fonctionnelle de l'allométrie, qui, je le pense, ouvrent de larges domaines à une recherche plus poussée.

Théorie de la croissance animale

Le dernier modèle que je désire étudier est le modèle de la croissance qu'on a appelé « équation de Bertalanffy » (von Bertalanffy, 1957 *b*, 1960 *b*); les idées fondamentales en remontent au grand physiologiste allemand Pütter (1920). Ici encore je ne m'intéresse pas aux détails ou même aux mérites ou aux imprécisions du modèle; je désire plutôt l'utiliser pour éclairer quelques principes des recherches sur le métabolisme quantitatif.

Nous savons tous, en premier lieu, que le processus de croissance est d'une extrême complexité; en second lieu, il existe sur le marché un grand nombre de formules qui affirment, sûres d'elles-mêmes, représenter les données de croissance observées et leurs courbes. Il s'agit en général de proposer une équation plus ou moins complexe et plus ou moins plausible. Ensuite, le chercheur s'assied et calcule, grâce à cette formule, un certain nombre de courbes de croissance; il est satisfait s'il trouve une approximation suffisante des données empiriques.

Nous avons à détruire ici une première illusion. C'est une règle mathématique empirique qui dit qu'on peut approximer presque toutes les courbes, s'il y a trois paramètres libres ou plus, c'est-à-dire si une équation contient trois constantes ou plus qui ne peuvent être vérifiées autrement. Ceci est vrai, quelle que soit la forme particulière de l'équation choisie; l'équation la plus simple que l'on applique est le polynôme, disons du troisième degré :

$$y = (\alpha_0 + \alpha_1 x + x_2 x^2 + \ldots).$$

Il s'agit d'un calcul mathématique simple. On peut toujours obtenir une meilleure approximation en retenant des termes plus poussés.

En conséquence, l'ajustement des courbes est un sport en chambre, utile si on désire des interpolations et des extrapolations. Cependant, l'approximation de données empiriques n'est absolument pas une vérification de la loi mathématique utilisée. On ne peut parler de vérification et d'équations d'une théorie que si : 1° les paramètres rencontrés peuvent être vérifiés par des expériences indépendantes; 2° les prévisions de faits à venir dérivent de la théorie. C'est en ce sens que je vais étudier ce qu'on appelle les équations de croissance de Bertalanffy, car, d'après ce que je sais, ce sont les seules qui essayent d'obéir aux spécifications précipitées.

L'argument est très simple. Si un organisme est un système ouvert, son accroissement ou taux de croissance (G.R.) ([1]) doit en général s'exprimer par une équation d'équilibre de la forme :

$$\frac{dw}{dt} = G.R. = \text{Synthèse} - \text{Dégénérescence} + \ldots \qquad (7.4)$$

c'est-à-dire que la croissance en poids est donnée par la différence entre les processus de synthèse et de dégénérescence de ses composants, plus un certain nombre de facteurs indéterminés qui peuvent influer sur le processus. Sans perdre en généralité, nous pouvons en outre affirmer que ces termes sont des fonctions non déterminées des variables en question :

$$G.R. = f_1(w, t) - f_2(w, t) + \ldots \qquad (7.5)$$

Nous voyons alors immédiatement que ces équations peuvent ne pas contenir le temps t. En effet, certains processus de croissance sont équifinaux, c'est-à-dire qu'ils peuvent atteindre une même valeur finale à différents moments (6.1). Même sans faire une démonstration mathématique, on voit intuitivement que cela serait impossible si le taux de croissance dépendait directement du temps; si cela était le cas, on ne pourrait trouver des taux de croissance différents à des moments donnés, comme c'est quelquefois le cas.

En conséquence les termes envisagés seront fonction de la masse du corps :

$$G.R. = f_1(w) - f_2(w), \qquad (7.6)$$

([1]) *Growth Rate* en anglais.

ceci en limitant les considérations au plus simple des schémas des systèmes ouverts. L'hypothèse la plus simple est que les termes soient des puissances de la masse. En effet, nous savons de façon empirique qu'en général la relation avec la taille des processus physiologiques s'approxime bien par des expressions allométriques. Nous avons donc :

$$\frac{dw}{dt} = \eta w^n - \kappa w^m \qquad (7.7)$$

où η et κ sont respectivement les constantes d'anabolisme et de catabolisme qui correspondent à la structure générale des équations allométriques.

Les considérations mathématiques montrent en outre que de petites déviations de l'exposant m à partir de l'unité n'influencent pas beaucoup la forme des courbes qu'on obtient. Ainsi, par manière de simplification, posons $m = 1$. Les choses sont mathématiquement plus aisées ainsi, et cela semble justifié du point de vue physiologique ; en effet l'expérience physiologique, qui est limitée, il est vrai, semble montrer que le catabolisme des matériaux, en particulier des protéines, est grossièrement proportionnel à la masse du corps.

Faisons maintenant un grand saut. La synthèse des matériaux a besoin d'énergie ; celle-ci, chez les animaux aérobiques est fournie par des processus de respiration cellulaire et en dernier ressort par le système ATP. Supposons qu'il existe des corrélations entre le métabolisme énergétique d'un animal et ses processus anaboliques. Ceci est plausible dans la mesure où le métabolisme énergétique doit, d'une façon ou d'une autre, fournir les énergies requises par la synthèse des composants du corps. Nous introduirons alors pour la relation anabolisme-taille le taux de métabolisme ($n = \alpha$) et obtenons l'équation simple :

$$\frac{dw}{dt} = \eta w^\alpha - \kappa w \qquad (7.8)$$

sa solution est :

$$w = \left\{ \frac{\eta}{\kappa} - \left(\frac{\eta}{\kappa} - w_0^{(1-\alpha)} \right) e^{-(1-\alpha)\kappa t} \right\}^{1/1-\alpha} \qquad (7.9)$$

où w_0 est le poids à $t = 0$.

Nous voyons de façon empirique que le métabolisme au repos, chez beaucoup d'animaux, dépend de la surface, c'est-à-dire qu'il suit la règle de Rubner. Nous obtenons ici : $\alpha = 2/3$. Chez d'autres animaux il dépend

Tableau 7.4

Types métaboliques et types de croissance. w, l : Poids, longueur au temps t ; w_0, l_0 : poids et longueur initiaux ; w*, l* : poids et longueur finaux ; η, κ : constantes d'anabolisme et de catabolisme.
(D'après von Bertalanffy, 1952).

Type de métabolisme	Type de croissance	Equations de croissance	Exemples
I. Respiration *proportionnelle à la surface*	a) Courbes de croissance linéaires qui atteignent *sans inflexion* un état stable b) Courbe de croissance du poids : *sigmoïde,* qui atteint avec une inflexion à c. 1/3 du poids final, un état stable	$dw/dt = \eta w^{2/3} - \kappa w$ a) $l = l^* - (l^* - l_0)e^{-\kappa t/3}$ b) $w = [\sqrt[3]{w^*} - (\sqrt[3]{w^*} - w_0)$ $\times e^{-\kappa t \, 3}]^3$	Lamellibranches, poissons, mammifères
II. Respiration *proportionnelle au poids*	Courbes de croissance linéaires et celles du poids *exponentielles,* aucun état stable n'est atteint mais la croissance est interrompue par des métamorphoses ou des cycles saisonniers	$dw/dt = \eta w - \kappa w = cw$ a) $l = l_0 e^{ct/3}$ b) $w = w_0 e^{ct}$	Larves d'insectes, Orthoptère, Hélicidés
III. Respiration *proportionnalité intermédiaire entre la surface et le poids*	a) Courbe de croissance linéaire qui atteint *avec inflexion* un état stable b) Courbe de croissance du poids : *sigmoïde,* idem que I (b)	$dw/dt = \eta w^n - \kappa w;$ $2/3 < n < 1$ $dl/dt = \dfrac{\eta'}{2} l^{3n-\kappa} - \dfrac{\kappa}{3} l$	Planorbidés

directement de la masse du corps; ainsi $\alpha = 1$. En définitive, on trouve des cas situés entre les deux précédents, c'est-à-dire $2/3 < \alpha < 1$. Considérons expérimentalement ces différences entre les rapports taille-taux de métabolisme comme des « types métaboliques ».

Si nous introduisons les différentes valeurs de α dans l'équation fondamentale, nous voyons facilement qu'elles donnent des courbes de croissance différentes. Appelons-les : « types de croissance ». Ils sont résumés dans le tableau (7.4); la figure (7.8) présente les graphes qui leurs correspondent,

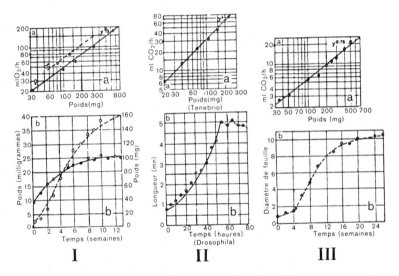

I   II   III

Fig. 7.8 — Types de métabolisme et de croissance. Type I : *Lebistes reticulatus*; type II : larves d'insecte; type III : *Planorbis sp. a*) lieu du taux de métabolisme avec la taille du corps; *b*) courbes de croissance. (D'après von Bertalanffy, 1942).

et on y voit les différences dans le comportement métabolique et les croissances qui lui sont liées. Une discussion détaillée de cette théorie a déjà été faite ailleurs. On y a montré que ce qui précède s'applique dans de nombreux cas; on peut présenter au moins quatorze arguments qui vérifient cette théorie (tableau 7.5, fig. 7.9 et 7.10). Nous ne ferons ici que quelques remarques de principe.

Tous les paramètres des équations de croissance peuvent être vérifiés expérimentalement. α qui relie le taux de métabolisme et la taille détermine la

TABLEAU 7.5

Croissance de l'Acipenser stellatus. (D'après von Bertalanffy, 1942).

Temps en années	Longueur en cm		k
	observée	*calculée*	
1	21,1	21,1	0,062
2	32,0	34,3	0,062
3	42,3	41,5	0,062
4	51,4	50,8	0,061
5	60,1	59,5	0,061
6	68,0	67,8	0,061
7	75,3	75,5	0,060
8	82,3	82,8	0,060
9	89,0	89,7	0,059
10	95,3	96,2	0,059
11	101,6	102,3	0,059
12	107,6	108,0	0,060
13	112,7	113,4	0,059
14	117,7	118,5	0,059
15	122,2	122,5	0,058
16	126,5	127,9	0,059
17	130,9	132,2	0,059
18	135,3	136,2	0,059
19	140,2	140,0	0,060
20	145,0	143,5	0,061
21	148,6	146,9	0,061
22	152,0	150,0	0,061

Equation de croissance : $l = 201,1 - (201,1 - 21,1)\, e^{-0,06t}$. Selon la régularité des courbes de croissance, les équations de Bertalanffy sont plus appropriées au calcul de la croissance chez le poisson. Dans cet exemple, la constante de croissance k ($= k/3$) a été calculée de la même façon que la constante de réaction d'une réaction chimique. Les variations de ce paramètre sont minimes, montrant ainsi la validité de l'équation.

forme de la courbe de croissance. Cette corrélation a été confirmée dans de nombreux cas, comme le montre le tableau (7.4). K, la constante de catabolisme, peut-être identifiée en première approximation au renouvellement de la protéine totale (r) tel qu'on le détermine par une trace isotopique ou une autre technique. On a calculé par exemple à partir des courbes de croissance des taux de catabolisme de 0,045 g de protéines par kilo du corps

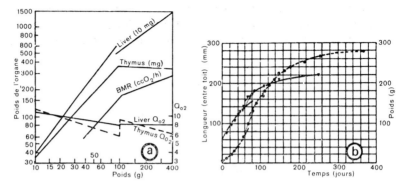

Fig. 7.9 — Calcul de la croissance du rat blanc. Beaucoup de processus physiologiques montrent chez le rat des discontinuités quand son poids atteint les environs de 100 g, c'est-à-dire dans l'état de prépuberté (*a*). Un tel « cycle » apparaît aussi dans le métabolisme (fig. 7.4), les taux de métabolisme chez les animaux en dessous de 100 g croissant plus, et chez les animaux au-dessus de cette taille, beaucoup moins que ne le prévoit la règle de surface. Cependant, si la régression est calculée sur tous les poids, on trouve 2/3 comme moyenne grossière. Ceci explique, dans le calcul de la courbe de croissance 1º que deux « cycles » séparés par ≈ 100 g apparaissent et 2º, en première approximation, que la croissance du rat soit calculable avec des équations du type I, c'est-à-dire $\alpha \approx 2/3$. Le calcul des données de croissance réalisé avant les déterminations physiologiques (*b*) vérifie ces deux choses. La constante de catabolisme (k) se ramène, dans le second cycle (postpuberté), à $k_{calc.} \approx 0,045/\text{jour}$, ce qui est très lié avec le taux de renouvellement des protéines déterminé par les traces isotopiques ($r = 0,04/\text{jour}$). (D'après von Bertalanffy, 1960 *b*).

et par jour pour le rat, et de 1,165 pour l'homme (von Bertalanffy, 1938). Les valeurs du catabolisme protéique que l'on connaissait alors étaient en désaccord avec les précédentes : selon Terroine la perte de protéines déterminée par le minimum d'excrétion azotique était de 0,00282 g de protéines/kg du corps/jour pour le rat et de 0,4-0,6 pour l'homme selon les théories physiologistes en cours (von Bertalanffy, 1942, pp. 180 et suiv., 186-188). Quand ultérieurement des calculs par la méthode isotopique donnèrent des taux de renouvellement de 0,04 pour le rat et de 1,3 pour l'homme (Sprinson et Rittenberg, 1949, tableau 6.2), ce fut pour notre théorie une confirmation fracassante; surprenant parallélisme entre les valeurs prévues et celles calculées. Notons en passant qu'on peut trouver de diverses manières une estimation du temps de renouvellement de l'organisme humain semblable à celle fournie par les estimations isotopiques ($r \approx 0,009$, $t \approx 110$ jours); par exemple, par la perte de calories en état de privation ($t = 100$ jours : Dost, 1962 *a*). η, la constante d'anabolisme est complexe du point de vue de sa dimension. On peut cependant la vérifier par la comparaison des courbes de croissance d'organismes liés; selon la théorie, le rapport des taux de métabolisme devrait correspondre au rapport des η des animaux concernés. Ceci aussi a été confirmé (fig. 7.10).

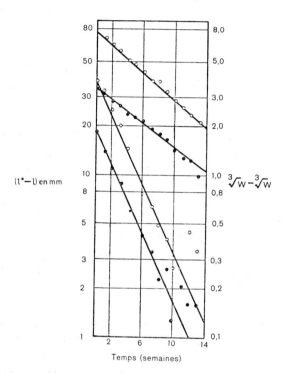

Fig. 7.10 — Croissance du *Lebistes reticulatus*. Lignes supérieures ♂; lignes inférieures ♀ °poids, ● longueur. Chez le « Guppy », la croissance des femelles et des mâles présente des différences considérables, les femelles atteignant un multiple du poids du corps des mâles. Le schéma est logarithmique, selon l'intégrale de l'équation 7.8; l'ajustement montre que les courbes de croissance sont bien reproduites. Les équations de croissance ainsi obtenues donnent un taux de 1 : 1,5 pour les constantes anaboliques η des femelles et des mâles. Selon la théorie, les taux de métabolisme chez les femelles et les mâles devraient rester dans le même rapport; 1 : 1,5 comme on le trouve en réalité (fig. 7.8, I). (D'après von Bertalanffy, 1938, 1960 b).

Cette théorie vérifie donc le premier de nos postulats, c'est-à-dire qu'elle vérifie les paramètres calculés au cours d'expériences indépendantes. Comme on l'a montré par ailleurs, elle vérifie aussi le second postulat :

la théorie apportait des prédictions comme autant de « surprises », inconnues à l'époque mais confirmées par la suite.

Il est utile de discuter quelques-unes des objections classiques car ceci peut contribuer à une meilleure compréhension des modèles mathématiques, en général.

1° Le principal reproche fait aux modèles et aux lois concernant les phénomènes physiologiques est celui de « sur-simplification ». A l'intérieur d'un processus comme celui de la croissance animale, il existe au niveau des cellules un microcosme d'innombrables processus de nature physique et chimique : il s'agit de toutes les réactions de métabolisme intermédiaire aussi bien que de tous les facteurs comme la perméabilité cellulaire, la diffusion, le transport actif, et bien d'autres. Au niveau des organes, chaque tissu se comporte différemment par rapport au renouvellement cellulaire et à la croissance; au-delà de la multiplication des cellules, il y a formation de substances intercellulaires. L'organisme dans son ensemble varie dans sa composition, avec des altérations du contenu en protéines, du dépôt de graisse ou un simple apport d'eau; le poids spécifique des organes change, sans parler de la morphogénèse et de la différenciation qui, jusqu'à présent, n'ont pas de formulation mathématique. Chaque modèle simple, chaque formule n'est-il pas une sorte de viol de la nature, comprimant la réalité dans un lit de Procuste, élaguant ce qui ne rentre pas dans le moule ? La réponse réside dans ce que la science en général est une sur-simplification par les modèles qu'elle utilise. Il y a toujours une certaine idéalisation dans les lois et les modèles scientifiques. Déjà un disciple de Galilée, Toricelli affirmait carrément que si des morceaux de pierre, de métal, etc., ne suivaient pas la loi, ce n'était mauvais que pour eux. Le modèle de l'atome de Bohr était une des simplifications les plus arbitraires jamais conçues; il devint néanmoins la pierre angulaire de la physique moderne. Progressivement corrigées par des développements efficaces, les simplifications sont le moyen le plus puissant, si ce n'est le seul, qui permette une maîtrise conceptuelle de la nature. En outre, dans le cas qui nous préoccupe, il n'est pas juste de parler de sur-simplification. Ce qui est en cause ce sont plutôt des *équations d'équilibre* entre de nombreux processus complexes, partiellement inconnus. La routine rend légitimes de telles expressions d'équilibre. Par exemple, si nous parlons de B.M.R. et nous sommes en fait capables d'établir des relations quantitatives telles que les « lois de surface », ce sont néanmoins les équilibres exprimés qui comptent, à la fois théoriquement et pratiquement (par exemple utilisation diagnostique de B.M.R.). Les régularités ainsi observées ne peuvent être réfutées par des « considérations générales » de trop grande simplification; il est nécessaire de le faire empiriquement et en offrant en outre de meilleures explications. Il serait facile de faire paraître les modèles plus réalistes et d'améliorer l'ajustement des données en introduisant quelques paramètres en plus. Cependant ce gain est contrefait tant qu'on ne peut obtenir ces paramètres expérimentalement; en outre, en vertu de ce qui a été dit, un ajustement plus précis des données n'ajoute rien sur les mérites d'une formule particulière si on a accru le nombre des « constantes libres ».

2° Le choix des paramètres pose un autre problème. On a fait remarquer ci-dessus que le taux de métabolisme sous des conditions basales ou non basales change non seulement en grandeur mais aussi quant à l'allométrie exprimant sa relation avec la taille du corps. Qu'est-ce qui justifie le « métabolisme au repos » comme standard, et le classement correspondant des espèces en « types métaboliques » et de « croissance » ? La réponse se trouve dans le fait que parmi toutes les mesures valables du métabolisme, aucune n'étant idéale, le métabolisme au repos semble le mieux approcher les conditions naturelles qui prévalent durant la croissance. Le standard B.M.R. (à savoir thermoneutralité de l'environnement, jeûne et repos musculaire) fait des valeurs ainsi déterminées un artefact de laboratoire, car la première condition au moins n'est pas naturelle; pourtant il est très utile, car ce sont les valeurs B.M.R. qui possèdent la plus petite dispersion. Chez les animaux au sang froid on ne peut utiliser le B.M.R. comme standard car il n'existe pas de condition de thermoneutralité et il est souvent impossible de se placer exactement en condition de jeûne. D'un autre côté, le métabolisme en activité varie avec la quantité d'action musculaire (fig. 7.4) et l'animal qui grandit n'est pas toujours en condition de travail musculaire difficile. Ainsi, le taux de métabolisme au repos est comparativement la meilleure approximation de l'état naturel; le choix de ce paramètre conduit à une théorie utilisable.

3° La discussion qui précède met en évidence la plus importante critique. Il a été dit qu'il semblait y avoir ce qu'on appelle des types de métabolisme et des types de croissance, ainsi que des corrélations entre les deux types. Cependant il a été montré auparavant que les paramètres en question, en particulier la relation entre le taux de métabolisme et la taille du corps exprimée par l'exposant α, peuvent être altérés et même modifiés par les conditions expérimentales (fig. 7.4 - 7.7). Il en est de même des courbes de croissance qui ne sont pas fixées. Les expériences sur le rat ont montré que la forme de la courbe de croissance, y compris la place et l'existence d'un point d'inflexion, pouvait être changée par une nutrition différente (L. Zucker et autres, 1941 *a*, 1941 *b*, 1942; T.F. Zucker et autres, 1941; Dunn et autres, 1947; Mayer, 1948). Aucune caractéristique n'est rigide, et soit-dit en passant, à l'intérieur de mes propres concepts, je serais le dernier à supposer la rigidité de l'ordre dynamique des processus physiologiques. Selon toute ma perspective biologique je crois plutôt au vieux concept d'Héraclite qui dit que seuls, la loi et l'ordre du changement sont permanents.

Cependant, la contradiction apparente se résout aisément si on reste fidèle à l'esprit de la théorie. Ce qui est réellement invariant c'est l'organisation des processus exprimée par certaines relations. C'est ce que la théorie établit, mais ce que montrent les expériences, c'est qu'il existe des *relations fonctionnelles* entre certains paramètres métaboliques et de croissance. Ceci n'implique nullement l'invariance des paramètres eux-mêmes, et l'expérience montre même qu'ils varient. Ainsi, sans perdre en généralité, nous pouvons considérer les « types de métabolisme » et de « croissance » comme des cas idéaux observables sous certaines conditions, plutôt que comme les caractéristiques rigides des espèces. Sous certaines conditions standards, on trouve dans les divers groupes d'animaux les « types de métabolisme » et de « croissance ». Cependant il est clair que l'affirmation : « la variation des taux de métabolisme est une quantité fondamentale qui ne change pas si les conditions externes changent » (Lehmann, 1956) est incorrecte. Que les conditions soient naturelles ou expérimentales, les relations peuvent être modifiées et il se produit une altération correspondante des courbes de croissance. Certains phénomènes indiquent que c'est réellement ce qui se passe; c'est un problème qui doit être éclairci par des recherches plus poussées.

Un cas d'espèces est fourni par les variations saisonnières. Berg (1959, 1961), tout en confirmant en général les données antérieures, a trouvé que la relation taille-métabolisme variait saisonnièrement chez les escargots : « ainsi la relation entre la consommation d'oxygène et la taille du corps n'est pas une quantité fixe, interchangeable, caractéristique de toutes les espèces comme le supposait Bertalanffy... Si la théorie de Bertalanffy était vraie, alors la variation saisonnière observée du type de métabolisme impliquerait une variation saisonnière du type de taux de croissance ».

Eh bien précisément, il y a longtemps que notre laboratoire a trouvé ceci (von Bertalanffy et Müller, 1943). Les variations saisonnières du taux de métabolisme chez l'escargot ont été décrites (fig. 7.11 *a*). De façon correspondante, la courbe de croissance (ici exponentielle, car ces escargots sont du « type II ») présente des ruptures et des cycles. Par conséquent il s'agit certainement d'un problème qui nécessite une recherche plus détaillée; cependant les données valables vont plutôt vers une confirmation qu'une infirmation de la théorie.

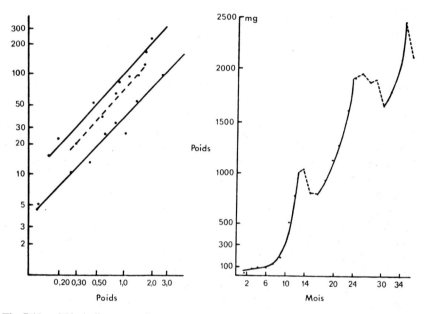

Fig. 7.11 — Métabolisme et croissance chez l'escargot (terrestre). *a*) variations saisonnières des taux de métabolisme. Les lignes de régression montrent de bas en haut, le métabolisme au repos du *Cepæa vindobonensis* inactif peu après hibernation, à 20 °C, à 28 °C et en période d'activité à 20 °C (poids en grammes). Les autres conditions restant égales, le métabolisme au repos est considérablement plus élevé dans la saison active que dans l'inactive.

b) Croissance d'une espèce proche (*Eulota fruticum*). La courbe de croissance est exponentielle (Type II avec $\alpha \approx 1$), mais elle présente des fluctuations saisonnières. (D'après von Bertalanffy et Müller, 1943).

J'aurais été très étonné et même méfiant si ce premier modèle grossier avait fourni une théorie décisive. De telles choses n'arrivent jamais comme en témoignent de nombreux exemples de l'histoire des sciences. Les lois de Mendel sont à l'origine de la génétique mais, avec les liens, les croisements, l'effet de position, que sais-je encore, ce n'est qu'une petite partie de l'expérience génétique qui est décrite par les lois classiques. Les lois de Galilée sont à l'origine de la physique; néanmoins, seuls des cas très simples, comme celui de la chute d'un corps dans le vide, suivent actuellement cette loi simple. Le chemin est long qui va du modèle simple de l'atome d'hydrogène donné par Bohr à la physique atomique actuelle, etc. Il serait fantastiquement improbable qu'il en aille différemment avec ce modèle de croissance. Le mieux que l'on puisse en dire est qu'il a été renforcé par un grand nombre de résultats expérimentaux, qu'il a montré des capacités d'explication et de prévision, qu'il offre des problèmes précis à une recherche plus poussée.

Il est évident que cette théorie n'a été développée que dans un petit nombre de cas, ceci à cause du nombre limité de données valables, et aussi à cause du temps que nécessitent à la fois les observations et les calculs sur la croissance. Hemmingsen (1960) a clairement exprimé : « n variant autant que le montrent les exemples, à l'intérieur d'un groupe avec un type de croissance présumé uniforme (présumé en première approche), il semble impossible d'accepter les généralisations de Bertalanffy, à moins qu'on ne puisse trouver, sur un plus grand nombre d'exemples que ceux que Bertalanffy a plusieurs fois publiés, une corrélation statistiquement significative entre n et le type de croissance ». Je suis tout à fait d'accord avec cette critique; beaucoup plus de données seraient nécessaires, bien qu'aucune ne puisse détourner cavalièrement celles qui ont été données en confirmation de la théorie, même si celles-ci ont 20 ans. J'amenderais la critique de Hemmingsen en suggérant un réexamen sur des bases plus larges, qui contiendraient les points suivants : analyse d'un grand nombre de données de croissance, rendue possible par les calculatrices électroniques; détermination simultanée du lien entre la taille et le métabolisme au repos (constante α) dans ces cas; détermination du catabolisme des protéines (constante k); détermination chez diverses espèces des rapports entre les exposants allométriques des taux de métabolisme et les taux, théoriquement identiques, des constantes anaboliques (η). Il s'agit de problèmes intéressants et quelque peu négligés; si ce modèle ne fait que les mettre en évidence, il a déjà prouvé son utilité.

Une telle recherche doit apporter une confirmation au modèle; elle doit conduire soit à des modifications de celui-ci et à une nouvelle élaboration, tenant compte des facteurs additionnels, soit à l'abandonner pour un meilleur. Si c'est ce qui arrivait, j'en serais très heureux. Le but des modèles est d'être une hypothèse de travail pour une recherche plus poussée.

J'ai cherché à montrer dans la discussion des modèles qui précèdent, des méthodes générales d'analyse des données quantitatives. Je désirais montrer clairement, à la fois l'utilité de ces modèles et leurs limites. Chaque modèle devrait être étudié en fonction de ses mérites en ce qui concerne les explications et les prévisions qu'il peut fournir. Les critiques générales ne sont d'aucune utilité, et on ne peut discuter de la validité d'un modèle qu'en fonction de faits observés et d'expériences. D'un autre côté, aucun modèle ne peut être considéré comme définitif; au mieux, il s'agit d'une approximation qui doit être progressivement améliorée et corrigée. C'est dans une collaboration étroite entre l'expérience et la conceptualisation et non en se confinant strictement à l'expérience ou à la construction de modèles purement spéculatifs que se trouve l'avenir d'un domaine comme la biologie quantitative du métabolisme.

Résumé

1. Les théories des systèmes ouverts, de la rétroaction, de l'allométrie et de la croissance sont présentées en fonction de leurs applications expérimentales.

2. Les modèles des systèmes ouverts et de la rétroaction s'appliquent à de nombreux phénomènes de la physiologie et représentent des extensions essentielles de la théorie physique. Il faut distinguer clairement ces deux concepts; le modèle de la rétroaction (homéostase) ne doit pas être considéré comme recouvrant toute la régulation physiologique et ne pas être identifié avec la « théorie des systèmes ».

3. L'équation allométrique représente la relation la plus simple possible entre la taille du corps et les processus métaboliques. Elle s'applique largement et exprime l'harmonie des processus dans les systèmes vivants. Cependant, il n'existe pas de « loi de surface » ou de « loi de la puissance 3/4 » ou de « loi de réduction progressive des taux de métabolisme ». La relation allométrique varie beaucoup selon les phénomènes physiologiques.

4. Des modifications de la relation entre la taille du corps et le taux de métabolisme peuvent se produire (*a*) selon des tissus et selon les espèces; (*b*) par changement des conditions physiologiques; (*c*) selon les modalités expérimentales. Parmi les conditions qui modifient cette relation se trouvent des facteurs comme les activités physiologiques, le sexe, la saison, l'accoutumance antérieure, etc.

5. La relation taille-métabolisme total chez les mammifères diffère sous des conditions basales, dans un environnement qui n'est pas thermoneutre, et en condition d'activité musculaire. Les variations suivent la règle de Locker; avec un accroissement absolu du taux de métabolisme (exprimé par la constante b de l'équation allométrique), la régression par rapport à la taille du corps (exprimée par la pente de la droite allométrique, α) tend à décroître.

6. Les équations de croissance de Bertalanffy représentent un modèle extrêmement simplifié qui couvre cependant beaucoup de phénomènes de la physiologie du métabolisme et de la croissance. Les paramètres qu'on y trouve ont été vérifiés dans de nombreux cas par des expériences physiologiques.

7. Au vu des variations de la relation taille-métabolisme mentionnées en (5), ce qu'on appelle les « types de métabolisme et de croissance » de Bertalanffy doivent être considérés comme des cas idéaux réalisables sous certaines conditions standards, plutôt que comme des caractéristiques invariantes des espèces ou des groupes d'espèces.

8. Les variations saisonnières des taux de métabolisme et des taux de croissance semblent se correspondre.

9. On souligne les problèmes urgents qui nécessitent une recherche poussée, ceci pour chacun des modèles.

CHAPITRE 8

LE CONCEPT DE SYSTÈME
DANS LES SCIENCES DE L'HOMME

La révolution organique

Dans un passage célèbre de la *Critique de la raison pratique*, Kant dit que deux choses le remplissent d'un grand respect; le ciel étoilé au-dessus de lui et la loi morale en lui. L'époque de Kant était l'apogée du classicisme allemand. Pendant les décennies proches de 1800, coexistèrent les grands poètes, les grands écrivains et les grands philosophes allemands; la philosophie de Kant représente la synthèse ultime de la science physique depuis Galilée et Newton.

En méditant l'affirmation de Kant, nous sommes étonnés. Parmi ce qu'il peut avoir trouvé digne de respect, il devrait y avoir une troisième chose. Il ne cite pas la *vie* à la fois en tant qu'organisation miraculeuse d'un organisme vivant et en tant que microcosme spirituel capable de comprendre l'univers physique.

Il n'est pas difficile de comprendre cette omission. La physique était à son point culminant, ou presque, et Kant lui-même, par ses travaux sur l'origine du système solaire, avait contribué à cette réussite; la loi morale avait une longue histoire, remontant aux Grecs et à la tradition judéo-chrétienne. D'un autre côté, les sciences biologiques et psychologiques avaient à peine commencé à se développer.

Il y a 180 ans que Kant a écrit; depuis il y a eu la révolution industrielle et plus près de nous la révolution atomique suivie de la révolution de l'automatique et de la conquête de l'espace. Il semble ici qu'il y ait une rupture. Le développement technologique ahurissant et la société qui en découle, en certains points de la terre, tout au moins, nous ont laissé dans l'anxiété et le vide spirituel. La physique avec ses formidables aboutissements modernes n'a rien de l'ensemble clair comme un cristal qu'y voyait Kant.

L'impératif moral de ce dernier, même s'il est intact, est beaucoup trop simple pour un monde si complexe. Même si on ne tient aucun compte d'une menace de disparition physique, il existe un sentiment : notre vision du monde, notre système de valeurs s'écroulent; le nihilisme arrive, ainsi que Nietzsche l'avait prédit prophétiquement au début de ce siècle.

A la lumière de l'histoire, notre technologie et même notre société se fondent sur une vision physique du monde que Kant avait si tôt synthétisée. La physique est toujours le parangon de la science, le fondement de nos idées sur la société, de notre image de l'homme.

C'est pendant ce temps que sont apparues de nouvelles sciences, celles de la vie, du comportement, de la société. Elles veulent une place à l'intérieur d'une vision moderne du monde; elles peuvent contribuer à une réorientation fondamentale. Il existe une révolution moins connue que les révolutions technologiques contemporaines, mais qui est aussi prometteuse en réalisations à venir; elle est fondée sur les développements modernes de la biologie et des sciences du comportement. C'est ce qu'on peut appeler la *révolution organique*. Son noyau, c'est la notion de *système*; apparemment c'est un concept pâle, abstrait et vide; il est néanmoins plein de promesses cachées, de potentiels d'agitation et d'explosion.

Résumons rapidement les capacités de cette conception nouvelle. Le XIXe siècle et la première moitié du XXe concevaient *le monde comme un chaos*. Le chaos était ce jeu aveugle des atomes, maintes fois cité, qui, en philosophie mécaniste et positiviste, semblait représenter la réalité ultime, la vie étant le produit accidentel de processus physiques, et l'esprit un épiphénomène. C'était le chaos quand, selon la théorie courante de l'évolution, le monde vivant apparut comme un produit du hasard, le résultat de mutations aléatoires et la survie dans le moulin de la sélection naturelle. C'est dans la même voie que la personnalité humaine, dans les théories du comportement aussi bien que dans la psychanalyse, était considérée comme le résultat aléatoire de la nature et de l'éducation, d'un mélange des gènes, d'une suite accidentelle d'événements, de l'enfance à la maturité.

Nous recherchons maintenant un autre regard fondamental sur le monde, *le monde en tant qu'organisation*. Si une telle conception pouvait être affirmée, les catégories fondamentales sur lesquelles repose la pensée scientifique seraient changées et les attitudes pratiques seraient profondément influencées.

Cette tendance est marquée par l'apparition d'une quantité de nouvelles disciplines, la cybernétique, la théorie de l'information, la théorie générale des systèmes, les théories des jeux, de la décision, des files d'attente, etc.; du point de vue pratique, apparition de l'analyse des systèmes, de la technologie des systèmes, de la recherche opérationnelle, etc. Elles reposent sur des bases, des techniques mathématiques et des buts différents ; souvent elles sont insuffisantes et quelquefois contradictoires. Elles s'entendent cependant dans leurs préoccupations : « systèmes », « ensembles » ou « organisation » ; toutes, elles annoncent une approche nouvelle.

L'image de l'homme dans la pensée contemporaine

En quoi les développements qui suivent peuvent-ils apporter quelque chose aux sciences de l'homme. Le statut peu satisfaisant de la théorie psychologique contemporaine est bien connu. Elle apparaît comme un ramassis de théories contradictoires qui vont du behaviorisme, lequel ne fait aucune différence entre le comportement de l'homme et celui des rats de laboratoire (et, ce qui est plus grave, les ingénieurs prennent comme modèle du comportement humain celui du rat), à l'existentialisme, pour lequel la situation de l'homme se situe au-delà de la compréhension scientifique. Cette variété des conceptions et des approches serait assez salubre, si un fait ne venait tout embrouiller. Toutes ces théories se partagent une « image de l'homme » dont l'origine se trouve dans l'univers physico-technique ; elle est considérée comme acquise, par des théories qui par ailleurs s'opposent comme le behaviorisme, les modèles de calculateurs des processus de la connaissance et du comportement, la psychanalyse et même l'existentialisme ; or ceci est faux. Ce n'est qu'un modèle robot du comportement humain.

Il est vrai, bien sûr, qu'une forte tendance se dessine vers de nouvelles conceptions, nécessitées par le fait que le portrait robot ne convient pas du point de vue théorique face au fait empirique, et qu'il est dangereux du point de vue pratique, dans ses applications à la « technique du comportement ». Néanmoins, tout en dénonçant plus ou moins ouvertement les concepts « robotiques », on les utilise beaucoup dans la recherche, la théorie et la technique psychologiques. Ils méritent donc encore de brèves considérations.

Le concept principal est le *schéma stimulus-réponse*, noté schéma S-R. Le comportement, qu'il soit animal ou humain, est considéré comme étant une réponse à des stimulus provenant de l'extérieur. D'un côté, le stimulus-réponse est fondé sur des mécanismes nerveux hérités, tels les réflexes et le comportement instinctif. La partie la plus importante en ce qui concerne le comportement humain est formée des réponses acquises ou conditionnées. Ce peut être le conditionnement classique grâce à une répétition de la suite de stimulus conditionnels ou non conditionnels, selon Pavlov. Ce peut être un conditionnement actif par récompense des réponses valables, selon Skinner. Ce peut être l'expérience de la petite enfance selon Freud, qui commence avec l'éducation de la toilette et autres procédés par lesquels se trouve renforcé un comportement socialement acceptable, mais pendant laquelle peuvent aussi se former des complexes psychopathologiques. C'est ce qui domine la technique psychologique. La formation scolaire est menée à bien par les machines à apprendre construites selon les principes de Skinner. Le conditionnement, avec un arrière-plan psychanalytique, permet à la libre entreprise de tourner. La publicité, la recherche des motivations, la radio et la télévision permettent de conditionner ou de programmer la machine humaine en sorte qu'elle achète ce qu'il faut : la poudre à laver emballée dans les plus brillantes couleurs, le plus gros réfrigérateur symbole du sein maternel, le candidat politique qui commande la machine de parti la plus efficace.

Ce qui importe, c'est que les règles obtenues par les théoriciens grâce à des expériences animales sont supposées couvrir tout le comportement humain. Pour Skinner par exemple, le « comportement verbal » de l'enfant est supposé acquis au cours du même processus de conditionnement actif par lequel les rats et les pigeons de Skinner apprennent leurs petits tours; ils sont récompensés par des morceaux de nourriture à chaque bonne réponse. Comme le note spirituellement un critique (Chomsky, 1959), on suppose que les parents apprennent à leurs enfants à parler et à marcher parce que leur comportement d'enseignants est renforcé par une récompense; leur enfant pourra probablement gagner de l'argent en vendant des journaux, ou pourra les appeler au téléphone. Les versions plus poussées de ce schéma ne modifient pas son essence.

Un second principe est celui de *l'environnementalisme* : il affirme, en accord avec le schéma S-R, que le comportement et la personnalité sont façonnés par les influences extérieures. L'expression célèbre est de Watson : donnez-moi un tas de gosses (disait le fondateur du behaviorisme), dans l'ordre où ils se présentent, et j'en ferai des docteurs, des légistes, des marchands, des mendiants et des voleurs, grâce au seul pouvoir du conditionnement. Il en va de même quand la psychanalyse dit que la personnalité est formée par l'expérience de la petite enfance, en particulier l'expérience sexuelle. De façon plus générale, le cerveau humain est un ordinateur que l'on programme comme on veut. La conséquence pratique est que non seulement les êtres humains naissent avec des droits égaux, mais aussi avec d'égales capacités. De là notre intérêt presque pathologique pour l'anormal, le malade mental et le franc criminel, qui par un conditionnement approprié peuvent être ramenés dans le troupeau, ceci souvent au détriment de la moindre considération de l'être sain, normal ou supérieur. De là aussi la croyance que l'argent peut tout acheter : quand les Russes construiront des véhicules spatiaux meilleurs que les nôtres, quelques billions de plus dans l'éducation produiront la moisson de jeunes Einstein nécessaires pour supprimer l'écart.

Le troisième est le *principe d'équilibre*. Dans la formulation de Freud c'est le « principe de stabilité » : la fonction fondamentale de l'appareil mental est de maintenir l'équilibre homéostatique. Le comportement est essentiellement une réduction des tensions, particulièrement de nature sexuelle. D'où, laissez-les réduire leurs tensions par la promiscuité, et autres moyens, et vous aurez des êtres humains normaux et satisfaits.

En quatrième lieu, le comportement est gouverné par le *principe d'économie*. Il est *utilitaire* et doit être mené à bonne fin, de la façon la plus économique, c'est-à-dire en minimisant la dépense d'énergie mentale ou vitale. En pratique, le principe économique équivaut au postulat des besoins minimums : par exemple, réduire les besoins scolaires au minimum nécessaire pour devenir administrateur, ingénieur électronicien ou plombier; sinon vous faussez votre personnalité, vous créez des tensions et rendez le sujet malheureux.

La crise actuelle de la psychologie (qui dure d'ailleurs depuis plus de 30 ans) peut se résumer en une lente érosion du modèle-robot de l'homme qui jusqu'à il y a peu de temps dominait la psychologie, en particulier aux Etats-Unis.

Deux points méritent qu'on s'y attarde. Tout d'abord, le modèle de l'homme en tant que robot se rapportait à tous les domaines de la psychologie et de la psychopathologie, ainsi qu'à des systèmes par ailleurs différents ou antagonistes : à la théorie S-R du comportement; à la théorie de la connaissance, dans ce qu'on appelle le « dogme de l'immaculée perception », l'organisme étant un récepteur passif des stimulus; aux théories de la formation, de Pavlov, de Skinner ou avec des variables intermédiaires; à diverses théories de la personnalité; au behaviorisme, à la psychanalyse, aux concepts cybernétiques de la neurophysiologie et de la psychologie, etc. En outre, « l'homme-robot » était à la fois l'expression et la force motrice de l'Esprit du siècle ([1]) d'une société mécanisée et commercialisée; il asservissait la psychologie aux intérêts financiers et politiques. La psychologie manipulatoire devait rendre les hommes encore plus robots et automates, grâce à

([1]) En allemand dans le texte, Zeitgeist.

l'enseignement mécanisé, aux techniques de publicité, aux mass-media, à la recherche des motivations et au lavage de cerveau.

Toutefois, ces hypothèses préalables fondamentales sont fausses. Je veux dire que les théories du conditionnement et de l'éducation décrivent correctement une partie ou un aspect important du comportement humain, mais que si on les prend seulement pour des théories, elles deviennent évidemment fausses et détruisent elles-mêmes leurs applications. L'image de l'homme-robot est soit métaphysique soit mythique, et son pouvoir persuasif réside seulement dans le fait qu'elle correspond très bien à la mythologie de la société de masse, à la glorification de la machine et au profit comme seul moteur du progrès.

Des observations non biaisées montrent aisément la fausseté de ces hypothèses de base. Le schéma S-R laisse de côté toute cette partie du comportement qui est l'expression d'activités spontanées, le jeu, le comportement exploratoire et toute forme de créativité. L'environnementalisme est réfuté par le fait élémentaire que pas même les mouches des fruits ou les chiens de Pavlov ne sont uniques, comme devrait le savoir tout étudiant en hérédité et en comportement. Du point de vue biologique, la vie ne consiste pas en le maintien ou la restauration d'un équilibre, mais essentiellement au maintien de déséquilibres, ainsi que le révèle la doctrine de l'organisme-système ouvert. La recherche de l'équilibre signifie la mort et la décadence. Psychologiquement, le comportement ne cherche pas seulement à atténuer les tensions, mais aussi à en construire ; si cela s'arrête, le patient devient un corps mental en déclin de la même façon qu'un organisme vivant devient un corps en déclin quand disparaissent les tensions et les forces qui l'éloignent de l'équilibre. Les délinquants juvéniles qui commettent des crimes par amusement, la nouvelle psychopathologie due à trop de loisirs, cinquante pour cent des troubles mentaux dans nos hôpitaux, tout cela prouve que le schéma de l'adaptation, de l'ajustement, de la conformité, de l'équilibre psychologique et social ne marche pas. Une grande partie du comportement et sûrement aussi de l'évolution, ne peut être réduite à des principes utilitaires d'adaptation de l'individu et de survivance des espèces. La sculpture grecque, la peinture de la Renaissance, la musique allemande et bien sûr tous les aspects de la culture, n'ont rien à voir avec l'utilité ou avec la meilleure survivance des individus ou des nations. Du point de vue utilitaire, M. Babbitt l'emporte sur Beethoven et Michel-Ange.

De même, les principes de contrainte, si souvent invoqués en psychologie, en psychiatrie et en psychosomatique nécessitent d'être réexaminés. Comme tout au monde, la contrainte est une chose ambivalente. La contrainte n'est pas seulement le danger pour la vie d'être contrôlée et neutralisée par des mécanismes d'adaptation; elle crée aussi une vie plus « haute ». Si la vie, après une perturbation externe, n'avait fait que revenir à ce qu'on appelle l'équilibre homéostatique, elle n'aurait jamais dépassé l'amibe, qui après tout, est la créature la mieux adaptée au monde, qui a survécu des billions d'années, de l'océan originel à nos jours. Michel-Ange, suivant les préceptes de la psychologie aurait dû se plier à la volonté de son père et devenir marchand de laine, s'épargnant ainsi une angoisse toute sa vie, mais laissant la Chapelle Sixtine vierge.

Selye écrivait: « Le secret de la santé et du bonheur réside dans l'adaptation aux conditions sans cesse mouvantes du globe; l'échec dans ce grand procès amène pour peines, la maladie et le malheur » (1956, p. VII). Il plaide pour un monde sage, et en ce sens il a raison. Mais, pris de façon littérale, il nie toute activité créatrice, toute culture, tout ce qui a fait de lui plus qu'une bête de la jungle. En tant qu'adaptation, la créativité est un échec, une maladie, un malheur; le viennois Egon Friedell (1927-31), historien de la culture, donnait une analyse brillante de ce point. La maxime d'ajustement, d'équilibre et d'homéostase ne peut être suivie par quiconque sur terre a une idée; Selye a certainement dû donner de lui-même pour écrire ce qui précède.

La vie n'est pas une installation confortable dans des sillons tous tracés; elle est un *élan vital* (¹), inexorablement attiré vers de plus hautes formes d'existence. Admettons que ce soit de la métaphysique ou une comparaison poétique; mais il en est ainsi après tout de toute image que nous cherchons à donner des forces conduisant l'univers.

Réorientation de la théorie en fonction des systèmes

C'est dans cette direction qu'un nouveau modèle, une image de l'homme, semble se dégager. Nous le désignerons en bref par le modèle de l'homme comme *système à personnalité active*. C'est ce qui apparaît comme étant le dénominateur commun de courants par ailleurs très différents; la psychologie du développement de Piaget et Werner, diverses écoles néo-Freudiennes, la psychologie du moi, le « new look » de la perception, la récente théorie de la connaissance, les théories de la personnalité comme celles de G. Allport et Maslow, les approches nouvelles en éducation, la psychologie existentielle, etc.

(¹) En français dans le texte.

Ceci implique une orientation holistique de la psychologie. La psychologie avait pour habitude de réduire les événements mentaux et le comportement à un paquet de sensations, de transmissions, de réactions innées ou apprises, ou à tout autre élément ultime, théoriquement posé. Au contraire, le concept de système essaye de présenter l'organisme psychophysiologique comme un tout devant l'objectif de l'effort scientifique.

C'est ainsi qu'un nouveau « modèle de l'homme » semble devenu nécessaire ; en fait il émerge lentement des tendances récentes de la psychologie humaniste et organique. La mise en évidence du côté créatif de l'être humain, de l'importance des différences entre individus, des aspects non utilitaires et situés au-delà des valeurs biologiques de subsistance et de survivance, tout ceci et bien d'autres choses se trouvent dans le modèle de l'organisme actif. Il s'agit de notions fondamentales pour l'orientation nouvelle de la psychologie ; c'est ce qui explique l'intérêt croissant montré pour la théorie générale des systèmes par la psychologie et en particulier la psychiatrie.

Au contraire du modèle d'organisme réactif exprimé par le schéma S-R, par le comportement comme assouvissement de besoins, par la relaxation des tensions, par le rétablissement de l'équilibre homéostatique, par les interprétations utilitaires et environnementalistes, nous avons plutôt tendance à considérer l'organisme psychophysique comme un système avant tout actif. Je pense que les actes humains ne peuvent être considérés autrement. Quant à moi, je suis incapable de voir comment, par exemple, les activités créatrices et culturelles de toutes sortes peuvent être considérées comme « réponse à des stimulus », « assouvissement de besoins biologiques », « rétablissement de l'homéostase » et tout le reste. Il n'y a rien de particulièrement « homéostatique » dans le fait qu'un businessman poursuive sans repos ses activités, alors qu'il a un ulcère qui le ronge ; ou même quand l'humanité continue à fabriquer des super-bombes pour satisfaire ses « besoins biologiques ».

Notre concept ne s'applique pas qu'à l'aspect « comportement », mais aussi à l'aspect « connaissance ». Il serait correct de dire que la tendance générale de la psychologie et de la psychiatrie moderne est de reconnaître la part active dans le processus de connaissance. L'homme n'est pas le récepteur passif de stimulus venant d'un monde extérieur ; très concrètement, il *crée* son univers. Ceci peut s'exprimer de nombreuses manières : par la reconstitution du « monde » chez l'enfant, selon Freud ; par la psychologie du développement chez Piaget, Werner ou Schachtel ; en termes de « nouveau regard de la perception » qui met en évidence les attitudes, les facteurs affectifs et les facteurs de motivation ; par la psychologie de la connaissance par analyse de « l'apprentissage significatif » ([1]) selon Ausubel ; dans le contexte zoologique selon l'*Umwelt* spécifique aux espèces de von Uexküll ; en philosophie et en linguistique, par les « formes symboliques » et les catégories culturelles de Cassirer ; par les preuves apportées par von Humboldt sur les facteurs linguistiques dans la formation de l'univers expérimental. « Le monde que nous comprenons est le produit de la perception, non la cause de celle-ci » (Cantril, 1962).

Une telle liste, qui est évidemment incomplète, illustre les différentes manières d'éclairer divers aspects, diverses facettes, qui peuvent éventuellement être synthétisées. Il y a unanimité sur les conceptions générales. Bien sûr, si l'organisme était un appareil photographique et la connaissance une photographie du monde extérieur, il serait difficile de saisir pourquoi les processus de la connaissance prennent les chemins détournés si bien décrits par Arieti (1965), de l'univers des fantasmes, des mythes et de la magie, pour n'arriver qu'en dernier ressort à la vue « objective » du monde de l'Américain moyen et de la science occidentale.

Cette nouvelle « image de l'homme », qui remplace le concept de robot par celui de système, qui met en évidence l'activité innée au lieu de la réaction dirigée de l'extérieur, qui reconnaît la spécificité de la culture humaine en face du comportement animal, devrait conduire à une réévaluation fondamentale des problèmes de l'éducation, de la formation de la psychothérapie et des attitudes humaines en général.

Les systèmes en sciences sociales

En définitive, il nous faut regarder, pour l'application des concepts de système, vers une large perspective, à savoir les groupes humains, les sociétés, l'humanité entière.

Dans la discussion qui suit, nous prendrons le terme de « sciences sociales » au sens large : sociologie, économie, sciences politiques, psychologie sociale, anthropologie culturelle, linguistique, une bonne partie de l'histoire et de l'humanisme, etc. Prenons la « science » comme une tentative légiférante, non pas comme description des particularismes, mais comme classement de faits et effort de généralisation.

Ces définitions étant posées, il me semble qu'on peut affirmer avec assurance : *la science sociale est la science des systèmes sociaux*. C'est pour cette raison que j'utiliserai l'approche par la science générale des systèmes.

([1]) En anglais, *meaningful learning*.

C'est une affirmation triviale, difficilement niable, que les « théories socio-logiques contemporaines » (Sorokin, 1928, 1966) et leurs développements ont suivi au long de l'histoire, cette voie. Cependant, une étude convenable des systèmes sociaux va à l'encontre de deux conceptions très répandues : en premier lieu la conception atomiste qui néglige l'étude des « relations » ; en second lieu, les conceptions qui négligent la spécificitié des systèmes concernés, comme la « physique sociale » souvent étudiée dans un esprit réductionniste. Quelques commentaires s'imposent.

La recherche sur les systèmes de l'organisme est très vaste. Elle repré-sente une partie importante de la biologie, par l'étude des communautés ou des sociétés animales ou de celles des plantes, par l'étude de leur crois-sance, de la compétition, de la lutte pour l'existence, etc., à la fois sous les aspects écologiques et génétiques. Certains aspects des sociétés humaines s'offrent à des considérations similaires ; pas seulement des points évidents comme la croissance des populations humaines, mais aussi la course aux armements, les conflits, tout ce qui peut, selon Richardson et d'autres, s'écrire avec des équations différentielles semblables à celles utilisées en écologie, qui bien que très simplifiées, fournissent de bonnes explications et même des prévisions. La propagation des bruits utilise les équations de la diffusion généralisée ; le flux du trafic automobile s'analyse grâce à des considérations correspondant formellement à la cinétique et à la thermo-dynamique. Il s'agit d'applications typiques et franches de la théorie générale des systèmes. Il ne s'agit cependant que d'une partie du problème.

La sociologie et les branches connexes représentent essentiellement l'étude des groupes ou des systèmes humains ; elle va des petits, comme la famille ou l'équipe de travail, aux plus grands comme les nations, les groupes au pouvoir et les relations internationales, en passant par toutes les organisa-tions intermédiaires, formelles ou informelles. Toutes les tentatives pour avancer une formulation théorique se ramènent au concept de système ou à un de ses synonymes. En fin de compte, c'est le problème de l'histoire humaine qui se dessine comme l'application la plus large possible de l'idée de système.

Les concepts et les théories que fournit l'approche moderne par les systèmes s'introduisent de plus en plus en sociologie ; le concept de système général, celui de rétroaction, d'information, de communication, etc.

La théorie sociologique actuelle essaye essentiellement de définir le « système » socio-culturel et de discuter du fonctionnalisme, c'est-à-dire des phénomènes sociaux par rapport à « l'ensemble » qu'ils servent. En ce qui concerne le premier point, la caractérisation de Sorokin du système socio-culturel comme étant causal-logique-significatif (que je prends au sens large de niveau biologique, niveau symbolique, niveau de valeur) semble la meilleure pour exprimer les divers aspects qui sont mêlés.

La théorie fonctionnaliste a plusieurs expressions, représentées par Parsons, Merton et bien d'autres; le livre récent de Demerath et Peterson (1968) donne un bon aperçu des divers courants. La principale critique du fonctionnalisme, en particulier dans la version de Parsons, est qu'il se préoccupe trop du maintien de l'équilibre, de l'ajustement, de l'homéostase, des structures institutionnelles stables, etc.; il en résulte que l'histoire, le développement, le changement socio-culturel, le développement dirigé de l'intérieur sont sous-estimés, et apparaissent comme des « déviations » avec une signification de valeur négative. La théorie apparaît alors comme celle du conservatisme et du conformisme, défendant le « système » comme il est (ou la « mégamachine » de la société actuelle, pour parler de Mumford), négligeant conceptuellement le changement social, et lui faisant obstruction. Evidemment, la théorie générale des systèmes que nous présentons n'a pas à subir cette objection, puisqu'elle incorpore à la fois le maintien et le changement, la préservation du système et le conflit interne; elle est donc apte à être le squelette logique d'une théorie sociologique perfectionnée (*cf.* Buckley, 1967).

L'application pratique de la théorie des systèmes, grâce à l'analyse et à la technique des systèmes, aux problèmes qui se posent dans les affaires, le gouvernement, la politique internationale, montre que cette approche « marche » et permet à la fois de comprendre et de prédire. Elle montre en particulier que l'approche des systèmes n'est pas limitée aux êtres matériels de la physique, de la biologie et des autres sciences naturelles, mais qu'elle s'applique aussi à des êtres en partie immatériels et totalement hétérogènes. Par exemple, l'analyse des systèmes appliquée à une entreprise englobe les hommes, les machines, les bâtiments, l'entrée de matière première, la sortie de produits, la valeur monétaire, la bonne volonté et tous les autres impondérables; elle donne des réponses sûres et des avis pratiques.

Les difficultés ne résident pas seulement dans la complexité des phénomènes, mais aussi dans la définition des êtres considérés.

Une partie de la difficulté s'exprime au moins par le fait que les sciences sociales s'occupent de systèmes « socio-culturels ». Les groupes humains, du plus petit, cercle d'amis ou famille, aux plus grands, nations ou civilisations, ne sont pas seulement l'expression de « forces » sociales résidant, même sous une forme primitive, dans les organismes sub-humains; ils sont une partie de cet univers créé par l'homme qu'on appelle culture.

Les sciences naturelles ont affaire à des êtres physiques dans le temps et l'espace, particules, atomes et molécules, systèmes vivants à divers niveaux, selon les cas. Les sciences sociales ont affaire à des êtres humains situés dans l'univers culturel qu'ils ont créé. L'univers culturel est essentiellement symbolique. Les animaux sont dans un univers *physique* et ils doivent s'y débrouiller : l'environnement physique c'est la proie et le chasseur, prendre ou être pris et tout ce qui s'ensuit. Au contraire, l'homme est entouré par un univers de *symboles*. Du langage, condition sine qua non de la culture, aux relations symboliques avec ses semblables, statuts sociaux, lois, science, art, morales, religion et bien d'autres choses, le comportement humain, excepté pour les besoins biologiques fondamentaux que sont la faim et le sexe, est gouverné par des entités symboliques.

On peut aussi dire que les valeurs de l'homme sont plus que biologiques et qu'elles transcendent la sphère du monde physique. Les valeurs culturelles peuvent très bien être absurdes ou même nuisibles du point du vue biologique : il est difficile de voir que la musique par exemple exprime l'adaptation ou la survivance; les valeurs de la nation et de l'état deviennent scélérates du point de vue biologique quand elles conduisent à la guerre et au meurtre d'innombrables êtres humains.

Une conception de l'histoire par la théorie des systèmes

Au contraire des espèces biologiques qui ont évolué grâce à la transformation génétique, seule l'humanité met en évidence ce phénomène historique intimement lié à la culture, au langage et à la tradition. Le règne de la nature est dominé par des lois que nous révèle progressivement la science. Existe-t-il des lois de l'histoire ? Si on considère les lois comme des relations à l'intérieur d'un modèle conceptuel ou d'une théorie, cette question se ramène à une autre : hormis la description des événements, peut-on faire une *histoire théorique* ? Si cela est possible, il doit s'agir d'une recherche de *systèmes*, d'unités convenables d'étude des groupes humains, sociétés, cultures, civilisations ou de tout autre objet de recherche approprié.

Les historiens ont la ferme conviction qu'il n'en est pas ainsi. La science est essentiellement une démarche *nomothétique*; elle établit des lois fondées sur le fait que les événements se répètent et se suivent. Au contraire, l'histoire ne se répète pas. « Ça ne s'est produit qu'une fois »; l'histoire ne peut donc être qu'*idiographique*, c'est-à-dire qu'elle ne peut que décrire des événements passés, depuis peu ou depuis longtemps.

En face de cette opinion qui est celle de l'orthodoxie historienne, sont apparus les hérétiques qui soutiennent le point de vue contraire et essayent de diverses manières, de construire une histoire théorique dont les lois s'appliqueraient aux processus historiques. C'est le philosophe italien Vico qui a lancé le mouvement au début du XVIIIᵉ siècle; il s'est poursuivi dans les systèmes philosophiques et les recherches de Hegel, Marx, Splengler, Toynbee, Sorokin, Kroeber et autres. Il existe des différences importantes et évidentes entre ces systèmes. Néanmoins, tous admettent que le processus historique n'est pas totalement accidentel mais qu'il suit des lois que l'on peut déterminer.

Comme on l'a déjà dit, l'approche scientifique s'applique indiscutablement à certains *aspects* de la société humaine. C'est le cas des statistiques. Nous pouvons formuler de nombreuses lois statistiques ou tout au moins des règles, pour les entités sociales. La statistique des populations, les statistiques de mortalité, sans lesquelles les compagnies d'assurances courraient à la faillite, les sondages Gallup, les prédictions sur les comportements de vote ou sur la vente d'un produit sont des exemples de l'application des méthodes statistiques à de nombreux phénomènes sociaux.

Qui plus est, il existe des domaines où on accepte en général la possibilité d'un système hypothético-déductif; par exemple, l'économie mathématique ou l'économétrie. On peut contester l'existence d'un système économique exact, mais ces systèmes existent et, comme dans toute science on espère bien les améliorer. En outre, l'économie mathématique, en matière de théorie générale des systèmes, ne traite pas d'êtres physiques. Les problèmes à beaucoup de variables, les différents modèles et les différentes approches en économie fournissent un bon exemple de la construction de modèles et de l'approche générale par les systèmes.

Même pour ces êtres mystérieux que sont les valeurs humaines, des théories scientifiques apparaissent. En fait, la théorie de l'information, la théorie des jeux et la théorie de la décision fournissent des modèles qui traitent des aspects du comportement humain et social, alors que les mathématiques de la science classique ne s'appliquent pas. Des travaux comme : *Fights, Games, Debats* (1960) de Rapoport (¹), *Conflict and Defence* (1962) de Boulding, présentent des analyses détaillées de phénomènes tels que la course aux armements, la guerre et les jeux de la guerre, la compétition économique ou autre, qui sont traitées par ces méthodes nouvelles.

Ce qui est particulièrement intéressant, c'est que ces approches s'intéressent à des aspects du comportement humain que l'on croyait hors du domaine de la science : les valeurs, les décisions raisonnées, l'informa-

---

(¹) Edition française : *Combats, débats et jeux* (Dunod éd., 1967).

tion, etc. Il ne s'agit pas d'approches physicalistes ou réductionnistes. Elles s'appliquent par les lois physiques ou les mathématiques traditionnelles des sciences naturelles. Bien plus, il se produit de nouveaux développements des mathématiques pour faire face à des phénomènes qu'on ne rencontre pas dans le monde de la physique.

De plus, il y a des lois incontestées concernant certains aspects immatériels de la culture. Par exemple, le langage n'est pas un objet physique; il s'agit du produit ou plutôt d'un aspect de cette entité intangible que nous appelons culture humaine. Néanmoins, la linguistique fournit des lois qui permettent de décrire, d'expliquer et de prédire les phénomènes observés. Les lois de Grimm sur les mutations consonantes dans l'histoire des langages germaniques en sont un exemple simple.

Sous une forme assez vague, on accepte en général une certaine légitimité des événements culturels. Par exemple il existe un phénomène qui semble général; l'art passe par un certain nombre d'étapes; archaïsme, maturité, baroque et dissolution, que l'on trouve dans l'évolution artistique en des endroits et en des temps différents.

Ainsi, on peut trouver des règles statistiques et des lois dans les phénomènes sociaux; certains aspects spécifiques peuvent être observés par des approches, des modèles et des techniques récentes se situant hors des sciences naturelles et différant des caractéristiques de celles-ci; en outre nous avons quelques idées sur les lois intrinsèques, spécifiques et organisationnelles des systèmes sociaux. Il n'y a là aucune raison de se disputer.

Ce qui est un sujet de dispute, c'est « l'histoire théorique », les grandes visions et constructions de l'histoire, celles de Vico, Hegel, Marx, Spengler, Toynbee, pour ne citer que les plus connues. Les répétitions en « micro-histoire», c'est-à-dire les événements limités dans l'espace, le temps et les domaines de l'activité humaine, sont vagues, peu étudiées et éloignées de l'exactitude; on ne peut néanmoins discuter leur existence. Les tentatives pour trouver des règles en « macro-histoire » sont rejetées quasiment sans équivoque par l'histoire officielle.

Rejetant le romantisme, la métaphysique et la morale, les « grands systèmes » apparaissent comme des modèles du processus historique; Toynbee le reconnaît d'ailleurs assez tardivement dans le dernier volume de son *Study*. Les modèles conceptuels qui, sous une forme simplifiée et assez compréhensible, essayent de représenter certains aspects de la réalité, sont fondamentaux pour créer une théorie; que ce soit le modèle de Newton en mécanique, le modèle corpusculaire ou ondulatoire en physique atomique, qu'on utilise les modèles simplifiés pour décrire la croissance d'une population ou le modèle des jeux pour les décisions politiques. Les avantages et les dangers des modèles sont bien connus. L'avantage réside dans le fait qu'il s'agit d'un moyen de créer une théorie ; le modèle permet des déductions à partir de prémisses, une explication et des prévisions, et donne souvent des résultats inattendus. Le danger réside dans une trop grande simplification. Pour la maîtriser conceptuellement, il nous faut réduire la réalité à un squelette conceptuel ; la question se pose alors de savoir si nous n'avons pas supprimé des parties vitales de son anatomie. Le danger de trop grande simplification est d'autant plus grand que le phénomène est plus diversifié et complexe. Ceci ne s'applique pas seulement aux « grandes théories » de la culture et de l'histoire, mais aussi à tous les modèles que l'on trouve dans les revues de psychologie et de sociologie.

Evidemment, les grandes théories sont des modèles très imparfaits. Une littérature critique importante montre leurs erreurs positives, leurs interprétations erronées, leurs conclusions faussées, et tout ceci ne nous concerne pas. Néanmoins, même si on accepte ces critiques, il reste beaucoup d'observations.

Il est une chose que les divers systèmes d'« histoire théorique » semblent avoir démontrée, c'est la nature des processus historiques. L'histoire n'est pas un processus dans une humanité amorphe ou chez l'*homo sapiens* considéré comme espèce zoologique. Elle est supportée par des entités ou grands systèmes qu'on appelle cultures, civilisations. Leur nombre est incertain, leurs limites vagues, leurs interactions complexes. Mais que Spengler ait dénombré huit grandes civilisations, Toynbee une vingtaine, que Sorokin utilise d'autres classements ou que les recherches récentes aient mis en évidence tant de cultures disparues, il semble bien qu'il y ait eu un nombre limité d'entités culturelles supportant le processus historique, chacune représentant une sorte de cycle vital, comme c'est certainement le cas de systèmes socio-culturels plus petits comme le travail, l'école, l'art et même les théories scientifiques. Son cours n'est pas, comme l'affirmait Spengler une période de vue prédéterminée d'un millier d'années (pas plus que les organismes individuels n'ont une durée de vie fixée ; ils peuvent mourir plus tôt ou plus tard) ; de plus, le déroulement n'a pas lieu dans une splendide solitude. L'extension de la diffusion culturelle devint impressionnante, quand les archéologues explorèrent la route de l'ambre préhistorique, ou la route de la soie qui datait du commencement de l'ère chrétienne ou même d'avant, ou quand on a trouvé une statuette indienne Lakshmi à Pompéi et des stations commerciales romaines sur les côtes indiennes. Une expansion insoupçonnée par Spengler et même par Toynbee ainsi que de nouveaux problèmes sont apparus ces dernières années. Il est certain que la culture khmère, étrusque ou celte avant l'invasion romaine tiennent une place dans le schéma ; quelle était cette culture mégalithique qui s'étendait au-delà des rives de la Méditerranée, de l'Atlantique et de la Baltique, ou la culture ibérique qui a laissé depuis 500 avant J.-C. un travail aussi étonnant que la *Dame d'Elche* du Prado ? Néanmoins, il existe bien une culture égyptienne, greco-romaine, faustienne, magique, indienne (avec n'importe quelle nomenclature), chacune unique par son « style » (c'est-à-dire l'unité et la totalité de son système symbolique), même si elle absorbe et assimil les traits culturels des autres et interagit avec les systèmes culturels contem porains et antérieurs.

Bien plus, les hauts et les bas de l'histoire (pas exactement des cycles ou des récidives, mais des fluctuations) forment les annales publiques. Comme l'ont dit Kroeber (1957) et Sorokin (1950), il reste, après avoir retiré les erreurs et les idiosyncrasies des philosophes de l'histoire un large champ d'accord ; ce sont les faits bien connus de l'histoire. En d'autres termes, les désaccords entre les théoriciens de l'histoire, et l'histoire officielle, sont moins une question de données que d'interprétation ; ils portent donc sur les modèles appliqués. C'est d'ailleurs ce à quoi on pouvait s'attendre au vu de l'histoire de la science ; car une « révolution » scientifique, l'intro- duction d'un nouveau « paradigme » de la pensée scientifique (Kuhn, 1962), se manifeste en général par une gamme de théories ou de modèles compé- titifs.

Dans une telle discussion, l'influence de la sémantique pure et simple ne devrait pas être sous-estimée. Le sens du concept de culture est lui-même matière à discussion. Kroeber et Kluckhohn (1952) ont rassemblé et discuté quelques 160 définitions sans parvenir à une définitive. En particulier, la conception des anthropologues et celle des historiens diffèrent. Par exemple, les *types de culture* de Ruth Benedict, des habitants du Nouveau Mexique, de Colombie Britannique et d'Australie sont essentiellement éternels ; ces types existent de temps immémorial, et s'ils ont subi des changements mineurs dans le passé, ces derniers se situent hors du champ et des méthodes de l'anthropologie culturelle. Au contraire, la culture ou mieux la civilisation qui préoccupe l'historien est un processus dans le temps ; l'évolution de la culture greco-romaine des états-cité ioniens à l'Empire Romain, de son art plastique depuis la statuaire archaïque à l'hellénisme, de la musique alle- mande de Bach à Strauss, de la science de Copernic à Einstein, etc. Autant qu'on le sache, seul un nombre limité de « grandes cultures » ont eu et fait une histoire, c'est-à-dire ont montré d'importants changements au cours du temps, alors que les centaines de cultures des anthropologues restaient stationnaires au niveau de leur âge de pierre ou de bronze, selon les cas, avant l'impact européen. A cet égard, Spengler a certainement raison avec son concept de culture comme entité dynamique et auto-évolutive, en face des anthropologues pour lesquels une « culture », qu'elle soit celle des aborigènes australiens, de la Grèce, ou du monde occidental, est aussi bonne qu'une autre, toutes appartenant au même courant de l'humanité amorphe avec ses remous accidentels et dus à l'environnement, ses rapides, ses bassins calmes.

Soit-dit en passant, de telles distinctions verbales sont plus que de la scholastique et ont un impact politique. Au Canada, il y a actuellement combat sur le biculturalisme (ou entre deux nations, Anglais et Français, selon une autre version). Qu'entendons-nous par là ? Prenons-nous la culture au sens anthropologique désirant nous battre sur des différences tribales telles qu'elles existent entre les peuplades sauvages d'Afrique ou de Bornéo et engendrer une guerre sans fin, une effusion de sang ? Ou bien prenons-nous pour culture, la *culture* française et la *Kultur* allemande, à savoir des manifestations créatrices qui doivent être sans cesse remises en question, et démontrées différentes entre les canadiens anglais et français ? Il est évident que les opinions politiques et les décisions dépendront largement de la définition, Le concept de nation pour les Etats-Unis est fondé sur la notion « anthropologique » (si ce n'est sur des frontières arbitraires, restes de la période coloniale); le résultat a été moins qu'encourageant.

Un autre problème sémantique se trouve impliqué dans les théories « organiques » de la sociologie et de l'histoire. Spengler assimilait les grandes civilisations à un organisme ayant un cycle de vie formé de la naissance, la croissance, la maturité, la vieillesse et la mort; une armada de critiques a montré ce qui était évident, à savoir que les cultures ne sont pas des organismes comme les animaux ou les plantes, des entités individuelles bornées dans le temps et l'espace. Au contraire, la conception organique est plutôt mieux traitée en sociologie, car son caractère métaphorique y est compris. Une firme industrielle ou une usine sont des « systèmes » et présentent donc des caractéristiques « organiques »; mais la différence entre une « plante » au sens botanique et une « implantation » au sens industriel (1) est trop évidente pour faire problème. Cette discussion n'aurait pas eu de sens en français où on a l'habitude de parler de l'*organisme* pour une institution

---

(1) N.D.T. L'auteur utilise le fait que le mot anglais « plant » signifie à la fois « plante » et « usine » (implantation industrielle).

(par exemple les services postaux), une firme commerciale, ou une association professionnelle; la métaphore est acceptée et n'entraîne aucune dispute.

Au lieu de ne s'occuper que des erreurs des historiens du cycle, erreurs assez naturelles pour une science à l'état embryonnaire, il semblerait plus profitable de voir leurs nombreux points d'accord. Un des points d'accord fait qu'il s'agit plus que d'une question académique. Cette question a, pour ainsi dire, touché un nerf à vif et occasionné pour Toynbee et Spengler, à la fois les acclamations populaires et une réaction émotionnelle assez rare dans un tel débat académique. C'est la thèse exprimée par le titre de Spengler, *The Decline of the West*; elle affirme qu'en dépit ou peut-être à cause de nos réalisations technologiques magnifiques, nous vivons une époque de déclin culturel et de catastrophe imminente.

Le futur vu sous l'aspect de la théorie des systèmes

La domination de l'homme de masse et la suppression de l'individu par une machinerie sociale envahissante; la rupture du système traditionnel de valeurs et son remplacement par des pseudo-religions qui vont du nationalisme au culte du standing, à l'astrologie, à la psychanalyse et au sectarisme californien; le déclin de la créativité artistique, musicale et poétique; la soumission complaisante des masses à l'autoritarisme, celui d'un dictateur ou d'une élite impersonnelle; les combats de titans entre un nombre de plus en plus petit de super-états : voilà certains des symptômes qui se produisent périodiquement de nos jours. « Nous notons un changement psychologique dans les classes de la société qui ont été jusqu'à présent les créateurs de culture. Leur pouvoir et leur énergie créateurs s'estompent; l'homme devient las, n'éprouve plus d'intérêt à créer, retire à la création sa valeur; c'est le désenchantement; l'effort n'est plus un effort vers un idéal créatif au bénéfice de l'humanité, leurs esprits sont préoccupés soit d'intérêts matériels, soit d'idéaux disconnectés de la vie sur terre et réalisés ailleurs ». Ce n'est pas l'éditorial du journal d'hier mais la description du déclin de l'Empire Romain par son spécialiste bien connu, Rostovtzeff.

Cependant, face à ces symptômes catalogués (et à tous les autres) par les prophètes de la ruine, il existe deux facteurs par lesquels notre civilisation est de toute évidence unique en comparaison de celles que le passé a vu périr. Le *développement technologique* permet un contrôle de la nature jamais atteint auparavant qui ouvrira des voies pour alléger la faim, le besoin, la surpopulation, etc., maux auxquels l'humanité était autrefois exposée. Le second facteur est *la nature globale* de notre civilisation. Les précédentes avaient des limites géographiques et ne comprenaient que des nombres limités d'êtres humains. Notre civilisation englobe toute la planète et se lance même vers la conquête de l'espace. Notre civilisation technologique n'est pas le privilège de petits groupes comme les citoyens d'Athènes ou de l'Empire Romain, des Allemands ou des français ou des européens blancs. Elle s'ouvre à tous les êtres humains quelle que soit leur couleur, leur race ou leur foi.

Il s'agit bien sûr de particularités qui font exploser le schéma cyclique de l'histoire et qui semblent placer notre civilisation à un niveau différent de celles qui l'ont précédées. Essayons de faire une tentative de synthèse.

Je crois que le « déclin de l'ouest » n'est pas une hypothèse ou une prophétie, mais un fait accompli. Ce développement culturel splendide qui a commencé en Europe aux environs de l'an 1000 et qui a produit les cathédrales gothiques, l'art de la Renaissance, Shakespeare et Gœthe, l'architecture précise de la physique newtonienne et toute la gloire de la culture européenne, tout cet énorme cycle de l'histoire est accompli et ne peut être restauré par des moyens artificiels.

Il nous faut compter avec l'inflexible réalité de la civilisation de masse, technologique, internationale, qui englobe toute la terre et toute l'humanité, dans laquelle les valeurs culturelles et la créativité d'autrefois sont remplacées par de nouveaux emblèmes. Les luttes actuelles pour le pouvoir peuvent, dans la phase explosive que nous connaissons, conduire à la dévastation atomique universelle. Sinon, il est probable que les différences entre l'Est et l'Ouest deviendront, d'une façon ou d'une autre, insignifiantes, car la similitude des cultures matérielles se montrera plus forte au cours du temps que les différences idéologiques.

CHAPITRE 9

LA THÉORIE GÉNÉRALE DES SYSTÈMES APPLIQUÉE A LA PSYCHOLOGIE ET A LA PSYCHIATRIE

La psychologie moderne était dans une impasse

Ces dernières années, le concept de « système » a vu son influence croître en psychologie et en psychopathologie. Nombreuses sont les recherches qui se réfèrent à la théorie générale des systèmes ou simplement à une de ses parties (par exemple, F. Allport, 1955; G.W. Allport, 1960; Anderson, 1957; Arieti, 1962; Brunswik, 1956; Bühler, 1959; Krech, 1950; Lennard & Bernstein, 1960; Menninger et autres, 1958; Miller, 1955; Pumpian-Mindlin, 1959; Syz, 1963). Gordon W. Allport réédita son livre bien connu (1961) en le terminant par un chapitre intitulé : « la personnalité en tant que système »; Karl Menninger (1963) fonda son système de psychiatrie sur la théorie générale des systèmes et la biologie organique; Rapaport (1960) parla même de la « popularité épidémique surgie en psychologie pour les systèmes ouverts » (p. 144). Pourquoi une telle tendance a-t-elle vu le jour ?

La psychologie américaine de la première moitié du XXᵉ siècle était dominée par le concept d'organisme réactif, ou plus dramatiquement par le modèle de l'homme-robot. Toutes les grandes écoles américaines de psychologie admettaient cette conception, qu'il s'agisse du behaviorisme et du néo-behaviorisme, des théories de la formation et de la motivation, de la psychanalyse, de la cybernétique, du cerveau-ordinateur, etc. Selon un théoricien de la personnalité connu :

« L'homme est un ordinateur, un animal ou un enfant. Sa destinée est totalement déterminée par les gènes, les instincts, les accidents, les conditionnements précoces et tardifs, les forces culturelles et sociales. L'amour est un mouvement secondaire fondé sur la faim et les sensations orales ou une réaction à une haine sous-jacente innée. Dans la majorité de nos formulations personnologiques, il n'y a pas de créativité, aucune marge de liberté n'est admise en ce qui concerne les décisions volontaires, aucune reconnaissance convenable du pouvoir des idéaux, aucune place pour les actions désintéressées, aucune place enfin pour l'espoir que la race humaine puisse se sauver de la fatalité qui lui fait face. Si nous, les psychologues, étions tout le temps, consciemment ou non, en train d'essayer par méchanceté de réduire le concept de nature humaine à son plus petit dénominateur commun, et si nous nous réjouissions de notre succès, alors il nous faudrait admettre que jusqu'à un certain point, l'esprit de Satan vit en nous » (Murray, 1962, p. 36-54).

Les dogmes de la psychologie du robot ont été largement critiqués; pour être au courant, le lecteur pourra consulter les études assez équilibrées de Allport (1955, 1957, 1961) et l'aperçu historique récent de Matson (1964) qui est à la fois très bien écrit et très bien documenté. Cette théorie est néanmoins restée dominante pour des raisons manifestes. Le concept de l'homme-robot était à la fois l'expression de la société de masse industrielle et une force motrice puissante de cette dernière. C'était le fondement des techniques du comportement dans le domaine commercial, économique, politique, pour la publicité et la propagande; l'économie en expansion de la « société d'opulence » n'aurait pu subsister dans de telles manipulations. Ce n'est qu'en transformant les humains en rats de Skinner, en robots, en automates-acheteurs, en êtres conformes bien ajustés homéostatiquement et en opportunistes (ou grossièrement, en idiots et en zombies) que cette grande société peut poursuivre son progrès vers un produit national brut croissant. Le fait est (Henry, 1963) que les principes de la psychologie académique s'identifiaient à ceux de la « conception pécuniaire de l'homme » (p. 45 et suivantes).

La société moderne présente un grand nombre d'expériences de psychologie manipulatrice. Si les principes en sont corrects, les conditions de tension et de désordre devraient conduire à un désordre mental accru. D'un autre côté, la santé mentale devrait être améliorée quand sont satisfaits les besoins fondamentaux, nourriture, abri, sécurité personnelle, etc.; quand est évitée la répression des instincts infantiles par l'entraînement éducatif des fonctions corporelles; quand sont réduites les exigences scolaires afin de ne pas surcharger un esprit frêle; quand le plaisir sexuel est obtenu jeune, etc.

L'expérience behavioriste a mené à des résultats contraires à ceux qu'on attendait. La seconde guerre mondiale, période où les tensions physiologiques et psychologiques furent extrêmes, n'a pas amené un accroissement des désordres névrotiques (Opler, 1956), et psychiques (Llavero, 1957), mis à part les effets directs du choc comme les névroses du combat. Au contraire, la société d'opulence a produit un nombre sans précédent de malades mentaux. C'est précisément alors qu'étaient réduites les tensions et assouvis les besoins biologiques, que sont apparues de nouvelles formes de désordre mental comme la névrose existentielle, l'ennui méchant et la névrose de la retraite (Alexander, 1960), c'est-à-dire des formes de disfonction mentale issues non pas de mouvements refoulés, de besoins inassouvis ou de tensions, mais du manque de sens de la vie. On soupçonne (Arieti, 1959, p. 474; von Bertalanffy, 1960 *a*) (bien que rien ne soit établi du point de vue statistique) que l'accroissement récent des schizophrénies peut être causé par « la dispersion » ([1]) de l'homme dans la société moderne. Il ne fait aucun doute, que dans le domaine des désordres caractériels, un nouveau type de délinquance juvénile a fait son apparition : le crime ni par désir, ni par passion, mais pour le plaisir de le faire, par « besoin de tuer », issu du vide de la vie (anonyme, *crime et criminels*, 1963; Hacker, 1955).

Ainsi, la psychologie théorique (aussi bien qu'appliquée) était mal à l'aise face aux principes fondamentaux. Cet inconfort et la tendance vers une nouvelle orientation furent exprimés de bien des manières comme par exemple par les diverses écoles néo-freudiennes, la psychologie du moi, les théories de la personnalité (Murray, Allport), l'acception tardive de la psychologie européenne du développement et de l'enfant (Piaget, Werner, Charlotte Bühler), le « new-look » en perception, l'auto-réalisation (Goldstein, Maslow), la thérapie centrée sur le client (Rogers), les approches phénoménologiques et existentielles, les conceptions sociologiques de l'homme (Sorokin, 1963), et bien d'autres. Dans la diversité des courants modernes, on trouve un principe commun : prendre l'homme non pas comme un automate réactif ou un robot, mais comme un *système à personnalité active*.

C'est ainsi qu'apparaît la raison de cet intérêt courant pour la théorie générale des systèmes; on espère qu'elle pourra contribuer à trouver une ossature conceptuelle adéquate à la psychologie normale et pathologique.

([1]) *Other-directedness* en anglais.

Les concepts de système en psychopathologie

La théorie générale des systèmes prend ses racines dans la conception organique de la biologie. Sur le continent européen, ceci a été développé par votre serviteur (1928 *a*) aux alentours des années 20, et parallèlement dans les pays anglo-saxons (Whitehead, Woodger, Goghill et autres), dans la théorie de la psychologie de la forme (W. Köhler). Il est intéressant de noter que Eugen Bleuler (1931) a suivi avec sympathie les développements dans cette première phase. Il en allait de même en psychiatrie avec Goldstein (1939).

Organisme et personnalité

Au contraire des forces physiques comme la gravitation ou l'électricité, on ne trouve les phénomènes de la vie que dans des entités individuelles appelées organismes. Un organisme est un système c'est-à-dire un ordre dynamique de parties et de processus en interaction mutuelle (Bertalanffy, 1949 *a*, p. 11). De même on ne trouve de phénomènes psychologiques que chez des entités individualisées appelées chez l'homme personnalités. « Quoique puisse être la personnalité, elle a les propriétés d'un système » (G. Allport, 1961, p. 109).

La conception « molaire » de l'organisme psychophysique comme système s'oppose à sa conception comme simple agrégat d'unités « moléculaires » telles que les réflexes, les sensations, les centres nerveux, les mouvements, les réponses renforcées, les traits, les facteurs, etc. La psychopathologie présente clairement les disfonctions mentales comme dérèglement d'un système plutôt que comme perte de fonctions précises. Même dans le cas de traumatismes localisés (par exemple, des lésions corticales), l'effet qui s'ensuit est une altération de tout le système actif, en particulier en ce qui concerne les fonctions les plus poussées, et par là les plus exigeantes. Inversement, le système possède des capacités régulatrices considérables (Bethe, 1931 ; Goldstein, 1959 ; Lashley, 1929).

L'Organisme actif

« Même sans stimulus externe, l'organisme n'est pas un système passif mais un système intrinsèquement actif. La théorie du réflexe présupposait que l'élément premier du comportement était la réponse à des stimulus externes. Au contraire les recherches récentes montrent, avec une clarté de plus en plus grande, que l'activité autonome du système nerveux, qui réside dans le système lui-même, doit être considérée comme première. Au cours de l'évolution et du développement, des mécanismes réactifs apparaissent, surimposés aux activités rythmiques motrices primitives. Le stimulus (un changement des conditions extérieures) ne *cause* pas un processus dans un système par ailleurs inerte; il ne fait que *modifier* les processus dans un système actif autonome» (Bertalanffy, 1937, p. 133 et suivantes, 1960). L'organisme vivant maintient un déséquilibre appelé l'état stable d'un système ouvert et se trouve ainsi capable de distribuer des potentiels existants ou « tensions », grâce à une activité spontanée ou en réponse à une émission de stimulus; il avance en outre vers plus d'ordre et d'organisation. Le modèle du robot considère la réponse à des stimulus, la réduction des tensions, le rétablissement de l'équilibre détruit par des facteurs extérieurs, l'adaptation à l'environnement et tout ce qui y ressemble, comme le schéma fondamental et universel du comportement. Le modèle du robot ne couvre cependant qu'une partie du comportement animal et ne couvre qu'une faible partie du comportement humain. Pour pénétrer dans l'activité immanente première de l'organisme psychophysique une réorientation fondamentale est nécessaire qui peut s'appuyer sur n'importe quelle quantité de preuves biologiques, neurophysiologiques, behavioristes, psychologiques et psychiatriques.

L'activité autonome est la forme primitive du comportement (von Bertalanffy, 1949 *a*; Carmichael, 1954; Herrick, 1956; von Holst, 1937; H. Werner, 1957 *a*); on la trouve dans la fonction cérébrale (Hebb, 1949) et dans les processus psychologiques. La découverte de systèmes activeurs dans la chaîne cérébrale (Berlyne, 1960; Hebb, 1955; Magoun, 1958) a mis ce fait en évidence ces dernières années. Le comportement naturel comprend un grand nombre d'activités au-delà du schéma S-R, depuis l'exploration, le jeu et les rites chez les animaux (Schiller, 1957) aux activités économiques, intellectuelles, esthétiques, religieuses, et à la poursuite de l'auto-réalisation et de la créativité chez l'homme. Même le rat semble « se pencher » sur les problèmes (Hebb, 1955) et dans de nombreuses activités qui ne peuvent être réduites à des mouvements primaires ou secondaires, l'enfant et l'adulte en bonne santé vont bien au-delà d'une simple réduction de tensions ou d'un assouvissement de besoins (G. Allport, 1961, p. 90). Un tel comportement a lieu pour lui-même, tirant sa récompense (« fonction plaisir » selon K. Bühler) de l'acte lui-même.

C'est pour des raisons semblables que la relaxation totale des tensions comme par exemple dans les expériences de privation sensorielle, n'est pas un état idéal, mais peut amener une angoisse intolérable, des hallucinations et d'autres symptômes psychotiques. La psychose des prisonniers ou l'exacerbation des symptômes dans la pièce fermée, les névroses de la retraite et du week-end sont des conditions cliniques liées qui attestent que l'organisme psychophysique a besoin, pour bien se porter, d'une certaine quantité de tensions et d'activités.

L'altération de la spontanéité est un symbole d'affection mentale. Le patient *devient* de plus en plus un automate ou une machine S-R ; il se trouve poussé par des mouvements biologiques, obsédé par des besoins de nourriture, d'élimination, d'assouvissement sexuel, ainsi de suite. Le modèle de l'organisme passif décrit assez bien le comportement stéréotype des impulsifs, de ceux qui ont des lésions cervicales, du déclin de l'activité autonome dans la catatonie et les psychopathologies qui y sont liées. Le même signe montre en même temps que le comportement normal est différent.

HOMÉOSTASE

Beaucoup d'ajustements psychophysiologiques suivent les principes hémoéostatiques. Il existe cependant des limites apparentes (*cf.* p. 164 et suiv.). En général le schéma homéostatique ne s'applique pas : 1º aux ajustements dynamiques, à savoir les ajustements qui ne sont pas fondés sur des mécanismes fixes mais qui se placent dans un organisme fonctionnant comme un tout (par exemple, les processus régulatifs qui suivent une lésion cervicale) ; 2º aux activités spontanées ; 3º aux processus qui n'ont pas pour but de réduire les tensions, mais de les accroître ; 4º enfin, aux processus de croissance, de développement, de création, etc. Il nous faut aussi dire que l'homéostase est un principe explicatif inapproprié pour les activités humaines qui sont non utilitaires, c'est-à-dire, qui ne servent pas les besoins premiers de conservation et de survivance et leurs effets secondaires ; or c'est le cas de nombreuses manifestations culturelles. L'évolution de la sculpture grecque, de la peinture de la Renaissance ou de la musique allemande n'a rien à voir avec l'ajustement ou la survivance, car sa valeur est symbolique plutôt que biologique (Bertalanffy, 1959 ; 1964 *c*) (voir plus loin). En outre la nature vivante n'est en aucune façon simplement utilitaire (von Bertalanffy, 1949 *a*, p. 106 et suiv.).

Le principe d'homéostase a été quelquefois gonflé au point d'en devenir stupide. La mort des martyrs sur le bûcher est expliquée (Freeman, 1948) par un « déplacement anormal » de leur processus interne en sorte que la mort se trouve être plus « homéostatique » que la vie (p. 142 et suiv.) ; l'alpiniste risque sa vie parce que « la perte d'un statut social de valeurs serait plus bouleversante » (Stagner, 1951). De tels exemples montrent à quelles extrémités vont certains auteurs pour sauver un schéma qui est enraciné dans la philosophie économico-commerciale et qui considère comme valeurs ultimes le conformisme et l'opportunisme. Il ne faudrait pas oublier que Cannon (1932), le physiologue et le penseur éminent qu'il était, est exempt de telles déformations; il avait mis explicitement en évidence les « accessoires hors de prix » situés au-delà de l'homéostase (p. 323) (*cf.* Frankl, 1959 *b*; Toch et Hastorf, 1955).

Le modèle de l'homéostase peut s'appliquer en psychopathologie parce qu'en règle générale, les fonctions qui ne sont pas homéostatiques déclinent chez les malades mentaux. Ainsi Karl Menninger (1963) a pu décrire les progrès de l'altération mentale comme une série de mécanismes de défense qui s'établissent à des niveaux homéostatiques plus bas, jusqu'à ce que disparaisse la plus simple conservation de vie physiologique. Le concept de régression téléologique progressive dans la schizophrénie de Arieti (1959), est semblable.

Différenciation

« La différenciation est le passage d'une condition générale et homogène à une condition plus spéciale et hétérogène » (Conklin d'après Cowdry, 1955, p. 12). « Où que se produise un développement, il procède depuis un état de relative globalité et de manque de différenciation, vers un état de différenciation, d'articulation et d'ordre hiérarchique croissants » (H. Werner, 1957 *b*).

Le principe de différenciation se rencontre partout, en biologie, évolution et développement du système nerveux, comportement, psychologie et culture. Nous devons à Werner (1957 *a*) le point de vue que les fonctions mentales progressent en général à partir d'un état synchrétique où les perceptions, les motivations, les sentiments, les images, les symboles, les concepts, etc., forment une unité amorphe, vers une distinction toujours plus nette de ces fonctions. Dans le cas de la perception l'état primitif semble être celui de synesthésie (dont il reste des traces chez l'humain adulte, et qui peut réapparaître chez le schizophrène, et par des expériences de mescaline et de LSD) hors duquel les expériences visuelles, auditives, tactiles, chimiques se trouvent séparées (1). Il y a dans le comportement animal, et dans une bonne part du comportement humain une unité perception-

---

(1) *Cf.* récemment J.J. Gibson, the senses considered as perceptual systems (Boston Houghton Mifflin, 1966); le modèle de l'hologramme nerveux dans la physiologie du cerveau (K.H. Pribram, « Four R's of remenbering » dans *the neurophysiological and biochemical bases of learning*, Cambridge, Harvard University Press), etc...

émotion-motivation; les objets perçus sans courants émotionnels et motiva-tionnels sont l'achèvement tardif de l'homme civilisé dans sa maturité. Les origines du langage sont obscures; aussi loin qu'on puisse s'en faire une idée, il semble que le langage et la pensée « holophrastique » (W. Humboldt, *cf.* Werner, 1957 *a*), c'est-à-dire les paroles et les pensées ayant une large aura d'associations, ont précédé la séparation des pensées et le langage articulé. De même les catégories de la vie mentale développées comme la perception du « moi », des objets, de l'espace, du temps, du nombre, de la causalité, etc., ont évolué à partir d'un continuum perception-conception-motivation, représenté par la perception « paléologique » des enfants, des primitifs et des schizophrènes (Arieti, 1959; Piaget, 1959; Werner, 1957 *a*). Le mythe fut ce chaos prolifique à partir duquel le langage, la magie, l'art, la science, la médecine, les mœurs, les morales et les religions se différen-cièrent (Cassirer, 1953-57).

Ainsi « *moi* » et « *le monde* », « *esprit* » et « *matière* », ou « *res cogitans* » et « *res extensa* » de Descartes ne sont-ils pas de simples données, des anti-thèses primordiales. Il s'agit de l'aboutissement final d'un long processus dans l'évolution biologique, dans le développement mental de l'enfant et dans l'histoire culturelle et linguistique dans lequel celui qui perçoit n'est pas seulement une récepteur de stimulus où il *crée* son monde, au vrai sens du terme (par exemple, Bruner, 1958; Cantril, 1962; Geertz, 1962; Matson, 1964, p. 181 et suiv.). L'idée peut être racontée de différentes manières (par exemple, G. Allport, 1961, p. 110-138; von Bertalanffy, 1964 *a* et 1965; Cassirer, 1953-1957; Freud, 1920; Merloo, 1956; p. 196-199; Piaget, 1959; Werner, 1957 *a*), mais tout le monde s'accorde à penser que la différenciation surgit d'un « absolu indifférencié de moi et d'environnement » (Berlyne, 1957) et que l'expérience animiste de l'enfant et du primitif (qui existe toujours dans la philosophie d'Aristote), la perspective « physiogno-monique » (Werner, 1957 *a*), l'expérience du « nous » et du « tu » (encore plus forte dans la pensée orientale que dans la pensée occidentale, Koestler, 1960), l'empathie, etc., ont été des étapes sur le chemin qui a fait découvrir à la physique de la Renaissance, la « nature inanimée ». « Les Objets » et le « Moi » surgissent de la lente accumulation d'un grand nombre de facteurs de dynamique formelle, de processus de formation et de déterminants sociaux, culturels et linguistiques; la distinction complète entre les « objets publics » et le « moi privé » n'était certainement pas atteinte avant que l'on nomme et avant le langage, qui sont des processus au niveau symbolique; cette distinction suppose peut-être d'ailleurs un langage de type indo-germanique (Whorf, 1956).

En psychopathologie et chez les schizophrènes tous ces états primitifs peuvent réapparaître par régression et dans des manifestations bizarres; bizarres, parce qu'il s'agit de combinaisons arbitraires d'éléments archaïques entre eux et avec des processus de pensée plus compliqués. D'un autre côté, l'expérience de l'enfant, sauvage et non occidental, bien que primitive, forme un univers organisé. Ceci nous amène au second groupe de concepts à considérer.

CENTRALISATION ET CONCEPTS LIÉS

« Les organismes ne *sont* pas des machines; mais dans une certaine mesure ils peuvent *devenir* des machines, se figer en machines. Cependant ce n'est jamais total; en effet, un organisme totalement mécanisé serait incapable de réagir aux conditions sans cesse changeantes du monde extérieur » (von Bertalanffy, 1949 *a*, p. 17 et suiv.). Le *principe de mécanisation progressive* exprime le passage d'un tout indifférencié à une plus haute fonction, rendu possible par la spécialisation et la « division du travail »; ce principe implique en outre une perte de potentialité des composants et de régulabilité pour l'ensemble.

La mécanisation conduit fréquemment à la mise en place de *parties dominantes*, c'est-à-dire de composants qui dominent le comportement du système. De tels centres peuvent exercer une « causalité de détente »; c'est-à-dire que par opposition au principe, causa æquat effectum, une petite variation dans une partie dominante pourra causer, grâce à des *mécanismes amplificateurs*, une grande variation du système total. C'est en ce sens qu'un *ordre hiérarchique* des parties ou des processus pourra s'établir (*cf.* chapitre 3). Ces concepts ne nécessitent guère de commentaires excepté pour le point qui est développé ici.

Dans le cerveau aussi bien que dans la fonction mentale, la centralisation et l'ordre hiérarchique sont obtenus par stratification (A. Gilbert, 1957; Leisch, 1960; Luthe, 1957; Rothacker, 1947), c'est-à-dire par superposition de « couches » plus élevées qui jouent le rôle de parties dominantes. Ce rapide exposé ne peut s'occuper des points particuliers et des points discutés. Cependant, on s'accordera à penser qu'on peut distinguer, en simplifiant grossièrement, trois couches principales, trois degrés d'évolution. Dans le cerveau, il s'agit: 1º du paléencéphale chez les vertébrés les plus bas; 2º du néencéphale (cortex) chez les reptiles et jusque chez les mammifères, et 3º de certains centres « élevés », en particulier la région de Broca, région motrice de la parole, et les grandes zones d'association qui ne se trouvent que chez l'homme. Concurremment, il y a un changement antérieur des centres de contrôle; par exemple, dans l'appareil de vision depuis les colliculi optici du mésencéphale (vertébré assez bas), au corpora geniculata lateralia du diencéphale (mammifères), à la regio calcarina du télencéphale (homme) [1]. Parallèlement, il y a la stratification du système mental que l'on peut grossièrement décrire comme isolant les domaines des instincts, des mouvements, des émotions, la « personnalité profonde » première; la perception et l'acte volontaire; les activités symboliques, caractéristiques de l'homme. Aucune des formulations appropriées (par exemple, l'id, l'ego et le superego de Freud, celles des théoriciens allemands de la stratification) n'est à l'abri de la critique. L'idée neurophysiologique qu'une petite partie des processus cérébraux est « consciente » est totalement inconnue. L'inconscient freudien, ou id, ne comprend que des aspects limités; déjà les auteurs préfreudiens avaient fourni une étude plus compréhensible des fonctions inconscientes (Whyte, 1960). Bien que ces problèmes nécessitent des éclaircissements, les auteurs anglo-saxons se trompent quand ils repoussent la stratification comme « philosophique » (Eysenck, 1957) ou quand ils affirment avec insistance qu'il n'existe pas de différence fondamentale entre le comportement du rat et celui de l'homme (Skinner, 1963). Une telle attitude revient simplement à ignorer les faits zoologiques élémentaires. En outre la stratification est indispensable à la compréhension des pertubations psychiatriques.

RÉGRESSION

La psychose est quelquefois décrite comme une « régression à des formes de comportement plus anciennes et plus infantiles ». Ceci est incorrect; déjà E. Bleuler faisait remarquer que l'enfant n'était pas un petit schizophrène mais un être fonctionnant normalement, bien que primitif. « Le schizophrène régressera vers un niveau inférieur, mais sans s'y intégrer; il restera désorganisé » (Arieti, 1959, p. 475). La régression est essentiellement une désintégration de la personnalité; *dé-différenciation* et *décentralisation*. La dé-différenciation ne signifie pas qu'il y a perte des fonctions méristiques mais réapparition d'états primitifs (syncrétisme, synesthésie, pensée paléologique, etc.). La décentralisation est, à la limite, une dysencéphalisation fonctionnelle chez le schizophrène (Arieti, 1955). Le fractionnement de la personnalité, selon E. Bleuler, de façon plus bénigne, les complexes névrotiques (êtres psychologiques qui se mettent à dominer), la perturbation de la

---

[1] *Cf.* récemment A. Koestler, *The Ghost in the Machine* (London, Hutchinson, 1967).

fonction du moi, le moi dilué, etc., montrent de façon semblable une perte de l'organisation mentale hiérarchique.

LIMITES

Tout système, comme entité pouvant être étudiée en soi, doit avoir des limites, soit spatiales, soit dynamiques. A strictement parler, les limites spatiales n'existent que dans l'observation naïve; toutes les limites sont en dernier ressort dynamiques. On ne peut tracer exactement les limites d'un atome (avec les valences qui dépassent, pourrait-on dire, pour attirer les autres atomes), d'une pierre (un agrégat de molécules et d'atomes essentiellement constitué de vide dans lequel se trouvent des particules à des distances planétaires), ou d'un organisme (qui échange sans cesse de la matière avec ce qui l'entoure).

En psychologie, la frontière du moi est à la fois fondamentale et précaire. Comme nous l'avons déjà noté, elle s'établit lentement dans l'évolution et le développement et ne se fixe jamais totalement. Elle tire son origine de l'expérience proprioceptive et de l'image du corps, mais l'identité personnelle n'est pas totalement établie avant que ne soient nommés « je », « tu » et « il ». La psychopathologie présente ce paradoxe que la frontière du moi est à la fois trop fluide et trop rigide. La perception syncrétique, sens de l'âme, les illusions et les hallucinations, etc., créent l'insécurité de la limite du moi; mais à l'intérieur de l'univers qu'il se crée, le schizophrène vit « dans une coquille », un peu de la même façon que les animaux vivent dans la « bulle de savon » de leur monde borné sur le plan de l'organisation (Schiller, 1957). Au contraire du « milieu » limité de l'animal, l'homme est « ouvert au monde » ou possède un « univers »; c'est-à-dire que son monde transcende largement l'esclavage biologique et même les limites de ses sens. Pour lui, l'« encapsulation » (Royce, 1964), du spécialiste au névrosé, et à la limite, au schizophrène, est quelquefois une limitation pathogène de ses potentialités. Celles-ci sont fondées sur les fonctions symboliques de l'homme.

ACTIVITÉS SYMBOLIQUES

« Hormis pour la satisfaction immédiate de ses besoins biologiques, l'homme vit dans un monde de symboles et non d'objets » (von Bertalanffy, 1956 *a*). Nous pouvons aussi dire que les divers univers symboliques, matériels et non matériels, qui distinguent les cultures humaines des sociétés animales, sont une partie, la plus importante, du système behavioral de l'homme. On peut se demander à juste titre si l'homme est un animal rationnel; une chose est sûre : il est tout le temps un être créant des symboles et dominé par les symboles.

Le symbolisme est reconnu comme le critère unique de l'homme par les biologistes (von Bertalanffy, 1956 *a*; Herrick, 1956) par les physiologistes de l'école Pavlovienne (« système des signaux secondaires ») (Luria, 1961), par les psychiatres (Appleby, Scher & Cummings, 1960; Arieti, 1959; Goldstein, 1959), et par les philosophes (Cassirer, 1953-1957; Langer, 1942). On ne le trouve pas, même dans les principaux textes sur la psychologie, par suite de la philosophie dominante du robot. Mais c'est précisément à cause de ces fonctions symboliques que « les mobiles des animaux ne peuvent fournir un bon modèle des mobiles de l'homme » (G. Allport, 1961, p. 221), et que la personnalité humaine n'est pas achevée à l'âge de trois ans, comme le supposait la théorie de l'instinct de Freud.

Nous ne discuterons pas ici de la définition des activités symboliques; j'ai tenté de le faire par ailleurs (von Bertalanffy, 1956 *a* et 1965). Il suffit de dire que toutes les notions utilisées pour caractériser le comportement humain, sont probablement des conséquences ou des aspects différents de l'activité symbolique. Culture ou civilisation; action créatrice au lieu de perception passive (Murray, G.W. Allport), objectivation des deux choses, l'extérieur et la personne (Thumb, 1943), unité du monde du moi (Nuttin, 1957), couche abstraite contre couche concrète (Goldstein, 1959); avoir un passé et un futur, « fixation du temps », anticipation du futur; intention vraie (Aristote) (*cf.* chapitre 3), intention comme plan conscient (G. Allport, 1961, p. 224); peur de la mort, suicide; désir d'intelligence (Frankl, 1959 *b*), intérêt à s'engager dans une activité culturelle satisfaisante pour soi-même (G. Allport, 1961, p. 224), dévotion idéaliste à une cause (peut-être sans espoir), martyre; espérance plus poussée d'une motivation plus « mûre » (G. Allport, 1961, p. 90); dépassement de soi; autonomie du moi, fonctions conflictuelles libres du moi; agression essentielle (von Bertalanffy, 1958); conscience, surmoi, idéal du moi, valeurs, morales, dissimulation, vérité et mensonge, tout ceci tire ses racines des univers symboliques créatifs; on ne peut donc le réduire à des mouvements biologiques, à des instincts psychana-lytiques, au renforcement des gratifications et à d'autres facteurs biologiques. Ce qui distingue les *valeurs biologiques* des *valeurs spécifiquement humaines*, c'est que les premières concernent le maintien de l'individu et la survivance des espèces; les dernières concernent toujours un univers symbolique (Bertalanffy, 1959 et 1964 *c*).

En conséquence, les perturbations mentales chez l'homme impliquent, en règle générale, une perturbation des fonctions symboliques. Il semble bien que Kubie (1953) ait raison, quand il distingue, comme une « nouvelle hypothèse » sur les névroses, « les processus psychopathologiques qui surgissent, à travers l'impact déformant des expériences très fortes, à un âge précoce », de ceux « qui consistent en une déformation des fonctions symboliques ». Les perturbations schizophréniques se situent aussi essentiellement au niveau symbolique et peuvent prendre diverses formes : perte de la structure associationnelle, rupture des limites du moi, perturbation de la parole et de la pensée, concrétisation des idées, désymbolisation, pensée paléologique, etc. Nous nous référons aux études de Arieti (1959) et Goldstein (1959).

La conclusion (qui n'est pas acceptée par tous, loin s'en faut), est que la maladie mentale est un *phénomène spécifiquement humain*. Les animaux peuvent présenter, du point de vue du comportement (et pour tout ce que nous connaissons par l'expérience empathique) des perturbations de la perception, de l'humeur, ou motrices, des hallucinations, des rêves, des réactions de faute, etc. Ils ne peuvent subir de perturbation des fonctions symboliques qui sont les ingrédients essentiels de la maladie mentale. Chez les animaux, il ne peut y avoir perturbation des idées, hallucinations de grandeur ou de persécution, etc., pour la simple raison qu'ils n'ont pas d'idées dont cela pourrait partir. D'où la « névrose animale » n'est qu'un modèle partiel de l'entité clinique (von Bertalanffy, 1957).

C'est la raison ultime qui explique que le comportement et la psychologie humaine ne puissent être réduits à des notions biologiques comme la restauration de l'homéostase, le conflit de tensions biologiques, l'insuffisance des relations mère-enfant, etc. Une autre conséquence en est la dépendance maladie mentale-culture, à la fois du point de vue symptomatique et épidémiologique. Dire que la psychiatrie a des fondements physico-psycho-sociologiques, c'est décrire le même fait.

Pour la même raison, les efforts de l'homme sont plus qu'une auto-réalisation; ils sont dirigés vers des buts objectifs et vers la réalisation de valeurs (Frankl, 1959 *a*, 1959 *b* et 1960), qui ne signifient rien de plus que des entités symboliques, qui en un sens se détachent de leurs créateurs (von Bertalanffy, 1956 *a*; aussi 1965). Avançons une définition. Il peut y avoir des conflits entre des mouvements biologiques et un système de valeurs symboliques; c'est le cas d'une psycho-névrose. Il peut y avoir conflit entre des univers symboliques ou perte du sens des valeurs et expérience de l'absurdité chez l'individu; c'est dans ces cas que se produisent les névroses existentielles ou « noogéniques ». Des considérations semblables s'appliquent aux « désordres caractériels » comme la délinquance juvénile qui, tout en restant éloignés de leur psychodynamique, sont issus de la rupture ou de l'érosion du système des valeurs. Entre autres choses, la culture est un important facteur psycho-hygiénique (von Bertalanffy, 1959 et 1964 c).

LE SYSTÈME. NOUVELLE CHARPENTE CONCEPTUELLE

Ayant passé en revue l'alphabet des notions théoriques sur les systèmes, nous pouvons dire en résumé qu'elles semblent former une ossature solide pour la psychopathologie.

La maladie mentale est essentiellement une perturbation des fonctions systémiques de l'organisme psychophysique. Pour cette raison, des symptômes isolés ou syndromes ne définissent pas l'être « maladie » (von Bertalanffy, 1960 a). Regardez quelques symptômes classiques de schizophrénie. « Perte de la structure associationnelle » (E. Bleuler) et chaînes d'associations sans retenue; on trouve des exemples semblables dans la poésie et la rhétorique « de bravoure ». Les hallucinations auditives; les « voix » qui ont dit à Jeanne d'Arc de libérer la France. Les sensations pénétrantes; une grande mystique comme Sainte Thérèse a raconté une expérience identique. Les constructions fantastiques du monde; celles de la science dépassant toutes celles des schizophrènes. Il ne s'agit pas ici de jouer sur le thème « du génie et du fou », mais de montrer que ce n'est pas un seul critère mais son intégration qui fait la différence.

Les perturbations psychiatriques se définissent nettement en termes de fonctions systémiques. En référence à *la connaissance*, les mondes de psychosés, décrits de façon impressionnante par les écrivains des écoles phénoménologique et existentialiste (par exemple, May *et autres*, 1968), sont « le produit de leurs cerveaux ». Mais notre monde normal est aussi modelé par des facteurs émotionnels, motivationnels, sociaux, culturels, linguistiques, etc., amalgamés à une perception correcte. Les illusions et les désillusions, les hallucinations, au moins dans les rêves, existent chez l'individu bien portant; les mécanismes d'illusion jouent même un rôle important dans les phénomènes de fidélité, sans lesquels une image consistante du monde serait impossible. Le contraste entre ce qui est normal et la schizophrénie, ce n'est pas le fait que la perception normale est un miroir-plan de la réalité « telle qu'elle est », mais que la schizophrénie a des éléments subjectifs qui deviennent sauvages et qui se désintègrent.

Il en va de même au niveau symbolique. Des notions scientifiques comme celles d'une terre se déplaçant à une vitesse inimaginable à travers l'univers ou comme celle d'un corps solide formé essentiellement d'espace vide où se mêlent de minuscules atomes d'énergie placés à des distances astronomiques, contredisent notre expérience de tous les jours et notre « sens commun » et sont plus fantastiques que les « visions » des schizophrènes. Néanmoins, les notions scientifiques sont « vraies », c'est-à-dire qu'elles rentrent dans un schéma intégré.

Des considérations semblables s'appliquent à *la motivation*. Le concept de spontanéité trace la frontière. La motivation normale implique l'activité autonome, l'intégration du comportement, la souplesse et l'adaptabilité à des situations changeantes, l'utilisation libre de l'anticipation symbolique, de la décision, etc. Ceci met en évidence la hiérarchie des fonctions, et particulièrement la superposition du niveau symbolique au niveau organique. C'est ce qui explique que derrière le principe organique d'« activité sponta-née », le principe « humaniste » de « fonctions symboliques » soit fonda-mental dans les considérations de théorie systémique.

La question de savoir si un individu est sain mentalement ou non se ramène en dernier ressort à savoir s'il a *un univers intégré compatible avec une ossature culturelle donnée* (von Bertalanffy, 1960 *a*). Autant qu'on sache, ce critère comprend tous les phénomènes de psychopathologie comparés à ce qui est normal, et laisse place à une dépendance normes mentales-culture. Ce qui peut être compatible avec une culture peut être pathologique pour une autre, comme l'ont montré les anthropologistes culturels (Benedicts, 1934).

Ce concept a des implications précises en *psychothérapie*. Si l'organisme psychophysique est un système actif, les thérapies rééducatives et complé-mentaires en sont une conséquence évidente; l'évocation de potentialités créatives sera plus importante que l'ajustement passif. Si ces concepts sont corrects, plus importantes que les « fouilles dans le passé » seront la vision des conflits présents, les tentatives de réintégration et d'orientation vers des buts et vers le futur, c'est-à-dire l'anticipation symbolique. Ceci, bien sûr, est une paraphrase des tendances récentes de la psychothérapie qui se fondent sur la « personnalité en tant que système ». Si en définitive beaucoup de névroses sont « existentielles » et résultent de l'absurdité de la vie, alors la « logothérapie » (Frankl, 1959 *b*), c'est-à-dire la thérapie au niveau symbolique, aura un rôle à jouer.

Il apparaît ainsi, que sans tomber dans le piège de la philosophie du « tout ou rien » et d'autres conceptions dépréciatrices, une théorie des systèmes de la personnalité apporte une base saine à la psychose et à la psychopathologie.

Conclusion

La théorie des systèmes appliquée à la psychologie et à la psychiatrie n'est pas le dénouement dramatique d'une nouvelle découverte, et si le lecteur a une impression de *déjà vu* ([1]), nous ne le contredirons pas. Il était dans notre intention de montrer que les concepts des systèmes dans ce domaine ne sont pas pure spéculation, qu'ils ne sont pas une tentative d'enserrer les faits dans le carcan d'une théorie en vogue et qu'ils n'ont rien à voir avec « l'anthropomorphisme mental » que craignent tant les behavioristes. Néanmoins, le concept de système est un renversement radical par rapport aux théories des robots, conduisant à une image de l'homme plus réaliste (et soi-dit en passant, plus digne). En outre, il entraîne des conséquences très poussées pour la vision scientifique du monde à laquelle on ne peut ici que faire allusion :

1º Le concept de système fournit une charpente théorique *neutre sur le plan psychophysique*. Les termes physiques et physiologiques comme les potentiels d'action, la transmission chimique aux synapses, le réseau nerveux, etc., ne s'appliquent pas aux phénomènes mentaux; les notions psychologiques s'appliquent encore moins aux phénomènes physiques. Les termes systémiques et les principes précités s'appliquent aux faits dans n'importe lequel de ces domaines.

2º Le problème corps-esprit ne peut être discuté ici, et l'auteur doit se référer à une autre étude (von Bertalanffy, 1964 *a*). Nous pouvons seulement dire en bref, que le *dualisme cartésien* entre matière et esprit, objets extérieurs et moi intérieur, cerveau et conscience, etc., est incorrect, à la fois à la lumière de l'expérience phénoménologique directe et à celle des recherches modernes dans divers domaines; c'est une conceptualisation issue de la physique du xviiie siècle qui, bien qu'elle prévale encore dans les débats modernes (Kook, 1961; Scher, 1962), est désuète. Dans la vision moderne, la science ne fait pas d'énoncés métaphysiques des problèmes ayant des données matérialistes, idéalistes ou positivistes. C'est une construction conceptuelle que de reproduire des aspects limités de l'expérience dans leur structure formelle. Les théories du comportement et de la psychologie devraient être semblables dans leur structure formelle, isomorphes. Il est possible que les concepts de systèmes soient le tout début d'un tel « langage commun » (comparez Piaget et Bertalanffy dans Ranner et Indelder, 1960).

([1]) En français dans le texte.

Dans un futur éloigné, cela peut conduire à une « théorie unifiée » (White, 1960) d'où pourraient être éventuellement dérivés les aspects matériel et mental, conscient et inconscient.

3° A l'intérieur de l'ossature développée, le problème de la *libre volonté* ou du *déterminisme* reçoit aussi un sens nouveau et précis. C'est un pseudo-problème qui résulte de la confusion de différents niveaux d'expérience, de l'épistémologie et de la métaphysique. Nous *faisons l'expérience* de notre liberté pour la simple raison que la catégorie de causalité ne s'applique pas à l'expérience directe ou immédiate. La causalité est une catégorie utilisée pour ordonner l'expérience objectivée reproduite dans des symboles. Par cette dernière nous essayons d'*expliquer* les phénomènes mentaux et du comportement comme étant causalement déterminés ; nous pouvons le faire avec une approximation croissante en prenant en compte de plus en plus de facteurs de motivation, en affinant les modèles conceptuels, etc. La volonté n'est pas *déterminée*, mais elle est *déterminable*, en particulier en ce qui concerne les aspects et moyens mécaniques du comportement, comme le savent les chercheurs en motivation et les statisticiens. Cependant, la causalité n'est pas une nécessité métaphysique mais un instrument pour ordonner l'expérience et il y a d'autres « perspectives » (chapitre 10) de standing égal ou supérieur.

4° Séparée de la question épistémologique se trouve la question morale et légale de la *responsabilité*. La responsabilité est toujours jugée à l'intérieur d'une ossature symbolique de valeurs, acceptée dans une société dans des circonstances données. Par exemple, les règles de M'Naghten qui excusent le fautif s'il « ne peut distinguer le bien du mal », signifient en réalité que le criminel reste impuni si sa compréhension symbolique est altérée ; d'où son comportement n'est déterminé que par des mouvements « animaux ». Tuer est interdit et puni comme meurtre à l'intérieur de l'ossature symbolique de l'état ordinaire de la société, mais est commandé (le refus de l'ordre est puni), dans l'échelle de valeurs différentes de la guerre.

CHAPITRE 10

LA RELATIVITÉ DES CATÉGORIES

L'hypothèse de Whorf

Parmi tous les développements récents des sciences anthropologiques aucun n'a eu plus d'échos et n'a créé plus de controverses que les idées formulées par feu Benjamin Whorf.

L'hypothèse qu'il propose est la suivante :

« Ce qu'on croit généralement, à savoir que les processus cognitifs de tous les êtres humains possèdent une structure logique commune qui opère antérieurement à la communication par le langage et indépendamment de celle-ci, est erroné. Whorf pense que les types linguistiques déterminent eux-mêmes ce que l'individu perçoit dans le monde et ce qu'il en pense. Du fait que ces types varient beaucoup, les modes de pensée et de perception dans les groupes qui utilisent des systèmes linguistiques différents aboutiront à des visions du monde fondamentalement différentes » (Fearing, 1954).

« Nous nous trouvons alors devant un nouveau principe de relativité; il affirme que tous les obervateurs ne sont pas amenés à la même image de l'univers par la même preuve physique, à moins qu'ils n'aient le même arrière-plan linguistique... Si nous découpons et si nous organisons l'étendue et le cours des événements comme nous le faisons, c'est en grande partie parce que nous sommes face à une convention d'agir ainsi, à travers notre langue maternelle, ce n'est pas à cause d'une classification visible par tous de la nature elle-même » (Whorf, 1952, p. 21).

Par exemple, dans les langages indo-européens, les substantifs, les adjectifs et les verbes sont les unités grammaticales de base; une phrase est la combinaison de ces morceaux. Ce schéma d'une entité continue, dont

on peut isoler les propriétés et le comportement, actif ou passif, est fondamental pour les catégories de la pensée occidentale, depuis les catégories
aristotéliciennes de « susbtance », d'« attribut » et d'« action », jusqu'à
l'antithèse matière-force, masse-énergie, en physique.

Les langages indiens tels que le Nootka (île de Vancouver) ou le Hopi
n'ont pas de parties dans le discours, le sujet et l'attribut ne sont pas séparables. L'événement est considéré comme un tout. Quand nous disons « une
lumière a jeté un éclair » ou « elle a jeté un éclair » (entité hypostatique
incertaine), le Hopi n'utilise qu'un terme « éclair (est survenu) » (1) (¹) (³).

Il serait important d'appliquer les méthodes de la logique mathématique
à de tels langages. La notation logique usuelle peut-elle rendre une affirmation faite en langage Nootka ou Hopi ? Cette notation n'est-elle pas elle-
même une formalisation de la structure des langages indo-européens ?
Il semble que ce sujet important n'ait jamais été fouillé.

Les langages indo-européens mettent en relief le temps. Les échanges
continuels entre le langage et la culture conduisent, selon Whorf, à conserver
des enregistrements, des journaux, des mathématiques stimulées par la
comptabilité; ils conduisent aussi aux calendriers, aux horloges, à la chrono-
logie, au temps tel que l'utilise la physique; à l'attitude historique, à l'intérêt
porté au passé, à l'archéologie, etc. Il est intéressant de faire la comparaison
avec la conception du rôle central du temps dans l'image occidentale du
monde, selon Spengler (*cf.* p. 238 et suiv.), partant d'un point de vue
différent, il arrive à des conclusions identiques.

Cependant, la distinction entre le passé, le présent et le futur, qui pour
nous est évidente, n'existe pas dans le langage Hopi. Il ne fait pas de distinction entre les temps, mais indique la validité d'une affirmation : fait, mémoire, prévision, ou coutume. Le Hopi ne fait pas de différence entre
« il court », « il est en train de courir », « il courut »; tous sont rendus par
Wari, « il se produit une course » (²). Une attente est rendue par *Warinki*
(« il se produit une course je crois bien »), qui recouvre « il courra, il aurait
courru, il courrait, etc. ». S'il s'agit cependant de l'énoncé d'une loi générale,
on applique *Warikngwe* (« il se produit une course, d'une manière caractéristique ») (La Barre, 1954, p. 197 et suiv.). Le Hopi « n'a aucune notion,
aucune intuition du temps comme continuum qui s'écoule uniformément,
dans lequel tout dans l'univers se déroule au même taux venant du futur,

(¹) En anglais « a light flashed », « it flashed », « flash ».
(²) En anglais « running occur ».
(³) Notes en fin de ce chapitre.

traversant le présent, allant vers le passé » (Whorf, 1952, p. 67). A la place
de nos catégories d'espace et de temps, le Hopi distingue plutôt l'« évidence »,
tout ce qui est accessible aux sens, sans distinction entre présent et passé,
et l'« inconnu » qui comprend le futur aussi bien que ce que nous appelons
« le mental ». Le Navaho (*cf.* Kluckhohn & Leighton, 1951) distingue peu
les temps; l'accent porte sur les types d'activité, et distingue ainsi les aspects,
durable, perfectible, utilisable, répétitif, itératif, optatif, semifactif, momen-
tané, progressif, passager, et conatif d'une action. On peut définir les différences en disant que le premier souci de l'anglais (du langage indo-europ-
péen en général) est le temps, du Hopi, la validité, et du Navaho, le type
d'activité (communication personnelle du professeur Kluckhohn).

Whorf s'interroge :

« Comment une physique construite dans ces conditions pourrait-elle
marcher ? Pas de temps *t* dans les équations. Aussi loin que je puisse
voir, elle serait très valable, en tenant compte bien sûr du fait qu'elle
nécessiterait une idéologie différente et peut-être d'autres mathématiques. Bien sûr, *v* (la vitesse), disparaîtrait elle aussi » (1952, p. 7).

Il faut d'ailleurs mentionner qu'une physique sans le temps existe déjà :
c'est la statique grecque (*cf.* p. 238). Pour nous, il s'agit d'un cas particulier
d'un système plus large, la dynamique, quand $t \to \infty$, le temps tend vers
l'infini et s'élimine des équations.

En ce qui concerne l'espace, les langues indo-européennes expriment
beaucoup de relations non-spatiales par des métaphores spatiales; long ou
court pour la durée; lourd, léger, haut ou bas pour l'intensité; approche,
ascension, chute pour la tendance; des expressions latines comme *educo*,
religio, *comprehendo*, références métaphorico-spatiales (il serait probablement plus correct de dire : corporeal. L.V.B.) : conduite, attachement,
prise, etc. (2).

Ceci est faux pour le Hopi où des choses physiques sont nommées par
des métaphores psychologiques. Ainsi on peut montrer que le mot Hopi
qui veut dire « cœur » est une formation récente à partir d'une racine qui
signifie « pensée » ou « souvenir ». Le langage Hopi, comme le montre
Whorf, est capable d'expliquer ou de décrire correctement, dans un sens
pragmatique d'observation, tous les phénomènes observables de l'univers.
Cependant, la métaphysique implicite est entièrement différente; c'est
plutôt une mode de pensée animiste ou vitaliste, proche de l'expérience
mystique d'unité.

Ainsi, Whorf soutient que « l'espace newtonien, le temps et la matière ne sont pas des intuitions. Ils proviennent de la culture et du langage » (1952, p. 40).

« De même qu'il est possible d'avoir nombre de géométries autres que celle d'Euclide qui donnent une relation également parfaite des configurations de l'espace, il est possible d'avoir des descriptions de l'univers, toutes également valables, et qui ne contiennent pas notre contraste familier temps-espace. Le point de vue relativiste de la physique moderne est dans ce cas, conçu en termes mathématiques, de même que le Hopi Weltanschauung, de façon très différente, non mathématique mais linguistique » (Whorf, 1952, p. 67).

La ligne de pensée mécaniste enracinée, qui s'est trouvée en difficulté face aux développements scientifiques modernes est une conséquence de nos catégories et de nos habitudes linguistiques spécifiques; Whorf espère que la plongée dans la diversité des systèmes linguistiques pourra contribuer à réévaluer les concepts scientifiques.

La Barre (1954, p. 301) a brillamment résumé ce point de vue :

« La Substance et l'Attribut aristotéliciens ressemblent de façon remarquable au nom et à l'adjectif attribut indo-européens... De plus, la science moderne pourra bien soulever la question de savoir si les formes de Kant, ou « jumelles » du temps et de l'espace (sans lesquelles nous ne pourrions rien percevoir) ne sont pas d'un côté simplement le temps verbal indo-européen, et de l'autre côté la stéréoscopie humaine, la kinaesthesis et le processus vital, ce qui pourrait s'exprimer plus rapidement grâce à c, constante de la lumière, de la formule d'Einstein. Mais il faut sans cesse se rémémorer que $E = mc^2$ n'est qu'une conception grammaticale de la réalité en termes de catégories morphologiques du discours indo-européen. Un Einstein hopi, chinois ou esquimau pourrait découvrir à travers ses habitudes grammaticales des conceptualisations mathématiques complètement différentes qui permettent de percevoir la réalité. »

Cet article ne vise pas à discuter les problèmes linguistiques énoncés par Whorf, comme cela a été fait de façon exhaustive dans un récent symposium (Hoijer et autres, 1954). Cependant l'auteur pense que ce qu'on appelle l'hypothèse de Whorf n'est pas un résultat isolé obtenu par un individu extravagant. L'hypothèse de Whorf sur la détermination linguistique des catégories de la connaissance prend place, au contraire, dans une révision générale des processus de connaissance. Elle est plongée dans un puissant courant de la pensée moderne, dont les sources se trouvent aussi bien dans la philosophie que dans la biologie; il semble que ces idées n'ont pas l'extension qu'elles méritent.

Le problème général qui est posé peut s'exprimer ainsi : dans quelle mesure les catégories de notre pensée sont-elles modelées par les facteurs biologiques et culturels ? Dans quelle mesure en dépendent-elles ? Il est évident qu'ainsi posé le problème dépasse de loin les frontières de la linguistique et qu'il aborde la question des fondations de la connaissance humaine.

Une telle analyse devra partir de la classique conception absolutiste du monde dont l'expression la plus avancée est le système kantien. Selon les thèses de Kant, il y a ce qu'on appelle les formes de l'intuition, espace et temps, et les catégories de l'esprit, telles que la substance, la causalité, que possède tout être rationnel. En conséquence la science, fondée aussi sur ces catégories, est également universelle. La science physique utilisant ces catégories à priori, c'est-à-dire l'espace euclidien, le temps newtonien et la causalité déterministe stricte, se résume essentiellement en la mécanique classique qui se trouve donc être le système de connaissance absolu et qui s'applique à tous les phénomènes aussi bien qu'à tous les types mentaux d'observateurs.

Il est bien connu que la science moderne a reconnu, il y a longtemps, qu'il n'en était pas ainsi. Nul besoin donc de s'acharner sur ce point. L'espace euclidien n'est qu'un type de géométrie à côté duquel existent des géométries non euclidiennes ayant exactement la même structure logique et le même droit d'exister. La science moderne utilise le type d'espace et de temps le plus commode et le plus approprié pour décrire les événements naturels. Dans le monde courant, l'espace euclidien et le temps newtonien donnent des approximations satisfaisantes. Cependant quand on arrive aux dimensions astronomiques ou au contraire aux événements atomiques, il faut introduire les espaces non-euclidiens ou les espaces à configuration multidimensionnelle de la théorie quantique. En théorie de la relativité, l'espace et le temps se fondent dans l'ensemble de Minkowski où le temps est une coordonnée d'un continuum à quatre dimensions, encore que de caractère un peu particulier. La matière solide, partie essentielle de l'expérience en même temps qu'une des catégories les plus triviales de la physique « naïve » est presque entièrement formée de trous; sa plus grande partie, c'est le vide, où se trouvent seulement entremêlés des centres d'énergie qui, eu égard à leur taille, sont séparés par des distances astronomiques. La masse

et l'énergie, quantifications assez compliquées des simples antithèses caté-
goriques, matière et force, apparaissent comme des expressions d'une réalité
inconnue qui sont interchangeables selon la loi d'Einstein. De même, le
déterminisme strict de la physique classique est remplacé en physique
quantique par l'indéterminisme ou plutôt par la croyance que les lois de
la nature ont essentiellement un caractère statistique. Il reste peu du soi-
disant à priori de Kant et des catégories absolues. Soit-dit en passant, il est
un fait qui montre la relativité des visions du monde; Kant qui, à son
époque est apparu comme le grand destructeur de tout « dogmatisme »,
nous apparaît à nous, comme le modèle de l'absolutisme injustifié et du
dogmatisme.

Une question se pose alors : qu'est-ce qui détermine les catégories de la
connaissance humaine ? Alors que dans le système kantien les catégories
étaient absolues pour tout observateur rationnel, elles semblent maintenant
changer avec l'avance de la connaissance scientifique. C'est en ce sens que la
conception absolutiste d'autrefois et de la physique classique est remplacée
par un relativisme scientifique.

La thèse ici en discussion peut être définie ainsi. Les catégories de la
connaissance, de la connaissance quotidienne aussi bien que de la connaissance scientifique, qui n'est d'ailleurs, en dernier ressort, qu'un raffinement
de la première, dépendent en premier lieu de facteurs biologiques; en second
lieu de facteurs culturels. En troisième lieu, en dépit de l'embrouillement
général de l'humanité, une connaissance absolue, affranchie des limites
humaines, est en un certain sens possible.

Relativité biologique des catégories

La connaissance dépend en premier lieu de l'organisation psychophysique de l'homme. Nous pensons ici en particulier à cette approche
biologique moderne inaugurée par Jacob von Uexküll sous le nom de
Umwelt-Lehre ([1]). Elle se résume essentiellement dans l'affirmation que tout
organisme vivant se coupe une part dans le grand gâteau de la réalité, part
qu'il peut percevoir et devant laquelle il peut réagir en fonction de son
organisation psycho-physique, c'est-à-dire en fonction de ses organes
récepteurs et actifs. von Uexküll et Kriszat (1934) ont présenté des images
fascinantes; comment la même section de la nature peut apparaître, vue par
des animaux différents; on peut les comparer aux dessins aussi amusants de

---

([1]) N.D.T. Que l'on peut traduire par « apprentissage du milieu ».

Whorf qui montrent comment est modelé le monde en fonction des schémas linguistiques. Ici il suffit de citer quelques exemples tirés des études considérables sur le comportement faits par Uexküll.

Prenons par exemple un organisme unicellulaire comme la paramécie. Pratiquement, sa seule manière de répondre est une réaction de fuite (phobotaxie); grâce à celle-ci, elle réagit aux stimulus les plus divers, chimiques, thermiques, tactiles ou lumineux. Cette réaction simple suffit cependant à guider à coup sûr, l'animal vers la région où les conditions sont optimales, alors qu'il ne possède aucun organe sensoriel spécifique. Tout ce qui compose l'environnement de la paracémie, les algues, les autres infusoires, les petits crustacés, les obstacles mécaniques, tout cela est pour elle inexistant. Un seul stimulus est reçu et il provoque la réaction de fuite.

Comme le montre cet exemple, c'est le plan organisationnel et fonctionnel d'un être vivant qui détermine ce qui peut devenir un « stimulus » et une « caractéristique » auxquels l'organisme répondra par une certaine réaction. Pour suivre l'expression de von Uexküll, tout organisme isole, à partir des multiples objets qui l'entourent, un petit nombre de caractéristiques auxquelles il réagit et dont l'ensemble forme son « milieu » (*Umwelt*). Rien d'autre n'existe pour cet organisme. Tout animal est entouré par son milieu spécifique rempli des caractéristiques auxquelles il est sensible, comme par une bulle de savon. Si en reconstruisant le milieu d'un animal nous entrons dans cette bulle de savon, le monde change profondément; de nombreuses caractéristiques s'évanouissent, d'autres surgissent et on se trouve devant un monde totalement nouveau.

Von Uexküll a donné d'innombrables exemples décrivant les milieux ambiants de divers animaux. Prenons par exemple une tique cachée dans les buissons, guettant le passage d'un mammifère pour s'installer sur son épiderme où elle se gorgera de sang. Le signal, c'est l'odeur de l'acide butyrique émise par les glandes dermiques de tous les mammifères. Réagissant au stimulus, elle plonge; si elle tombe sur un corps chaud, et c'est ce que lui indique sa sensibilité thermique, elle est sur une proie, un animal au sang chaud, et elle n'a plus qu'à trouver grâce à son sens tactile, une endroit sans poils où elle pourra percer. Ainsi, le riche environnement de la tique se rétrécit-il pour se transformer en une configuration étriquée dans laquelle trois signaux seulement luisent comme des balises, mais qui suffisent cependant à conduire sûrement l'animal à son but. Autre exemple : certains oursins répondent à un assombrissement en frappant leurs piquants les uns contre les autres. Cette réaction s'applique invariablement qu'il s'agisse du passage d'un nuage ou d'un bateau ou de l'approche de l'ennemi réel, un poisson. Ainsi, bien que l'environnement de l'oursin contienne beaucoup d'objets différents, son milieu ne comprend qu'une caractéristique, c'est-à-dire la baisse de lumière.

Cette contrainte organisationnelle du milieu va beaucoup plus loin que ne le montrent les exemples ci-dessus (von Bertalanffy, 1937). Elle concerne aussi les formes d'intuition que Kant considérait comme à priori et immuables. Le biologiste constate qu'il n'existe pas d'espace et de temps absolus, mais qu'ils dépendent de l'organisation de l'organisme qui perçoit. L'espace euclidien à trois dimensions, où les trois coordonnées sont équivalentes, a toujours été identifié avec l'espace à priori de l'expérience et de la perception. Mais un simple regard montre, de même que des expériences dans ce sens prouvent (von Allesch, 1931 ; von Skramlik, 1934, et autres), que l'espace de la perception visuelle et tactile n'est absolument pas euclidien. Dans l'espace de la perception les coordonnées ne sont absolument pas équivalentes ; il y a une différence fondamentale entre le haut et le bas, la droite et la gauche, l'avant et l'arrière. Déjà l'organisation de notre corps et en dernier ressort le fait que l'organisme est soumis à la gravité rendent inégales les dimensions horizontales et verticales. On le montre aisément par un fait bien connu de tous les photographes. Nous avons tous constaté que selon les lois de la perspective, les parallèles, comme par exemple des rails, se rejoignent au loin. La même perspective exactement, nous apparaîtra cependant fausse si on la regarde dans la dimension verticale. Si une photo est prise avec un appareil incliné, nous obtenons des « lignes convergentes », par exemple les bords d'une maison qui se rapprochent. Du point de vue perspective, ceci est aussi correct que les rails qui convergent ; néanmoins, cette dernière perspective nous apparaît correcte, alors que les bords d'une maison convergent, ceci nous semble faux ; l'explication réside dans le fait que le milieu dans lequel vit l'organisme humain s'étend beaucoup plus horizontalement que verticalement.

On peut trouver une semblable relativité dans le temps ressenti. Von Uexküll a introduit la notion d'« instant » comme plus petite unité de temps perçue. Pour l'homme, l'instant dure 1/18e de seconde ; cela signifie que les impressions plus courtes ne sont pas perçues séparément mais fondues. Il apparaît que la durée de l'instant ne dépend pas des conditions des organes des sens, mais plutôt de celles du système nerveux central ; en effet, elle est la même pour différents organes des sens. Cette fusion papillotante est bien sûr la *raison d'être* (¹) du cinéma ; les images présentées dans une

(¹) N.D.T. En français dans le texte.

séquence, à plus de 18 images-seconde, se fondent en un mouvement continu. La durée de l'instant varie avec les espèces. Il y a des « animaux à film lent » (von Uexküll) qui perçoivent un plus grand nombre d'impressions par seconde que l'homme. Ainsi le poisson qui attaque (*Betta*) ne reconnaît pas son image dans un miroir, si, grâce à un moyen mécanique, elle est présentée 18 fois par seconde. Elle doit être passée à au moins 30 images par seconde ; alors, le poisson attaque son ennemi imaginaire. Ainsi, ces petits animaux très actifs consomment un beaucoup plus grand nombre d'impressions par unité de temps astronomique, que l'homme ; le temps est ralenti. Inversement l'escargot est un « animal à film rapide ». Il rampe sur un bâton que l'on ferait vibrer aux alentours de 4 fois par seconde, c'est-à-dire qu'un bâton qui vibre 4 fois par seconde lui apparaît comme au repos.

Le temps ressenti n'est pas newtonien. Loin de s'écouler uniformément (*æquilibiliter fluit*, comme le dit Newton), il dépend des conditions physiologiques. Ce qu'on appelle la mémoire du temps des animaux et de l'homme semble être déterminé par une « horloge physiologique ». Ainsi, des abeilles peuvent être conditionnées pour venir manger plus tôt ou plus tard si on leur donne des drogues qui accroissent ou réduisent le taux de métabolisme (par exemple von Stein-Beling, 1935 ; Kalmus, 1934 ; Wahl, 1932 ; et autres).

Le temps que nous ressentons semble s'envoler quand il est rempli d'impressions ; il se traîne quand nous sommes dans l'ennui, quand nous avons de la fièvre ; quand la température du corps et le taux de métabolisme sont accrus, le temps semble long ; en effet, le nombre d'« instants » par unité astronomique, au sens de Uexküll, est plus grand. Cette expérience sur le temps est parallèle à un accroissement correspondant de la fréquence des ondes-α dans le cerveau (Hoagland, 1951). Avec l'âge, le temps semble aller plus vite, c'est-à-dire qu'un plus petit nombre d'instants est ressenti par unité de temps astronomique. De façon correspondante il y a une baisse du taux de cicatrisation des blessures proportionnelle à l'âge, les phénomènes psychologiques aussi bien que physiologiques étant évidemment liés au ralentissement du processus métabolique avec la vieillesse (du Noüy, 1937).

Diverses tentatives (Brody, 1937 ; Backman, 1940 ; von Bertalanffy, 1951 ; p. 346), ont eu lieu pour établir un temps biologique comparé au temps astronomique. Un moyen : rendre homologues les courbes de croissance ; si le cours de la croissance de divers animaux est exprimé par la même formule et la même courbe, les unités de l'échelle de temps (marquées en temps astronomique) seront différentes, et des changements physiologiques importants apparaîtront probablement aux points correspondants de la courbe. Du point de vue de la physique, on peut introduire un temps thermodynamique fondé sur le second principe et sur les processus irréversibles, opposé au temps astronomique (Prigogine, 1947). Le temps thermodynamique n'est pas linéaire mais logarithmique, puisqu'il dépend des probabilités; il est pour la même raison, statistique; enfin, il est local puisque déterminé par les événements en un certain point. Il est probable que le temps biologique possède une relation intime, qui n'est d'ailleurs pas simple, avec le temps thermodynamique.

L'action des drogues montre aussi comment les catégories d'expérience dépendent des états physiologiques. Par exemple, sous l'influence de la mescaline, les impressions visuelles s'intensifient et la perception de l'espace et du temps est soumise à de profonds changements (*cf.* Anschütz, 1953; A. Huxley, 1954). Il serait très intéressant d'étudier les catégories des schizophrènes; on trouverait probablement qu'elles diffèrent beaucoup de celles de l'expérience « normale », comme il en va d'ailleurs de même des catégories dans les expériences de rêve.

Même la plus fondamentale catégorie de l'expérience, c'est-à-dire la distinction du moi et du non-moi, n'est pas fixée de façon absolue. Elle semble évoluer graduellement pendant le développement de l'enfant. Elle diffère essentiellement dans la pensée animiste des primitifs (qui a toujours une place importante dans la théorie d'Aristote où chaque rose cherche sa place naturelle), et dans la pensée occidentale, qui a découvert, depuis la Renaissance, l'« inanimé » (Schaxel, 1923). La séparation objet-sujet disparaît de nouveau dans la vue emphatique du monde des poètes, dans l'extase mystique et dans les états d'intoxication.

Il n'existe aucune justification intrinsèque permettant de considérer ce que nous prenons pour l'expérience « normale » comme la « vraie » configuration du monde (c'est-à-dire l'expérience de l'adulte européen moyen du XXe siècle), et toutes les autres sortes d'expériences, également vivantes, comme simplement anormales, fantastiques ou, au mieux, comme une image précursive de notre conception « scientifique » du monde.

Nous pourrions facilement élargir la discussion de ces problèmes, mais le point qui compte ici a été clairement mis en évidence. Les catégories de l'expérience ou encore les formes d'intuition, pour utiliser les termes de Kant, ne sont pas des à priori universels mais dépendent plutôt de l'organisation psychophysique et des conditions physiologiques de l'animal en question, y compris l'homme. Ce relativisme du point de vue biologique forme un parallèle intéressant au relativisme des catégories tel que le considère le point de vue de la culture et du langage.

Relativité culturelle des catégories

Nous arrivons au second point; les catégories dépendent des facteurs culturels. Nous l'avons déjà vu, la thèse de Whorf affirmant que les catégories dépendent de facteurs linguistiques fait partie d'une conception générale du relativisme culturel, qui s'est développée ces 50 dernières années; ceci n'est d'ailleurs pas tout à fait exact; c'est depuis que Wilhelm von Humboldt a mis en évidence la dépendance de notre vision du monde avec des facteurs linguistiques et la structure du langage.

Il semble que tout ceci ait commencé en histoire de l'art. Au début de ce siècle, l'historien viennois Riegl publia un traité très savant et très fastidieux sur l'art roman tardif. Il introduisit le concept de *Kunstwollen* que nous pourrions traduire par « intention artistique ». Le caractère peu naturel de l'art primitif était considéré comme la conséquence, non pas d'un manque d'habileté ou de savoir-faire, mais plutôt comme l'expression d'une intention artistique différente de la nôtre, ne s'intéressant pas à la reproduction réaliste de la nature. Cela s'applique de la même façon à ce qu'on appelle la décadence de l'art classique à la fin de la période helléniste. Cette conception fut ultérieurement développée par Worringer qui montra, sur l'exemple de l'art gothique que les modes artistiques diamétralement opposées aux canons classiques ne proviennent pas d'une impuissance technique mais plutôt d'une autre vision du monde. Les sculpteurs et les peintres gothiques n'étaient pas incapables de représenter correctement la nature, mais c'est leur intention qui différait, qui n'était pas dirigée vers un art représentatif. Le lien entre ces théories et le primitivisme et l'expressionnisme modernes n'appelle pas de discussion.

Je voudrais donner un autre exemple du même phénomène; il est instructif, du fait qu'il n'a rien à voir avec l'antithèse, art représentatif ou expressionniste, objectif ou abstrait. Il est tiré de l'histoire de l'estampe japonaise.

Les dessins japonais de la dernière période utilisent un certain type de perspective connu sous le nom de perspective parallèle, différent de la perspective centrale utilisée par l'art européen depuis la Renaissance. Il est bien connu que les traités de perspective hollandais furent introduits au Japon à la fin du XVIIIᵉ siècle et qu'ils furent vivement étudiés par les maîtres de l'*Ukikoye* (gravure sur bois). Ils adoptèrent la perspective comme un puissant moyen pour représenter la nature, mais seulement dans des limites assez subtiles. Alors que les peintres européens utilisaient la perspective centrale où l'image est conçue à partir d'un point de fuite et où les parallèles convergent à une certaine distance, les japonais ne conservèrent que la perspective parallèle; c'est-à-dire une méthode de projection où le point de fuite est à l'infini et où les parallèles ne convergent pas. Nous pouvons être sûrs qu'il ne s'agissait pas d'un manque d'habileté de la part de grands artistes comme Hokusaï et Hiroshige qui exercèrent ultérieurement une grande influence sur l'art moderne européen. Ils n'auraient sans doute eu aucune difficulté à adopter un moyen artistique qui leur était offert tout fait. Il faut plutôt penser qu'ils ont ressenti la perspective centrale comme liée à l'observateur, contingente et accidentelle, ne représentant pas la réalité puisqu'elle changeait avec les déplacements de l'observateur. De même, les artistes japonais n'ont jamais peint les ombres. Ceci ne veut pas dire bien sûr qu'ils ne voyaient pas l'ombre, ou ne s'abritaient pas sous l'ombrage quand le soleil cuisait. Ils ne désiraient cependant pas la représenter; l'ombre n'appartient pas à la réalité des choses; elle n'est qu'une apparence changeante.

Ainsi les catégories de la création artistique semblent dépendre de la culture. Il est bien connu que Spengler a développé cette thèse pour y inclure les catégories de la connaissance. Selon lui, ce qu'on appelle l'à priori, contient outre un petit nombre de pensées universelles et logiquement nécessaires, d'autres formes de pensées qui sont universelles et nécessaires non pas pour l'humanité entière mais seulement pour une civilisation particulière. En sorte qu'il existe de nombreux « styles de connaissance » différents, caractéristiques de certains groupes d'êtres humains. Spengler ne refuse pas la validité universelle des lois formelles de la logique ou des *vérités de fait* (¹) empiriques. Il discute cependant de la relativité des à priori satisfaits en science et en philosophie. C'est en ce sens que Spengler affirme la relativité des mathématiques et de la science mathématique. Les formules mathématiques en tant que telles contiennent une nécessité logique; mais leur interprétation pratique, qui leur donne un sens, est l'expression de l'« âme » de la civilisation qui les a créées. C'est en ce sens que notre vision scientifique du monde n'a qu'une valeur relative. Les concepts fondamentaux, etc., expriment notre type de pensée occidental et ne correspondent pas à la vision du monde des autres civilisations.

L'analyse sur laquelle se fonde le relativisme culturel des catégories de Spengler est la fameuse antithèse de l'homme apollonien ou faustien. Selon lui, le symbole essentiel de l'esprit apollonien de l'antiquité est l'existence matérielle et corporelle des individus; celui de l'esprit faustien

---

(¹) En français dans le texte.

de l'occident est l'espace infini. Ainsi l'« espace » pour les grecs, est-il le *mè ón*, ce qui n'est pas. En conséquence, la mathématique apollonienne est une théorie composée de quantités visibles qui culmine dans la stéréométrie et les constructions géométriques; cette dernière n'est qu'une matière élémentaire et sans importance dans les mathématiques occidentales. La mathématique occidentale, orientée par le symbole essentiel d'espace infini, est au contraire une théorie de pures relations, qui culmine avec le calcul différentiel, la géométrie des espaces multi-dimensionnels, etc.; n'étant pas visualisable, ceci aurait été totalement inconcevable pour les grecs.

Une seconde antithèse est formée par le caractère statique de la pensée grecque en face du caractère dynamique de la pensée occidentale. Ainsi, pour le physicien grec, un atome était un corps miniature plastique; pour le physicien occidental, c'est un centre d'énergie agissant dans un espace infini. A cela est lié le sens du temps. La physique grecque ne faisait pas intervenir le temps, et c'est pour cela qu'elle était statique. La physique occidentale est profondément attachée au déroulement des événements au cours du temps; la notion d'entropie est probablement le concept le plus lié à cela dans le système. C'est la préoccupation du temps qui engendre l'orientation historique de l'esprit occidental, exprimée par l'influence dominante de l'horloge, par la biographie de l'individu, par la perspective énorme de l'« histoire du monde », de l'historiographie à l'histoire culturelle, à l'anthropologie, à l'évolution biologique, à l'histoire géologique et enfin à l'histoire astronomique de l'univers. Le même contraste se manifeste encore dans la conception de l'esprit. La psychologie statique grecque imagine un ensemble harmonique âme-corps dont les parties sont selon Platon : la raison (*logistikon*), l'émotion (*thymóeidés*) et la cathexis (*epithymetikón*). La psychologie dynamique occidentale imagine un espace-mental où interagissent des forces psychologiques.

Tout en critiquant la métaphysique et la méthode intuitive de Spengler, et sans tenir compte de détails discutables, il serait difficile de lui refuser que sa conception de la relativité culturelle des catégories est correcte. Il suffit de se rappeler les premières lignes de l'Illyade, disant des héros de la guerre de Troie, *autous th helória teũche kýnessin*, que leurs personnes étaient données en proie aux chiens et aux oiseaux, la « personne » étant essentiellemtnt le corps ou *sõma*. Comparez avec le *cogito ergo sum* de Descartes et le contraste entre l'esprit apollonien et l'esprit faustien devient évident.

Alors que les philosophes de l'histoire allemande ne s'intéressaient qu'aux quelques hautes cultures (*hochkulturen*), il faut reconnaître que l'empreinte et le mérite de l'anthropologie moderne, en particulier américaine, ont été de s'occuper de l'ensemble des « cultures » humaines, y compris de la multiplicité de celles des peuples primitifs. Ainsi, la théorie du relativisme culturel y a gagné une base plus large; ce qui est remarquable, c'est que ses conclusions rejoignent celles des philosophes allemands. En particulier, l'hypothèse de Whorf est identique à celle de Spengler, l'une fondée sur la linguistique des tribus primitives, l'autre sur une vision générale de quelques grandes cultures de l'histoire (4).

Il semble ainsi bien établi que les catégories de la connaissance dépendent d'un côté de facteurs biologiques, de l'autre côté de facteurs culturels. Une formulation correcte peut sans doute être donnée comme suit.

Notre organisation psychophysique spécifiquement humaine détermine essentiellement notre perception. C'est la thèse de von Uexhüll. La linguistique, et les catégories culturelles en général, ne changeront rien aux potentiels de l'expérience sensorielle. Cependant elles changeront la perception, c'est-à-dire les traits de la réalité expérimentale qui sont le point de mire (mis en évidence), et ceux qui sont sous-estimés.

Il n'y a rien de mystérieux ou de particulièrement paradoxal dans cet énoncé qui, au contraire, est plutôt trivial; rien ne justifie la chaleur et la passion qui ont toujours caractérisé les discussions sur les thèses de Whorf, de Spengler et d'autres. Supposons qu'une préparation histologique soit placée sous le microscope. N'importe quel observateur, s'il n'est pas daltonien, percevra la même image, diverses formes et couleurs, etc., obtenues par application de colorants histologiques. Cependant, ce qu'il voit, c'est-à-dire ce qu'il enregistre (et qu'il est capable de communiquer), dépend largement de ce qu'il est un observateur entraîné ou non. Là, où pour le commun des mortels il n'y a qu'un chaos de formes et de couleurs, l'histologue voit des cellules avec leurs divers composants, différents tissus et les signes d'une croissance maligne. Et même, cela dépend de ce qui l'intéresse et de son entraînement. Un cytochimiste notera peut-être de fines granulations sur le cytoplasme des cellules qui représentent pour lui certaines inclusions chimiques précises; le pathologiste peut au contraire totalement ignorer ces subtilités et « voir » plutôt qu'une tumeur s'est infiltrée dans l'organe. D'où ce qui est vu dépend de notre perception, de la direction de notre attention et de notre intérêt déterminés par notre entraînement, c'est-à-dire par les symboles linguistiques grâce auxquels nous représentons et résumons la réalité.

De même, il est trivial que le même objet devient différent si on le regarde sous différents angles. Une table sera pour le physicien une agrégation d'électrons, de protons et de neutrons, pour le chimiste un ensemble de composés organiques, pour le biologiste un complexe de cellules ligneuses, pour l'hsitorien de l'art un objet baroque, pour l'économiste l'utilité d'une certaine valeur monétaire, etc., toutes ces perspectives ont le même statut, et aucune ne peut se prévaloir d'une plus grande valeur absolue que l'autre (*cf.* von Bertalanffy, 1953 *b*). Prenons un exemple un peu moins trivial. Les formes organiques peuvent être considérées sous divers points de vue. La typologie les envisage comme l'expression de différents plans d'organisation; la théorie de l'évolution comme le produit d'un processus historique; la morphologie dynamique, comme l'expression d'un ensemble de processus et de forces pour lesquels on recherche des lois mathématiques (von Bertalanffy, 1941). Chacune de ces approches est parfaitement légitime et il est ridicule de les opposer les unes aux autres.

Ce qui est évident dans ces exemples particuliers reste valable pour les traits de la réalité qui sont observés dans notre image générale du monde. Une cause importante du progrès scientifique est due aux aspects nouveaux, jusqu'alors ignorés, qu'on « découvre », c'est-à-dire qui arrivent dans le champ de l'attention et de l'aperception; il existe inversement un obstacle important : les œillères d'une certaine conception théorique empêchent d'appréhender des phénomènes en eux-mêmes parfaitement évidents. L'histoire des sciences est riche de tels exemples. Par exemple, les jumelles théoriques d'une « pathologie cellulaire » limitée ne permettant pas de voir les relations régulatrices qui existent dans l'organisme en tant que tout, c'est-à-dire plus que comme une somme ou une agrégation de cellules; ces relations étaient connues d'Hippocrate et se trouvent heureusement ressuscitées dans la doctrine moderne des hormones, des somatypes, etc. L'évolutionniste moderne, guidé par la théorie des mutations aléatoires et de la sélection, ne se rend pas compte que l'organisme est évidemment plus qu'un amas de caractéristiques héréditaires ou de gènes qui sont emmêlés par accident. Le mécanicien ne voit pas ce qu'on appelle les qualités secondaires comme la couleur, le son, le goût, etc., car elles ne rentrent pas dans son schéma abstrait; pourtant elles sont aussi « réelles » que ces « qualités premières » supposées fondamentales, que sont la masse, l'impénétrabilité, le mouvement, etc., dont le statut métaphysique est aussi incertain si l'on écoute le témoignage de la physique moderne.

On peut donner une autre formulation de la même situation, en mettant un autre aspect en évidence. La perception est universellement humaine, déterminée par l'équipement psychophysique de l'homme. La conceptualisation est limitée par la culture car elle dépend des systèmes symboliques que nous appliquons. Les systèmes symboliques sont largement déterminés par des facteurs linguistiques, la structure du langage utilisé. Le langage technique, y compris le symbolisme mathématique, est en dernier ressort une efflorescence du langage quotidien et ne peut donc être indépendant de sa structure. Ceci ne veut pas dire bien sûr, que le contenu des mathématiques n'est vrai qu'à l'intérieur d'une certaine culture. C'est un système tautologique de nature hypothético-déductive, et tout être rationnel qui en accepte les prémisses doit accepter ses conclusions. Mais ce qui dépend du contexte culturel, ce sont les aspects et les perspectives auxquels on applique les mathématiques. Il est parfaitement possible que différents individus, différentes cultures, aient des prédilections différentes pour choisir certains aspects et négliger les autres (5). Ceci explique par exemple, l'attrait des grecs pour la géométrie et celui des occidentaux pour l'analyse mathématique comme l'a montré Spengler ; ceci explique aussi l'apparition de domaines bizarres dans les mathématiques, comme la topologie, la théorie des groupes, la théorie des jeux, etc., qui ne cadrent pas avec la notion populaire de mathématiques, « science des quantités » ; de même la prédilection du physicien individuel pour la thermodynamique classique « macroscopique » ou la statistique moléculaire microscopique, pour la mécanique matricielle ou la mécanique ondulatoire, afin d'approcher un même phénomène. Pour parler plus généralement, le type d'esprit analytique s'occupe des interprétations « moléculaires », résout et réduit les phénomènes à des composantes élémentaires ; le type d'esprit synthétique s'attache à des interprétations « molaires », c'est-à-dire à des lois qui gouvernent le phénomène dans son ensemble. Beaucoup de mal a été fait à la science en opposant ces deux aspects, et par exemple dans l'approche élémentariste, en négligeant et en rejetant des caractéristiques évidentes et très importantes ; ou dans l'approche synthétique en rejetant l'importance fondamentale et la nécessité de l'analyse.

Soulignons en passant que la relation entre le langage et la vision du monde n'est pas unilatérale mais réciproque ce qui n'a peut-être pas été dit clairement par Whorf. La structure du langage semble déterminer quels traits de la réalité on abstrait et de là, quelles formes prennent les catégories de pensée. D'un autre côté, la vue du monde détermine et forme le langage.

Un bon exemple est donné par l'évolution du latin classique au latin médiéval. La conception gothique du monde a recréé un ancien langage ceci étant vrai aussi bien pour l'aspect lexical que pour l'aspect grammatical. Ainsi les scholastiques ont-ils inventé des armées de mots qui sont autant d'atrocités pour la langue de Ciceron (les humanistes de la Renaissance l'ont profondément senti au cours de leur lutte revivaliste) ; tous les mots introduits pour venir à bout des aspects abstraits, étrangers au type de pensée matériel des romains, comme *leonidas*, *quidditas*, etc. De même, bien que les règles superficielles de grammaire soient observées, la ligne de pensée et la construction étaient profondément altérées. Ceci s'applique aussi à l'aspect rhétorique, avec l'introduction, par exemple, de la rime finale contrastant avec la métrique classique. La comparaison entre les lignes extraordinaires du *Dies Irae* et des stances de Virgile ou d'Horace rend évident non seulement l'écart énorme entre différents « sens du monde », mais aussi la détermination du langage qui en résulte.

La vision perspectiviste

Ayant présenté la relativité biologique et culturelle des catégories de l'expérience et de la connaissance, nous pouvons maintenant indiquer les limites de cette relativité et arriver ainsi au troisième point énoncé au début.

Le relativisme a souvent été formulé pour exprimer le caractère purement conventionnel et utilitaire de la connaissance, et ceci devant l'arrière-plan émotionnel de sa futilité ultime. On peut voir cependant aisément qu'une telle conséquence n'est pas implicite.

Un point de départ valable pour une telle discussion est fourni par les vues de von Uexhüll sur la connaissance humaine, liées à son *Umweltlehre* que nous avons déjà discuté. Selon lui, le monde de l'expérience et de la connaissance humaine est un des innombrables milieux des organismes, sans aucune singularité par rapport à celui de l'oursin, de la mouche ou du chien. Même le monde de la physique, depuis l'électron et l'atome jusqu'aux galaxies, est un simple produit humain, qui dépend de l'organisation psychophysique des espèces humaines.

Une telle conception semble cependant être incorrecte. Ceci peut être montré au vu des niveaux, à la fois de l'expérience et de la pensée abstraite, de la vie de tous les jours et de la science.

Tant qu'il s'agit d'expérience, les catégories de la perception déterminées par l'organisation biophysiologique des espèces en question ne peuvent être totalement « inexactes », fortuites et arbitraires. Elles doivent plutôt, dans un certain sens et jusqu'à certaines limites, correspondre à la « réalité », quel que soit le sens métaphysique de ce mot. Tout organisme, y compris l'homme est plus qu'un simple spectateur qui regarde la scène du monde, en étant libre de choisir les jumelles qu'il désire, de toute manière déformantes, comme celles que les lubies de Dieu, de l'évolution biologique, de « l'âme » de la culture ou du langage ont posées sur son nez métaphorique.

Il réagit et il agit dans le drame. L'organisme doit réagir à des stimulus venant de l'extérieur, selon son équipement psychophysique inné. Sa latitude réside dans ce qu'il retiendra comme stimulus, signal et caractéristique au sens de Uexküll. Cependant sa perception doit permettre à l'animal de faire son chemin dans le monde. Ceci serait impossible si les catégories de l'expérience, l'espace, le temps, la substance, la causalité étaient entièrement trompeuses. Les catégories de l'expérience sont apparues au cours de l'évolution biologique, et elles doivent sans cesse se justifier dans la lutte pour l'existence. Si, en un certain sens, elles ne correspondaient pas à la réalité, la réaction appropriée serait impossible, et l'organisme serait vite éliminé par la sélection.

En termes anthropomorphiques : des schizophrènes partageant les mêmes illusions pourraient assez bien faire bon ménage ensemble; cependant, ils sont complètement incapables de réagir et de s'adapter à des situations extérieures réelles; c'est la raison précise qui les fait mettre à l'asile. Ou en termes d'image de Platon : les prisonniers dans la cave ne voient pas les objets réels, mais seulement leur ombre; mais, s'ils ne font pas que regarder le spectacle, et ont à y participer, les ombres peuvent, d'une certaine façon, être représentatives des objets réels. Il semble que c'est le défaut le plus sérieux de la philosophie classique occidentale, de Platon à Descartes et à Kant, que de considérer l'homme en premier lieu comme un spectateur, un *ens cogitans*, alors que pour des raisons biologiques il doit essentiellement être un acteur, un *ens agens* dans le monde où il est jeté.

Lorenz (1943) a très bien montré que les formes « à priori » de l'expérience sont essentiellement de même nature que les schémas innés du comportement instinctif, selon lesquels les animaux répondent aux compagnons, aux partenaires sexuels, aux descendants ou au parents, aux proies et aux prédateurs et à d'autres situations extérieures. Elles sont fondées sur des mécanismes psychophysiologiques, comme la perception de l'espace est fondée sur la vision binoculaire, la parallaxe, la contraction du muscle ciliaire, l'accroissement ou la réduction apparente de la taille d'un objet qui s'approche ou s'éloigne, etc. Les formes « à priori » de l'intuition et les catégories sont des fonctions organiques, fondées sur les structures matérielles et même mécaniques des organes des sens et du système nerveux, qui ont évolué et se sont adaptées au cours des millions d'années qu'a duré l'évolution. Elles sont ainsi ajustées au monde « réel », exactement de la même façon, et pour la même raison que le sabot du cheval est adapté à la steppe, la nageoire du poisson à l'eau. C'est un anthropomorphisme absurde qui affirme que les formes humaines de l'expérience sont les seules possibles, valables, pour tout être rationnel. De l'autre côté, la conception des formes de l'expérience comme dispositif adaptatif, prouvée par des millions d'années de lutte pour l'existence, garantit qu'il y a une correspondance suffisante entre « apparence » et « réalité ». Un stimulus est perçu non pas en tant que tel, mais parce que l'organisme lui réagit; l'image du monde est ainsi déterminée par l'organisation psychophysique. Cependant, où une paracémie réagit par la fuite, l'observateur humain, bien que sa vision du monde soit différente, trouve aussi un obstacle quand il utilise son microscope. De même, il est bien possible d'indiquer quelles traces de l'expérience correspondent à la réalité, et lesquelles, comparables aux franges colorées visibles dans le champ du microscope quand il n'est pas corrigé chromatiquement, ne le sont pas. On peut ainsi répondre à la question de Pilate : « qu'est-ce que la Vérité ? » : le fait que des animaux et des êtres humains soient toujours en vie prouve que leurs formes d'expérience correspondent, dans une certaine mesure, à la réalité.

Il est alors possible de préciser ce qu'on voulait dire dans l'expression intentionnellement vague utilisée ci-dessus; l'expérience doit correspondre « d'une certaine façon » à « la réalité, quel que soit le sens de ce mot ». Il n'est pas besoin que les catégories de l'expérience correspondent totalement à l'univers réel, encore moins qu'elles le représentent complètement. Il suffit, c'est la thèse de Uexküll, qu'une sélection assez limitée de stimulus soit utilisée comme signaux. En ce qui concerne les liens de ces stimulus, c'est-à-dire les catégories de l'expérience, ils n'ont pas besoin de représenter le nexus des événements réels, mais doivent dans une certaine mesure lui être isomorphe. Pour les raisons biologiques précitées, l'expérience ne peut être totalement « fausse » et arbitraire; mais d'un autre côté il est suffisant qu'un certain degré d'isomorphisme existe entre le monde ressenti et le monde « réel », en sorte que l'expérience puisse guider l'organisme à préserver son existence.

Utilisons à nouveau une image : le signe « rouge » n'est pas identique aux divers faits qu'il annonce, arrivée de voitures, trains, traversée de piétons, etc., il suffit cependant à les indiquer et en conséquence, « rouge » est isomorphe à « stop », « vert » à « avancez ».

De même, les catégories de la perception et de l'expérience n'ont pas à refléter le monde « réel »; elles doivent cependant lui être isomorphes jusqu'à un certain degré pour permettre l'orientation et par là même, la survivance.

Mais ces exigences déductives sont précisément ce que nous trouvons. Les formes d'intuition et les catégories populaires, telles que l'espace, le temps, la matière et la causalité fonctionnent assez bien dans le monde de « dimensions moyennes » auquel l'animal humain est biologiquement adapté. Ici, la mécanique newtonienne et la physique classique, fondées sur ces catégories visualisables, sont parfaitement satisfaisantes. Cependant, elles s'écroulent si nous pénétrons des univers auxquels l'organisme humain n'est pas adapté. C'est le cas des dimensions atomiques d'un côté, des dimensions cosmiques de l'autre.

Si nous en venons au monde de la science, la conception qu'a von Uexküll de l'univers physique comme n'étant qu'un des innombrables milieux biologiques, est incorrecte ou tout au moins incomplète. Un courant remarquable apparaît ici que l'on pourrait appeler, la dé-anthropomorphisation progressive de la science (von Bertalanffy, 1937, 1953 *b*). Il apparaît que ce processus de dé-anthropomorphisation se situe dans trois directions majeures.

C'est une caractéristique essentielle de la science de se dé-anthropomorphiser progressivement, c'est-à-dire d'éliminer petit à petit les traits dus spécifiquement à l'expérience humaine. La physique part nécessairement de l'expérience sensorielle de l'œil, de l'oreille, de la sensibilité thermique, etc., et construit ensuite des domaines tels que l'optique, l'acoustique, la théorie de la chaleur, etc., qui correspondent aux domaines de l'expérience sensorielle. Mais tout de suite ces disciplines évoluent en quelque chose qui n'a plus de relation avec le « visualisable » et l'« intuitif » : l'optique et l'électricité deviennent la théorie électromagnétique, la mécanique et la théorie de la chaleur deviennent la thermodynamique statistique, etc.

Cette évolution est liée à l'invention de l'organe des sens artificiel et au remplacement de l'observateur humain par un appareil enregistreur. La physique, bien qu'issue de l'expérience quotidienne la dépasse vite et étend l'univers expérimental à travers les organes des sens artificiels. Ainsi par exemple, au lieu de ne voir que la lumière visible, c'est-à-dire les longueurs d'ondes entre 360 et 780 millimicrons, toute la bande des radiations électromagnétiques, des plus petits rayons cosmiques aux ondes radios de quelques kilomètres de longueur d'onde, se trouve dévoilée.

Une des fonctions de la science est ainsi d'étendre l'observable. Il faut bien voir, qu'au contraire d'une vision mécaniste, cette extension ne nous fait nullement pénétrer dans un royaume métaphysique. Les objets qui nous entourent dans l'expérience quotidienne, les cellules vues au microscope, les grosses molécules observées au microscope électronique, et les particules élémentaires « vues », d'une façon encore plus indirecte et compliquée, par leurs traces dans une chambre de Wilson, ne se situent pas à des degrés différents de réalité. C'est une superstition mécaniste que de croire que les atomes et les molécules (en suivant Alice au pays des Merveilles de la physique) sont plus « réels » que les pommes, les pierres et les tables. Les particules physiques ultimes ne sont pas une réalité métaphysique située au-delà de l'observation ; elles sont une extension de ce que nous pouvons observer avec nos sens naturels, obtenue en introduisant des organes des sens artificiels adaptés.

Cependant, ceci conduit de toute manière à l'élimination des limites expérimentales imposées par l'organisation psychophysique spécifiquement humaine, et en ce sens, il y a dé-anthropomorphisation de l'image du monde.

Un second aspect de ce développement réside en ce qu'on appelle la convergence de la recherche (*cf.* Bavink, 1949). Les constantes physiques ont souvent été considérées comme les seuls moyens conventionnels pour décrire le plus économiquement possible la nature. Le progrès de la recherche fait cependant apparaître une image nouvelle. Au début, les constantes naturelles, l'équivalent mécanique de la chaleur ou la charge des électrons, variaient largement selon les observations des observateurs individuels. Ensuite, avec l'amélioration des techniques, une valeur « vraie » fut asymptotiquement approchée en sorte que des déterminations consécutives ne modifient plus la valeur établie qu'au niveau de décimales de plus en plus éloignées. En outre, les constantes physiques, comme le nombre de Loschmidt, ne sont plus établies par une seule méthode, mais quelquefois par 20 méthodes complètement indépendantes les unes des autres. En ce sens, il n'est pas possible de ne les concevoir que comme de simples conventions qui décrivent économiquement les phénomènes ; elles représentent certains aspects de la réalité, indépendamment des biais biologiques, théoriques ou culturels. C'est bien sûr une des tâches les plus importantes de la science naturelle que de vérifier ses découvertes par des méthodes indépendantes entre elles.

Cependant, l'aspect de cette dé-anthropomorphisation progressive qui est peut-être le plus marquant, est le troisième. Au début, ce qu'on appelle les qualités secondaires, sont écartées ; la couleur, le son, l'odeur, le goût, disparaissent de l'image physique du monde, car elles sont déterminées par ce qu'on appelle l'énergie spécifique des divers sens particuliers de l'homme. Ainsi, dans l'image du monde de la physique classique, seules restent les qualités premières telles que la masse, l'impénétrabilité, l'extension, etc., qui, psychophysiquement, sont caractérisées comme étant l'ensemble commun de l'expérience de la vue, du toucher et de l'ouïe. Cependant ces formes d'intuition et ces catégories sont ensuite aussi éliminées comme trop humaines. Même l'espace euclidien et le temps newtonien de la physique classique (*cf.* précédemment) ne s'identifient pas à l'espace et au temps de l'expérience directe ; ce sont déjà des constructions de la physique. Ceci est d'autant plus vrai des structures théoriques de la physique moderne.

Donc, la spécificité de notre expérience humaine se trouve progressivement éliminée. Ce qui reste éventuellement, c'est un système de relations mathématiques.

Il y a peu, on objectait à la théorie de la relativité et à la théorie quantique le fait qu'elles devenaient de plus en plus « invisualisables », que leurs constructions ne pouvaient pas être représentées par des modèles concevables. En vérité, ceci est au contraire une preuve que le système physique se libère des servitudes de notre expérience sensorielle spécifiquement humaine ; c'est une garantie que le système physique dans sa forme achevée (nous ne discutons pas ici si elle est atteinte ou même si on peut l'atteindre) n'appartient plus au milieu humain (au sens de von Uexküll) mais qu'il est un engagement universel.

En un sens la dé-anthropomorphisation progressive ressemble à Muenchhausen se retirant du marécage de son propre bourbier. Cependant ceci est possible à cause d'une propriété unique du symbolisme. Un système symbolique, un algorithme comme ceux de la physique mathématique, finit par vivre de lui-même. Il devient une machine pensante, et si on lui donne de bonnes instructions, la machine marche seule, fournissant des résultats inattendus qui dépassent les faits apportés initialement et les règles fournies et qui sont en conséquence indevinables par l'intellect limité qui a créé la machine. En ce sens, le joueur d'échecs mécanique peut battre son créateur (Ashby, 1952 *a*) ; les résultats d'un symbolisme automatisé transcendent les faits et les instructions fournies à l'origine. C'est le cas d'un algorithme de prévision, qu'il s'agisse d'une prédiction formelle à un niveau mathématique quelconque ou d'une prédiction physique concernant par exemple des éléments chimiques ou des planètes encore inconnues (*cf.* von Bertalanffy, 1956 *a*). La dé-anthropomorphisation progressive, c'est-à-dire le remplacement de l'expérience directe par un système algorithmique automatique, est un aspect de cet état des choses.

Donc le développement de la physique dépend naturellement de la constitution psychophysique de ses créateurs. Si l'homme ne percevait pas la lumière mais le rayonnement radioactif ou les rayons X qui nous sont invisibles, le milieu humain aurait été différent, mais aussi le développement de la physique. Mais, si nous avons découvert, au moyen de dispositifs appropriés suppléant notre expérience sensorielle, les rayons X et toute la bande des radiations électromagnétiques, la même chose serait vraie d'êtres ayant une constitution psychophysique entièrement différente. Supposons qu'il y ait des êtres intelligents, des « anges » sur une planète de Sirius, qui ne perçoivent que les rayons X; ils auraient découvert, de façon correspondante, les longueurs d'onde qui représentent pour nous la lumière visible. Mais en outre, les anges de Sirius calculeraient probablement avec un système de symboles et des théories assez différents. Cependant, puisque le système physique, dans sa forme achevée, ne contient plus rien d'humain, et qu'il en serait de même de tout système physique (de façon correspondante), nous devons conclure que ces physiques, bien que différant par leurs systèmes symboliques, ont le même contenu; cela signifie que les relations mathématiques d'une physique pourraient être traduites grâce à un « vocabulaire » et à une « grammaire » appropriés en celles de l'autre.

Ces spéculations ne sont pas totalement utopiques et dans une certaine mesure elles ressortent des développements actuels de la physique. Ainsi la thermodynamique classique et la statistique moléculaire sont-elles des « langages » différents, utilisant des abstractions et des symboles mathématiques différents; néanmoins, on peut facilement interpréter les énoncés d'une théorie dans l'autre. Ceci a même des implications opportunes; la thermodynamique et la théorie moderne de l'information sont évidemment des systèmes isomorphes, et l'élaboration d'un « vocabulaire » complet de traduction progresse.

Si, au sens précité, le système physique idéal, qui ne peut être qu'asymptotiquement approché, est absolu, nous ne devons cependant pas oublier un autre aspect, en quelque sorte antithétique. Les traits de la réalité que nous appréhendons dans notre système théorique sont arbitraires au sens épistémologique; ils sont déterminés par des facteurs biologiques, culturels et probablement linguistiques.

Ceci a tout d'abord un sens trivial. On dit que les esquimaux ont 30 noms différents pour dire « neige », sans doute parce qu'il est pour eux vital de faire des distinctions subtiles, alors que pour nous les différences sont négligeables. Inversement, nous donnons à des machines qui ne diffèrent que superficiellement, les noms de Ford, Pontiac, Cadillac, etc., alors que pour les esquimaux il n'y aurait guère de différence. Cependant, ceci est aussi vrai dans un sens non trivial, en ce qui concerne les catégories générales de pensée.

Il serait parfaitement possible que des êtres rationnels de structure différente choisissent des traits et des aspects de la réalité assez différents pour construire des systèmes théoriques, des systèmes de mathématiques ou de physique. Notre intérêt principal, probablement déterminé par la grammaire du langage indo-européen, porte sur les qualités mesurables, les unités isolables, etc. Notre physique néglige ce qu'on appelle les qualités secondaires; elles n'entrent que de façon rudimentaire dans le système physique ou dans certaines abstractions de l'optique physiologique comme le cycle des couleurs ou triangle (6). De même notre mode de pensée est manifestement inadapté aux problèmes de totalité et de forme. C'est donc seulement par un grand effort que des traits holistiques (par rapport à des traits élémentalistes) peuvent y être inclus, bien qu'ils ne soient pas moins « réels ». Le mode de pensée de la physique occidentale nous abandonne quand nous sommes confrontés à des problèmes de forme, ce qui explique que cet aspect, qui prédomine en biologie, soit terriblement embarrassant en physique.

Il peut très bien se faire que des formes de sciences différentes, de mathématiques, au sens de systèmes hypothético-déductifs, soient possibles pour des êtres qui n'ont pas à supporter nos contraintes biologiques et linguistiques; des « physiques » mathématiques mieux adaptées que la nôtre à tels aspects de la réalité.

Il semble bien que ceci soit vrai aussi pour la logique mathématique. Jusqu'ici, elle semble ne couvrir qu'une partie assez petite de ce qui peut être aisément exprimé en langage vernaculaire ou mathématique. La logique aristotélicienne, considérée pendant des millénaires comme fournissant les lois générales et suprêmes du raisonnement, ne couvre plus que le tout petit domaine des relations sujet-prédicat. Les concepts du « tout ou rien » de la logique traditionnelle sont insuffisants en face du concept fondamental de continuité en analyse mathématique (*cf.* von Neumann, 1951, p. 16). Il n'y a probablement qu'un petit domaine des raisonnements déductifs possibles qui soit axiomatisé, même avec les efforts des logiciens modernes.

Il se peut que la structure de notre logique soit essentiellement déterminée par la structure de notre système nerveux central. Ce dernier est avant tout un calculateur digital puisque les neurones travaillent selon la loi physiologique du « tout ou rien », en termes de OUI ou NON. C'est à cela que correspond le principe héraclitien de notre pensée par les contraires, notre logique bivalente par oui ou par non, l'algèbre booléen, le système de numération binaire (7) auquel on peut ramener le système décimal néanmoins plus pratique (les machines à calculer modernes utilisent le système binaire). Supposons qu'on construise un système nerveux non pas selon le type digital mais selon un calculateur analogique (comme par exemple, une règle à calcul); on peut imaginer qu'il surgirait une logique de la continuité assez différente de notre logique par oui et non.

Nous arrivons ainsi à une vision que l'on pourrait appeler perspectivisme (*cf.* von Bertalanffy, 1953 *b*). Au contraire de la thèse « réductionniste », selon laquelle la théorie physique est la seule à laquelle toute la science possible et tous les aspects de la réalité pourraient se ramener, nous adoptons un point de vue plus modeste. Le système physique est lié à tout être rationnel, au sens précité; c'est-à-dire que, par un processus de dé-anthropomorphisation, il approche une représentation de certains aspects rationnels de la réalité. C'est essentiellement un algorithme symbolique adapté à son but. Cependant, le choix des symbolismes que nous utilisons et donc des aspects de la réalité que nous représentons, dépend de facteurs biologiques et culturels. Il n'y a rien de singulier ou de particulièrement sacré dans les systèmes physiques. A l'intérieur de notre science, il y a d'autres systèmes symboliques, comme ceux de la taxonomie, de la génétique ou de l'histoire de l'art qui sont également légitimes, bien qu'ils soient loin d'avoir le même degré de précision. Dans d'autres cultures humaines et dans des intelligences non humaines, des types de « science » fondamentalement différents peuvent être possibles, représentant d'autres aspects de la réalité aussi bien ou même mieux que ne le fait notre soi-disant image scientifique du monde.

Il existe peut-être des raisons profondes qui font que notre représentation mentale de l'univers reflète toujours certains aspects ou certaines perspectives seulement de la réalité. Notre pensée est essentiellement en termes de contraires, tout au moins dans le langage occidental, mais peut être aussi dans tout langage humain. Comme le pensait Héraclite, nous pensons en termes de chaud et froid, de noir et blanc, de nuit et jour, de vie et de mort, de passé et d'avenir. Ce sont des formulations naïves. Mais il apparaît que nos constructions physiques sont aussi en termes de contraires, et que pour cette raison elles se montrent inadéquates face à la réalité, dont certaines relations sont exprimées par les formules de la physique théorique. L'antithèse classique entre mouvement et repos n'a plus de sens en théorie de la relativité. L'antithèse masse-énergie est remplacée par la loi de conservation d'Einstein qui tient compte de leurs transformations mutuelles. Les corpuscules et les ondes sont deux aspects légitimes et complémentaires de la réalité physique qui, dans certains phénomènes et sous certains aspects doivent être décrits d'une façon, et dans d'autres, de l'autre façon. Le contraste structure-processus disparaît dans l'atome aussi bien que dans l'organisme vivant dont la structure est à la fois l'expression et le support d'un flux continu de matière et d'énergie. Peut-être le problème de la vieillesse du corps et de l'esprit est-il de même nature; ce sont des aspects différents d'une même réalité, à tort séparés.

L'ensemble de nos connaissances même dé-anthropomorphisées, ne reflète que certains aspects de la réalité. Si ce qui vient d'être dit est vrai, c'est que la réalité est ce que Nicola da Cusa appelait (*cf.* von Bertalanffy, 1928 *b*), *coincidentia oppositorum.* La pensée discursive ne représente qu'un aspect de la réalité ultime, appelé Dieu dans la terminologie de da Cusa; elle ne peut jamais épuiser sa diversité infinie. D'où la réalité ultime est la réunion des contraires; toute affirmation ne tient que d'un certain point de vue, n'a qu'une validité relative, et doit être complétée par une affirmation antithétique partant des points de vue opposés.

Ainsi, il apparaît que les catégories de notre expérience et de notre pensée sont déterminées par des facteurs biologiques aussi bien que culturels. En second lieu, cette servitude humaine est supprimée par un processus de dé-anthropomorphisation progressive de notre image du monde. Troisièmement, bien que dé-anthropomorphisée, cette connaissance ne reflète que certains aspects, certaines facettes de la réalité. En quatrième lieu cependant, *ex omnibus partibus relucet totum* pour citer encore da Cusa; chacun de ces aspects possède quand même une part relative de vérité. C'est ce qui semble indiquer les limites aussi bien que la dignité de la connaissance humaine.

Notes

1. Ceci, et d'autres exemples cités par Whorf est critiqué par Whatmough (1955). « Comme l'a montré Brugmann (*Syntax des einfachen Satzes*, 1925, p. 17-24), *fulget, pluie, tonat* sont de simples vieux radicaux (noms, « il éclaire ici, il pleut ici, il tonne ici ») et Whorf s'est bien trompé quand il a dit que *tonat* (il a utilisé ce même mot) est structurellement et logiquement sans parallèle en Hopi ». De même, « on nous dit que le Hopi pour « préparer » est « essayer de, pratiquer sur »; mais ceci correspond exactement à præ-paro ». « Il est faux de dire que la physique Hopi n'aurait pu avoir des concepts comme ceux d'espace, de vitesse et de masse, ou qu'ils auraient été très différents des nôtres. Les Hopi n'ont pas de physique parce qu'ils sont séparés par des tabous ou de la magie de la recherche expérimentale ». Bien qu'il faille nous rendre à l'autorité du linguiste, il semble amplement démontré que le style de pensée est différent dans les diverses civilisations, même si l'hypothèse de Whorf que cela est plus ou moins dû avant tout à des facteurs linguistiques, est ouverte à la critique.

2. Il est intéressant de noter que le même point de vue exactement a été énoncé par Lorentz (1943) en termes de détermination biologique des catégories : « les termes que le langage a formés pour les fonctions les plus hautes de notre pensée rationnelle portent si clairement la marque de leur origine qu'ils

pourraient être tirés du « langage professionnel » d'un chimpanzé. Notre « vue pénètre » dans les connexions imbriguées, de la même façon que le singe pénètre dans un tas de branchages, nous ne trouvons pas de meilleure expression pour décrire les voies abstraites pour atteindre un but que « méthode » qui signifie détour. Notre espace tactile a encore, comme du temps des lémures non sauteurs, une prépondérance particulière sur le visuel. Nous n'avons « saisi » (*erfasst*) un « lien » (*Zusammenhang*) que si nous l'avons « appréhendé » (*begreifen*, c'est-à-dire empoigner). La notion de l'objet aussi (*gegenstand*, ce qui se tient en face de nous) prend son origine dans la perception haptique de l'espace... Même le temps est représenté, en bien ou en mal, en termes de modèle visualisable de l'espace (p. 344)... Le temps est absolument invisualisable et il est, dans notre pensée catégorique, toujours visualisable (?; peut être un préjugé occidental, L.V.B.) au moyen de processus spatio-temporels... Le « cours du temps » est symbolisé, du point de vue linguistique et certainement aussi du point de vue conceptuel, par un mouvement dans l'espace (le courant du temps). Même nos prépositions « avant » et « après », nos noms, « passé, présent et futur » avaient à l'origine une signification représentant des configurations de mouvements spatio-temporels. Il est difficilement possible d'éliminer l'élément de mouvement dans l'espace » (pp. 351 et suiv.).

3. Autant qu'on puisse s'en rendre compte, cette démonstration simple de la structure non euclidienne de l'espace visuel a été indiquée en premier par von Bertalanffy (1937, p. 155), alors que « de façon assez curieuse, on ne peut en trouver aucune référence dans la littérature sur la physiologie de la perception » (Lorenz, 1943, p. 335).

4. Une analyse excellente sur la culture-perception, connaissance, simulation, évaluation, processus inconscients, comportement normal et anormal, etc., est donnée par Kluckhohn (1954). Le lecteur pourra se référer à cet article pour avoir une démonstration anthropologique plus poussée.

5. Je trouve que Toynbee (1954, pp. 699 et suiv.) aboutit dans son commentaire, par ailleurs pas très amical, sur la théorie des types de pensée mathématique de Splengler, à une formulation identique. Il parle d'un « penchant » différent des civilisations pour certains types de raisonnement mathématique, ce qui est la même chose que la notion utilisée ci-dessus de « prédilection ». L'interprétation que j'ai faite de Spengler a été donnée pour l'essentiel en 1924, et je ne vois aucune raison d'en changer.

6. Ceci peut sans doute conduire à une interprétation plus plausible de la « théorie des couleurs » de Gœthe. La révolte de Gœthe contre l'optique newtonnienne qui est un scandale et qui se place totalement à côté de l'histoire de la physique occidentale, peut être comprise en ce sens : Gœthe, cet esprit éminemment édétique et intuitif, ressentait (ce qui est assez correct)

que l'optique newtonnienne négligeait volontairement, écartait, ces qualités qui sont précisément les plus importantes dans l'expérience sensorielle. Son *Farbenlehre* est alors une tentative de prise en charge de ces aspects de la réalité qui ne sont pas couverts par la physique conventionnelle; une entreprise théorique qui a avorté.

7. Remarquons le motif théologique dans l'invention par Leibnitz du calcul binaire. Il représentait la création, puisque tout nombre peut être produit par une combinaison de « quelque chose » (1) et de « rien » (0). Cette antithèse a-t-elle une réalité métaphysique ou n'est-elle qu'une expression de nos habitudes linguistiques et du mode d'action de notre système nerveux ?

APPENDICE :
LE SENS ET L'UNITÉ DE LA SCIENCE [1]

En un temps de crises universelles comme celui que nous connaissons, se pose la question du sens et de l'objet des sciences de la nature. On entend souvent dire que la science est à blâmer pour les misères de notre temps; on croit que l'homme a été asservi par les machines, par la technologie au sens large, et qu'il a même été conduit au carnage des guerres mondiales. Nous n'avons pas le pouvoir d'influencer substantiellement le cours de l'histoire; notre seul choix, c'est de le reconnaître ou d'être dépassé par lui.

Un savant renommé, le professeur Dr Ludwig von Bertalanffy, s'est exprimé devant une importante audience au Département de Médecine Légale, dans le cadre d'une série de cours scientifiques parrainés par FÖST (Freie Österreichische Studentenschaft). Il a parlé des questions vitales actuelles liées au problème de la place spéciale occupée par l'homme dans la nature.

Au contraire de l'animal qui a un « milieu » (*Umwelt*) déterminé par son organisation, l'homme crée lui-même son monde, que nous pouvons appeler culture humaine. Parmi les hypothèses sur son évolution, deux facteurs sont très liés l'un à l'autre, le langage et la formation des concepts. On peut déjà observer dans le monde animal un « langage » formé d'appels et de commandements; par exemple, le chant des oiseaux, le sifflement d'alerte des chamois, etc. Cependant, le langage en tant que représentation et communication de faits est le monopole de l'homme.

Le langage, pris au sens le plus large du mot, comprend non seulement le discours mais aussi l'écriture et le système symbolique des mathématiques. Ce sont des systèmes de *symboles* traditionnels non pas hérités, mais créés librement. En premier lieu, ceci explique la *spécificité de l'histoire humaine* par rapport à l'évolution biologique : tradition par rapport à mutations héréditaires qui ne se produisent que sur une longue période de temps. En second lieu l'essai-échec physique, largement caractéristique du compor-

[1] Présentation d'un cours à l'université de Vienne, 1947.

tement animal, se trouve remplacé par *l'expérience mentale*, c'est-à-dire par une expérience réalisée avec des symboles conceptuels. C'est pour cette raison qu'il devient possible d'*aller directement au but*. Le fait d'aller directement au but et la téléologie au sens métaphorique, c'est-à-dire la régulation des événements au sens de maintien, production et reproduction d'entités organiques, sont des critères généraux de la vie. La fin réelle implique cependant, que les actions soient menées en connaissance du but à atteindre et de leur résultat final futur; la conception du but futur existe déjà et influence l'action présente. Ceci s'applique aux actions simples de la vie de tous les jours aussi bien qu'aux réalisations les plus élevées de l'intellect humain en science et en technologie. En outre le monde symbolique créé par les hommes acquiert une vie propre; il devient plus intelligent que son créateur. Le système symbolique des mathématiques, par exemple, est emmagasiné dans une énorme machine à penser, qui, si on lui pose un problème, fournit en retour une solution sur la base d'un processus déterminé d'enchaînements symboliques, solution qu'on aurait difficilement pu envisager à l'avance. Ce monde symbolique, d'un autre côté, devient cependant un pouvoir qui risque d'engendrer de graves perturbations. S'il survient un conflit entre le monde symbolique, qui est représenté dans la société humaine par des valeurs morales et des conventions sociales, et les mouvements biologiques, qui sont écartés du milieu culturel, l'individu se trouve dans une situation qui le prédispose à la névrose. En tant que pouvoir social, le monde symbolique qui rend l'homme humain, crée en même temps le cours sanguinaire de l'histoire. Contrairement à la lutte naïve pour l'existence des organismes, l'histoire humaine est largement dominée par la lutte des idéologies, c'est-à-dire de symbolismes qui sont d'autant plus dangereux qu'ils cachent des instincts primitifs. Nous ne pouvons modifier le cours des événements qui a produit ce que nous appelons « l'homme »; il ne tient qu'à lui cependant d'appliquer son pouvoir de prévision pour son épanouissement ou pour sa propre annihilation. En ce sens, la question de savoir quel cours la conception scientifique du monde va prendre, est en même temps la question du destin de l'homme.

Un survol des développements scientifiques montre un étrange phénomène. Indépendamment les uns des autres, *des principes généraux semblables* commencent à prendre forme dans divers domaines scientifiques. Dans cette direction, l'auteur de ce cours a particulièrement mis en évidence les aspects d'organisation, de totalité et de dynamique, et a montré à grands traits leur influence dans les diverses sciences. Ces conceptions sont caractéristiques de la physique moderne face à la physique classique. En biologie, elles sont mises en évidence par la « *conception organique* » représentée par l'auteur. On trouve des conceptions semblables en médecine, en psychologie (*Gestalt psychology*, théorie de la stratification) et en philosophie moderne.

Ceci ouvre d'immenses perspectives, l'espérance d'une unité de vision du monde, jusqu'ici inconnue. Comment ressort cette unité des principes généraux ? Le Dr von Bertalanffy répond à cette question en souhaitant un *nouveau domaine scientifique* qu'il appelle la « théorie générale des systèmes » et qu'il a essayé de découvrir. C'est un domaine logico-mathématique qui a pour tâche de formuler et de dériver les principes généraux qui s'appliquent aux « systèmes » en général. En ce sens la formulation exacte de termes comme ceux de totalité et de somme, de différenciation, de mécanisation progressive, de centralisation, d'ordre hiérarchique, de finalité et d'équifinalité, etc., devient possible ; on trouve ces termes dans toutes les sciences qui s'occupent de « systèmes » ce qui implique leur homologie logique.

La vision mécaniste du monde du siècle dernier était très liée à la domination de la machine, à la conception théorique des êtres vivants comme des machines et à la mécanisation de l'homme lui-même. Cependant, ces concepts forgés par les développements scientifiques modernes, tirent leurs exemples les plus évidents de la vie elle-même. On peut ainsi espérer que ce nouveau concept mondial de la science est une expression de l'évolution vers une nouvelle étape de la culture humaine.

BIBLIOGRAPHIE

ACKOFF, R.L. « Games, Decisions and Organization », *General Systems* 4 (1959), 145-150.
— « Systems, Organizations, and Interdisciplinary Research », *General Systems*, 5 (1960), 1-8.
ADAMS, H. *The Degradation of the Democratic Dogma*, New York, Macmillan, 1920.
ADOLPH, E.F. « Quantitative Relations in the Physiological Constitution of Mammals », *Science*, 109 (1949), 579-585.
AFANASJEW, W.G. « Über Bertalanffy's « organismische » Konzeption », *Deutsche Zeitschrift für Philosophie*, 10 (1962), 1033-1046.
ALEXANDER, Franz. *The Western Mind in Transition : An Eyewitness Story*, New York, Random House, 1960.
ALLESCH, G.J. von. *Zur Nichteuklidischen Stuktur des phœnomenalen Raumes*, Jena, Fischer, 1931.
ALLPORT, Floyd. *Theories of Perception and the Concept of Structure*, New York, John Wiley & Sons, 1955.
ALLPORT, Gordon W. *Becoming : Basic Considerations for a Psychology of Personality*, New Haven, Yale University Press, 1955.
— « European and American Theories of Personality », *Perspectives in Personality Theory*. Henry David and Helmut von Bracken, editors, London, Tavistock, 1957.
— « The Open System in Personality Theory », *Journal of Abnormal and Social Psychology*, 61 (1960), 301-310. (Reprinted in *Personality and Social Encounter*, Boston, Beacon Press, 1960).
— *Pattern and Growth in Personality*, New York, Holt, Rinehart & Winston, 1961.
ANDERSON, Harold. « Personality Growth : Conceptuel Considerations », *Perspectives in Personality*, Henry David and Helmut von Bracken, editors, London, Tavistock, 1957.
ANON. « Crime and Crimology », *The Sciences*, 2 (1963), 1-4.
ANSCHÜTZ, G. *Psychologie*, Hamburg, Meiner, 1953.
APPLEBY, Lawrence, SCHER J. et CUMMINGS, J. editors, *Chronic Schizophrenia*, Glencoe, Ill., The Free Press, 1960.
ARIETI, Silvano. *Interpretation of Schizophrenia*, New York, Robert Brunner, 1955.

— « Schizophrenia », *American Handbook of Psychiatry*, S. Arieti, editor, vol. 1, New York, Basic Books, 1959.
— « The Microgeny of Thought and Perception », *Arch. of Gen. Psychiat.*, 6 (1962), 454-468.
— « Contributions to Cognition from Psychoanalytic Theory », *Science and Psychoanalysis*, G. Masserman (ed.), Vol. 8, New York, Grune & Strutton, 1965.

ARROW, K.J. « Mathematical Models in the Social Sciences », *General Systems*, I (1956), 29-47.

ASHBY, W.R. « Can a Mechanical Chess-Player Outplay its Designer ? » *British Journal of Philos. Science*, 3 (1952 *a*), 44.
— *Design for a Brain*, London, Chapman & Hall, 1952 *b*.
— « General Systems Theory as a New Discipline », *General Ssystems*, 3 (1958 *a*), 1-6.
— *Introduction à la Cybernétique*, Paris, Dunod, 1958.
— « Principles of the Self-Organizing System », *Principles of Self-Organization*, H. von Foerster and G.W. Zopf, Jr., editors, New York, Pergamon Press, 1962.
— « Constraint Analysis of Many-Dimensional Relations », *Technical Report* #2, May 1964, Urbana, Electrical Engineering Research Laboratory, University of Illinois.

ATTNEAVE, F. *Application of Information Theory to Psychology*, New York, Holt, Rinehart & Winston, 1959.

BACKMAN, G. « Lebensdauer und Entwicklung », *Roux' Arch.*, 140 (1940), 90.

BAVINK, B. *Ergebnisse un Probleme der Naturwissenschaften*, 8th ed., Leipzig, Hirzel, 1944; 9th ed., Zurich, Hirzel, 1949.

BAYLISS, L.E. *Living Control Systems*, San Francisco, Freeman, 1966.

BEADLE, G.W. *Genetics and Modern Biology*, Philadelphia, American Philosophical Society, 1963.

BECKNER, M. *The Biological Way of Thought*, New York, Columbia University Press, 1959.

BEER, S. « Below the Twilight Arch — A Mythology of Systems », *General Systems*, 5 (1960), 9-20.

BEIER, W. *Biophysik*, 2 Aufl., Leipzig, Thieme, 1962.
— *Einführung in die theoretische Biophysik*, Stuttgart, Gustav Fischer, 1965.

BELL, E. « Oogenesis », C.P. Raven, review, *Science*, 135 (1962), 1056.

BENDMANN, A. « Die « organismische Auffassung' » Bertalanffys », *Deutsche Zeitschrift für Philosophie*, 11 (1963), 216-222.
— *L. von Bertalanffys organismische Auffassung des Lebens in ihren philosophischen Konsequenzen*, Jena, G. Gischer, 1967.

BENEDICT, Ruth. *Patterns of Culture*, New York (1934), Mentor Books, 1946.

BENTLEY, A.F. « Kenetic Inquiry », *Science*, 112 (1950), 775.

BERG, K. et OCKELMANN K.W. « The Respiration of Freshwater Snails », *J. Exp. Biol.*, 36 (1959), 680-708.

— « On the Oxygen Consumption of Some Freshwater Snails », *Verh. Int. Ver. Limnol.*, 14 (1961), 1019-1022.

BERLIN, Sir Isaiah. *Historical Inevitability*, London, New York, Oxford University Press, 1955.

BERLYNE, D.E. « Recent Developments in Piaget's Work », *Brit. J. of Educ. Psychol.* 27 (1957), 1-12.

— *Conflict, Arousal and Curiosity*, New York, McGraw-Hill, 1960.

BERNAL, J.D. *Science in History*, London, Watts, 1957.

BERTALANFFY, F.D. et LAU, C. « Cell Renewal », *Int. Rev. Cytol.*, 13 (1962), 357-366.

BERTALANFFY, Ludwig von. « Einführung in Spengler's Werk », *Literaturblatt Kölnische Zeitung* (May, 1924).

— *Kritische Theorie der Formbildung*, Berlin, Borntraeger, 1928 *a*. English : *Modern Theories of Development* (1934), New York, Harper Torchbooks, 1962.

— *Nikolaus von Kues*, Munich, G. Müller, 1928 *b*.

— *Theoretische Biologie*, Bd. I, II, Berlin, Borntraeger, 1932, 1942 (2nd ed. Bern, A. Francke AG., 1951).

— « Untersuchugen über die Gesetzlichkeit des Wachstums », *Roux' Archiv.*, 131 (1934), 613-652.

— *Das Gefüge des Lebens*, Leipzig, Teubner, 1937.

— « II. A Quantitative Theory of Organic Growth », *Human Biology* 10 (1938), 181-213.

— « Der Organismus als physikalisches System betrachtet », *Die Naturwissenschaften*, 28 (1940 *a*), 521-531. Chapter 5.

— « Untersuchungen über die Gesetzlichkeit des Wachstums », III, Quantitative Beziehungen zwischen Darmoberfiache und Körpergrösse bei *Planaria Maculata, Roux', Arch.*, 140 (1940 *b*), 81-89.

— « Probleme einer dynamischen Morphologie », *Biologia Generalis*, 15 (1941), 1-22.

— « Das Weltbild der Biologie »; « Arbeitskreis Biologie », *Weltbild und Menschenbild*, S. Moser, editor (Alpbacher Hoshshulwochen. 1947), Salzburg, Tyrolia Verlag, 1948 *a*.

— « Das organische Wachstum und seine Gesetzmässigkeiten », *Experientia* (Basel), 4 (1948 *b*).

— *Das biologische Weltbild*, Bern, A. Francke AG, 1949 *a*. Français : *Les problèmes de la vie*, Paris, Gallimard, 1961. Egalement en anglais, espagnol, néerlandais, japonais.

— « Problems of Organic Growth », *Nature*, 163 (1949 *b*), 156.

— « Zu einer allgemeinen Systemlehre », *Blätter für deutsche Philosophie*, 3/4 (1945), (Extract in *Biologia Generalis*, 19 (1949), 114-129).
— « The Theory of Open Systems in Physics and Biology », *Science*, 111 (1950 *a*), 23-29.
— « An Outline of General System Theory », *Brit. J. Philos. Sci.* 1 (1950 *b*), 139-164.
— « Theoretical Models in Biology and Psychology », *Theoretical Models and Personality Theory*, D. Krech and G.S. Klein, editors, Durham, Duke University Press, 1952.
— *Biophysik des Fliessgleichgewichts*, translated by W.H. Westphal, Braunschweig, Vieweg, 1953 *a*. (Revised edition with W. Beier and R. Laue in preparation).
— « Philosophy of Science in Scientific Education », *Scient. Monthly*, 77 (1953 *b*), 233.
— « General System Theory », *Main Currents in Modern Thought*, 11 (1955 *a*), 75-83. Chapter 2.
— « An Essay on the Relativity of Categories », *Philosophy of Science*, 22 (1955 *b*), 243-263. Chapter 10.
— « A Biologist Looks at Human Nature », *Scientific Monthly*, 82 (1956 *a*), 33-41. Reprinted in *Contemporary Readings in Psychology*, R.S. Daniel, edotir, 2nd edition, Bostob, Houghton Mifflin Company, 1965. Also in *Reflexes to Intelligence, A Reader in Clinical Psychology*, S.J. Beck and H.B. Molish, editors, New York, Glencoe (Ill.) : The Free Press, 1959.
— « Some Considerations on Growth in its Physical and Mental Aspects », *Merrill-Palmer Quarterly*, 2 (1956 *b*), 13-23.
— *The Significance of Psychotropic Drugs for a Theory of Psychosis*, World Health Organization, AHP, 2, 1957 *a*. (Mimeograph).
— « Wachstum », *Kükenthal's Handb. d. Zoologie*, Bd. 8, 4 (6), Berlin : De Gruyter, 1957 *b*.
— « Comments on Aggression », *Bulletin of the Menninger Clinic*, 22 (1958), 50-57.
— « Human Values in a Changing World », *New Knowledge in Human Values*, A.H. Maslow, editor, New York, Harper & Brothers, 1959.
— « Some Biological Considerations on the Problem of Mental Illness », *Chronic Schizophrenia*, L. Appleby, J. Scher, and J. Cummings, editors, Glencoe (Ill.) : The Free Press, 1960 *a*. Reprinted in *Bulletin of the Menninger Clinic*, 23 (1959), 41-51.
— « Principles and Theory of Growth », *Fundamental Aspects of Normal and Malignant Growth*, W.W. Nowinski, editor, Amsterdam, Elsevier, 1960 *b*.
— « General System Theory-A Critical Review », *General System*, 7 (1962), 1-20. Chapter 4.

— « The Mind-Body Problem : A New View », *Psychosom. Med.*, 24 (1964 *a*), 29-45.

— « Basic Concepts in Quantitative Biology of Metabolism », *Quantitative Biology of Metabolism-First International Symposium*, A. Locker, editor. *Helgoländer wissenschaftliche Meeresuntersuchungen*, 9 (1964 *b*), 5-37.

— « The World of Science and the World of Value », *Teachers College Record*, 65 (1964 *c*), 496-507.

— « On the Definition of the Symbol », *Psychology and the Symbol : An Interdisciplinary Symposium*, J.R., Royce, editor, New York, Random House, 1965.

— « General System Theory and Psychiatry », *American Handbook of Psychiatry*, vol. 3, S. Arieti, editor, New York, Basic Books, 1966. Chapter 9.

— *Robots, Men and Minds*, New York, George Braziller, 1957.

— et ESTWICK, R.R. « Tissue Respiration of Musculature in Relation to Body Size », *Amer. J. Physiol.*, 173 (1953), 58-60.

— HEMPEL, C.G., BASS, R.E. et JONAS, H. « General System Theory : A New Approach to Unity of Science », I-VI, *Hum. Biol*, 23 (1951), 302-361.

— et MÜLLER, I. « Untersuchungen über die Gesetzlichkeit des Wachstums, VIII, Die Abhängigkeit des Stoffwechsels von der Köpergrösse und der Zusammenhang von Stoffwechseltypen und Wachstumstypen », *Riv. Biol.*, 35 (1943), 48-95.

— et PIROZYNSKI, W.J.P. « Ontogenetic and Evolutionary Allometry », *Evolution*, 6 (1952), 387-392.

— « Tissue Respiration, Growth and Basal Metabolism », *Biol. Bull.*, 105 (1953), 240-256.

BETHE, Albert. « Plastizität und Zentrenlehre », *Handbuch der normalen und pathologischen Physiologie*, vol. XV/2, Albert Bethe, editor, Berlin, Springer, 1931.

BEVERTON, R.J.H., et HOLT, S.J. « On the Dynamics of Exploited Fish Populations », *Fishery Investigation*, Ser. II, vol. XIX, London, Her Majesty's Stationery Office, 1957.

BLANDINO, G. *Problemi e Dottrine di Biologia teorica*, Bologna, Minerva Medica, 1960.

BLASIUS, W. « Erkenntnistheoretische und methodologische Grundlagen der Physiologie », in Landois-Rosemann, *Lehrbuch der Physiologie des Menschen*, 28. Aufl., Munich, Berlin, Urban & Schwarzenberg, 1962, 990-1011.

BLEULER, Eugen. *Mechanismus-Vitalismus-Mnemismus*, Berlin, Springer, 1931.

BODE, H., MOSTELLER, F., TUKEY, F., et WINSOR, C. « The Education of a Scientific Generalist », *Science*, 109 (1949), 553.

BOFFEY, Philip M. « Systems Analysis : No Panacea for Nation's Domestic Problems », *Science*, 158 (1967), 1028-1030.

BOGUSLAW, W. *The New Utopians*, Englewood Cliffs, Prentice-Hall, 1965.

BOULDING, K.E. *The Organizational Revolution*, New York, Harper & Row, 1953.

— « Toward a General Theory of Growth », *General Systems*, I (1956 *a*), 66-75.

— *The Image*, Ann Arbor, University of Michigan Press, 1956 *b*.

— *Conflict and Defence*. New York : Harper, 1962.

BRADLEY, D.F., et CALVIN M. « Behavior : Imbalance in a Network of Chemical Transformation », *General Ssystems*, I (1956), 56-65.

BRAY, H.G., et WHITE, K. *Kinetics and Thermodynamics in Biochemistry*, New York, Academic Press, 1957.

BRAY, J.R. « Notes toward an Ecology Theory », *Ecology*, 9 (1958), 770-776.

BRODY, S. « Relativity of Physiological Time and Physiological Weight », *Growth*, 1 (60), 1937.

— *Bioenergetics and Growth*, New York, Reinhold, 1945.

BRONOWSKI, J. Review of « Brains, Machines and Mathematics » by M.A. Arbid, *Scientific American*, (July 1964), 130-134.

BRUNER, Jerome. « Neural Mechanisms in Perception », in *The Brain and Human Behavior*, H. Solomon, editor, Baltimore, Williams and Wilkins, 1958.

BRUNNER, R. « Das Fliessgleichgewicht als Lebensprinzip », *Mitteilungen der Versuchsstation für das Gärungsgewerbe* (Vienna), 3-4 (1967), 31-35.

BRUNSWIK, Egon. « Historical and Thematic Relations of Psychology to Other Sciences », *Scientific Monthly*, 83 (1956), 151-161.

BUCKLEY, W. *Sociology and Modern Systems Theroy*, Englewood Cliffs, N.J., Prentice-Hall, 1967.

BÜHLER, C. « Theoretical Observations about Life's Basic Tendencies », *Amer. J. Psychother.*, 13 (1959), 561-581.

— *Psychologie im Leben unserer Zeit*, Munich & Zurich, Knaur, 1962.

BURTON, A.C. « The Properties of the Steady State Compared to those of Equilibrium as shown in Characteristic Biological Behavior », *J. Cell. Comp. Physiol.*, 14 (1939), 327-349.

BUTENANDT, A. « Neuartige Probleme und Ergebnisse der biologischen Chemie », *Die Naturwissenschaften*, 42 (1955), 141-149.

— « Altern und Tod als biochemisches Problem », *Dt. Med. Wschr.*, 84 (1959), 297-300.

CANNON, W.B. « Organization for Physiological Homeostasis », *Physiological Review*, 9 (1929), 397.

— *The Wisdom of the Body*, New York, W.W. Norton Co., 1932.

CANTRIL, Hadley. « A Transaction Inquiry Concerning Mind », *Theories of the Mind*, Jordan Scher, edotir, New York, The Free Press, 1962.

CARMICHAEL, Leonard, editor, *Manual of Child Psychology* (2nd edition), New York, John Wiley & Sons, 1954.

CARNAP, R. *The Unity of Science*, London, 1934.

CARTER, L.J. « Systems Approach : Political Interest Rises », *Science*, 153 (1966), 1222-2224.

CASEY, E.J. *Biophysics*, New York, Reinhold, 1962.

CASSIRER, Ernst. *The Philosophy of Symbolic Froms*, 3 vols., New Haven, Yale University Press, 1953-1957.

CHANCE, B., ESTABROOK, R.W. et WILLIAMSON, J.R. (ed.s). *Control of Energy Metabolism*, New York, London, Academic Press, 1965.

CHOMSKY, N. « Verbal Behavior » by B.F. Skinner ». *Language*, 35 (1959), 26-58.

CHORLEY, R.J. *Geomorphology and General Systems Theory, General Systems*, 9 (1964), 45-56.

COMMONER, B. « In Defense of Biology », *Science*, 133 (1961), 1745-1748.

COWDRY, Edmund. *Cancer Cells*, 2nd edition, Philadelphia, W.B. Saunders, 1955.

DAMUDE, E. « A Revolution in Psychiatry », *The Medical Post*, May, 23, 1967.

D'ANCONA, V. *Der Kampf ums Dasein*, Berlin, Bornträger, 1939. English translation, *The Struggle for Existence*, Leiden, E.J. Brill, 1954.

DENBIGH, K.G. « Entropy Creation in Open Reaction Systems », *Trans. Faraday. Soc.*, 48 (1952), 389-394.

DE-SHALIT, A. « Remarks on Nuclear Structure », *Science*, 153 (1966), 1063-1067.

DOBZHANSKY, T. « Are Naturalists Old-Fashioned ? » *American Naturalist*, 100 (1966), 5141-550.

DONNAN, F.G. « Integral Analysis and the Phenomenon of Life », *Acta Biotheor*, 1937.

DOST, F.H. *Der Blutspiegel : Kinetik der Konzentrationsabläufe in der Körperflüssigkeit*, Leipzig, Thieme, 1953.

— « Über ein einfaches statistisches Dosis-Umsatz-Gesetz », *Klin. Wschr.*, 36 (1958), 655-657.

— « Beitrag zur Lehre vom Fliessgleichgewicht (steady state) aus der Sicht der experimentellen Medizin », *Nova Acta Leopoldina*, 4-5 (1958-59), 143-152.

— « Fliessgleichgewichte im strömenden Blut », *Dt. med. Wschr.*, 87 (1962 a), 1833-1840.

— « Ein Verfahren zur Ermittlung des absoluten Transportvermögens des Blutes im Fliessgleichgewicht », *Klin. Wschr.*, 40 (1962 b), 732-733.

DRISCHEL, H. « Formale Theorien der Organisation (Kybernetik und verwandte Disziplinen) », *Nova Acta Leopoldina* (Halle, Germany), (1968).

DRUCKREY, H. et KUPFMÜLLER, K. *Dosis und Wirkung: Die Pharmazie*, 8 Beihelf, 1, Erg.-Bd., Aulendorf (Württ.) Editio Cantor GmbH., 1949, 513-595.

DUBOS, R. « Environmental Biology », *BioScience*, 14 (1964), 11-14.

— « We are Slaves to Fashion in Research! », *Scientific Research* (Jan. 1967), 36-37, 54.

DUNN, M.S., MURPHY, E.A., et ROCKLAND, L.B. « Optimal Growth of the Rat », *Physiol. Rev.*, 27 (1947), 72-94.

EGLER, F.E. « Bertalanffian Organismicism ». *Ecology*, 34 (1953), 443-446.

ELSASSER, W.M. *The Physical Foundation of Biology*, New York, Pergamon Press, 1958.

— *Atom and Organism*, Princeton University Press, 1966.

EYSENCK, Hans. « Characterology, Stratification Theory and Psycho-analysis; An Evaluation », *Perspectives in Personality Theroy*, Henry David and Helmut von Bracken, editors, London, Tavistock, 1957.

FEARING, F. « An Examination of the Conceptions of Benjamin Whorf in the Light of Theories of Perception and Cognition », *Language in Culture*, H. Hoijer, editor, *American Anthropologist*, 56 (1954), Memoir No. 79, 47.

FLANNERY, Kent V. « Culture History v. Cultural Process : A Debate in American Archaeology », *Sci. Amer.*, 217 (1967), 119-122.

FOERSTER, H. von, et ZOPF, G.W., Jr. (eds.). *Principles of Self-Organization*, New York, Pergamon Press, 1962.

FOSTER, C., RAPOPORT, A., et TRUCCO, E. « Some Unsolved Problems in the Theory of Non-Isolated Systems », *General Systems*, 2 (1957), 9-29.

FRANK, L.K., HUTCHINSON, G.E., LIVINGSTONE, W.K., McCULLOCH, W.S., et WIENER, N. *Teleological Mechanisms*, Ann. N.Y. Acad. Sci., 50 (1948).

FRANKL, Victor. « Das homöostatische Prinzip und die dynamische Psychologie », *Zeitschrift für Psychotherapie und Medizinische Psychologie*, 9 (1959 a), 41-47.

— *From Death-Camp to Existentialism*, Boston, Beacon Press, 1959 b.

— « Irrwege seelenärztlichen Denkens (Monadologismus, Potentialismus und Kaleidoskopismus) », *Nervenarzt*, 31 (1960), 385-392.

FRANKS, R.G.E. *Mathematical Modeling in Chemical Engineering*, New York, Wiley, 1967.

FREEMAN, Graydon. *The Energetics of Human Behavior*, Ithaca, Cornell University Press, 1948.

FREUD, Sigmund. *Introduction à la Psychanalyse*, Paris, Payot, 1963.

FRIEDELL, E. *Kulturgeschichte der Neuzeit*, München, C.H. Beck, 1927-31.

GARAVAGLIA, C., POLVANI, C., et SILVESTRINI, R. « A Collection of Curves Obtained With a Hydrodynamic Model Simulating Some Schemes of

Biological Experiments Carried Out With Tracers », Milano, CISE, *Report No.* 60 (1968), 45 pp.

GAZIS, Denos C. « Mathematical Theory of Automobile Traffic », *Science*, 157 (1967), 273-281.

GEERTZ, Clifford. « The Growth of Culture and the Evolution of Mind », *Theories of the Mind*, Jordan Scher, editor, New York, The Free Press, 1962.

GESSNER, F. « Wieviel Tiere bevölkern die Erde ? », *Orion* (1952), 33-35.

GEYL, P. *Napoleon For and Against*, London, Jonathan Cape, 1949 (1957).

— *Debates With Historians*, New York, Meridian Books, 1958.

GILBERT, Albin. « On the Stratification of Personality », *Perspectives in Personality Theory*, Henry David and Helmut von Bracken, editors, London, Tavistock, 1957.

GILBERT, E.N. « Information Theory After 18 Years », *Science*, 152 (1966), 320-326.

GLANSDORFF, P., et PRIGOGINE, J. « On a General Evolution Criterion in Macroscopic Physics », *Physica* 30 (1964), 351-374.

GOLDSTEIN, Kurt. *The Organism*, New York, American Book Company, 1939.

— « Functional Disturbances in Brain Damage », *American Handbook of Psychiatry*, vol. 1, Silvano Arieti, editor, New York, Basic Books, 1959.

GRAY, W., RIZZO, N.D., et DUHL, F.D. (eds.). *General Systems Theory and Psychiatry*, Boston, Little, Brown and Company, (in press).

GRINKER, R.R. (ed.). *Toward a Unified Theory of Human Behavior*, 2nd edition, New York, Basic Books, 1967.

GRODIN, F.S. *Control Theory and Biological Systems*, New York, Columbia University Press, 1963.

GROSS, J. « Die Krisis in der theoretischen Physik und ihre Bedeutung für die Biologie », *Biologisches Zentralblatt*, 50 (1930).

GUERRA, E., et GÜNTHER, B. « On the Relationship of Organ Weight, Function and Body Weight », *Acta. Physiol. Lat. Am.*, 7 (1957), 1-7.

GÜNTHER, B., et GUERRA, E. « Biological Similarities », *Acta. Physiol. Lat. Am.*, 5 (1955), 169-186.

HACKER, Frederick. « Juvenile Delinquency », *Hearings before the U.S. Senate Subcommittee Pursuant to S. Res. No. 62*, Washington, U.S. Government Printing Office, June 15-18, 1955.

HAHN, Erich. « Aktuelle Entwicklungstendenzen der soziologischen Theorie », *Deutsche Z Philos.*, 15 (1967), 178-191.

HAIRE, M. « Biological Models and Empirical Histories of the Growth of Organizations », *Modern Organization Theory*, M. Haire, editor, New York, John Wiley & Sons, 1959, pp. 272-306.

HALL, A.D., et FAGEN, R.E. « Definition of Systems », *General Systems*, I (1956), 18-29.

— *A Methodology for Systems Engineering*, Princeton, Van Nostrand, 1962.

HALL, C.S., et LINDZEY, G. *Theories of Personality*, New York, John Wiley & Sons, 1957.

HART, H. « Social Theory and Social Change », in L. Gross, editor. *Symposium on Sociological Theory*, Evanston, Row, Peterson, 1959, pp. 196-238.

HARTMANN, M. *Allgemeine Biologie*, Jena, 1927.

HARTMANN, N. « Neue Wege der Ontologie », *Systematische Philosophie*, N. Hartmann, editor, Stuttgart, 1942.

HAYEK, F.A. « Degrees of Explanation », *Brit. J. Philos. Sci.*, 6 (1955), 209-225.

HEARN, G. *Theory Building in Social Work*, Toronto, University of Toronto Press, 1958.

HEBB, Donald O. *The Organization of Behavior*, New York, John Wiley & Sons, 1949.

— « Drives and the C.N.S. (Conceptual Nervous System) », *Psychol. Rev.*, 62 (1955), 243-254.

HECHT, S. « Die physikalische Chemie und die Physiologie des Sehaktes », *Erg. Physiol.*, 32 (1931).

HEMMINSGEN, A.M. « Energy Metabolism as Related to Body Size and Respiratory Surfaces, and its Evolution », *Reps. Steno Mem. Hosp.*, part 2, 9 (1960).

HEMPEL, C.G. *Aspects of Scientific Explanation and other Essays in the Philosophy of Science*, New York, The Free Press, 1965.

HENRY, Jules. *Culture Against Man*, New York, Random House, 1963.

HERRICK, Charles. *The Evolution of Human Nature*, New York, Harper Torchbooks, 1956.

HERSH, A.H. « Drosophila and the Course of Research », *Ohio J. Sci.*, 42 (1942), 198-200.

HESS, B. « Fliessgleichgewichte der Zellen », *Dt. Med. Wschr.*, 88 (1963), 668-676.

— « Modelle enzymatischer Prozesse », *Nova Acta Leopolodina* (Halle, Germany), 1969.

HESS, B., et CHANCE, B. « Uber zelluläre Regulationsmechanismen und ihr mathematisches Modell », *Die Naturwissenschaften*, 46 (1959), 248-257.

HESS, W.R. « Die Motorik als Organisationsproblem », *Biologisches Zentralblatt*, 61 (1941), 545-572.

— « Biomotorik als Organisationsproblem », I, II, *Die Naturwissenschaften*, 30 (1942), 441-448, 537-541.

HILL, A.V. « Excitation and Accomodation in Nerve », *Proc. Roy. Soc. London* 11 (1936).

HOAGLAND, H. « Consciousness and the Chemistry of Time », *Transactions of the First Conference*, H.A. Abramson, editor, New York, J. Macy Foundation, 1951.

HÖBER, R. *Physikalische Chemie der Zelle der Gewebe*, 6. Aufl., Berlin, 1926.

HOIJER, H. editor, *Language in Culture*, American Anthropologist, Memoir No. 79 (1954).

HOLST, Erich von. «Vom Wesen der Ordnung im Zentralbervensystem», *Die Naturwissenschaften*, 25 (1937), 625-631, 641-647.

HOLT, S.J. «The Application of Comparative Population Studies to Fisheries Biology — An Exploration», in *The Exploitation of Natural Animal Populations*, E.D. LeCren and M.W. Holdgate, editors, Oxford, Blackwell, n.d.

HOOK, Sidney, editor, *Dimensions of Mind*, New York, Collier Books, 1961.

HUMBOLDT, W. von. *Gesammelte Schriften*, VII, 1, Berlin, Preuss. Akademie, n.d.

HUXLEY, A. *Les Portes de la Perception*, Monaco, éditions du Rocher, 1954.

HUXLEY, J. *Problems of Relative Growth*, London, Methuen, 1932.

JEFFRIES, L.A. (ed.). *Cerebral Mechanisms in Behavior*, The Hixon Symposium, New York, John Wiley & Sons, 1951.

JONES, R.W., et GRAY, J.S. «System Theory and Physiological Processes», *Science*, 140 (1963), 461-466.

JUNG, F. «Zur Anwendung der Thermodynamik auf Biologische und Medizinische Probleme», *Die Naturwissenschaften*, 43 (1956), 73-78.

KALMUS, H. «Über die Natur des Zeitgedächtnisses der Bienen», *Zeitschr. Vergl. Physiol.*, 20 (1934), 405.

KAMARYT, J. «Die Bedeutung der Theorie des offenen Systems in der gegenwärtigen Biologie», *Deutsche Z. für Philosophie*, 9 (1961), 2040-2059.

— «Ludwig von Bertalanffy a syntetické směry v zapadné biologii», in *Filosofické problémy moderni biologie*, J. Kamaryt, editor, Prague, Československá Akademie, VED, 1963, pp. 60-105.

KANAEV, I.I. *Aspects of the History of the Problem of the Morphological Type from Darwin to the Present* (in Russian), Moscow, NAUKA, 1966, pp. 193-200.

KEITER, F. «Wachstum und Reiten im Jugendalter», *Kölner Z. für Soziologie*, 4 (1951-1952), 165-174.

KLEIBER, M. *The Fire of Life*, New York, John Wiley & Sons, 1961.

KLUCKHOHN, C., et LEIGHTON, D. «The Navaho», *The Tongue of the People*, Cambridge (Mass.), Harvard University Press, 1951.

— «Culture and Behavior», in *Handbook of Social Psychology*, vol. 2, G. Lindzey, editor, Cambridge, Addison-Wesley Publishing Company, 1954.

KMENT, H. «Das Problem biologischer Regelung und seine Geschichte in medizinischer Sicht», *Münch. Med. Wschr.*, 99 (1957), 475-468, 517-520.

— «The Problem of Biological Regulation and Its Evolution in Medical View», *General Systems*, 4 (1959), 75-82.

Koestler, Arthur. *Le lotus et le robot*, Paris, Calmann-Lévy, 1964.
— *The Ghost in the Machine*, London, Hutchinson, 1967.
— « The Tree and the Candle », in *Unity and Diversity of Systems : Festchrift for L. von Bertalanffy*, R.G. Jones, editor, in preparation.
Köhler, W. *Die physischen Gestalten in Ruhe und im stationären Zustand*, Erlangen, 1924.
— « Zum Problem der Regulation », *Roux's Arch*, 112 (1927).
Kottje, F. « Zum Problem der vitalen Energie », *Ann. d. Phil. u. phil. Kritik*, 6 (1927).
Krech, David. « Dynamic Systems as Open Neurological Systems », *Psychological Review*, 57 (1950), 283-290. Reprinted in *General Systems*, I (1956), 144-154.
Kremyanskiy, V.I. « Certain Peculiarities of Organisms as a « System » from the Point of View of Physics, Cybernetics, and Biology », *General Systems*, 5 (1960), 221-230.
Kroeber, A.L. *The Nature of Culture*, Chicago, The University of Chicago Press, 1952.
— *Style and Civilizations*, Ithaca, N.Y., Cornell U. Press, 1957.
— et C. Kluckhohn. *Culture. A Critical Review of Concepts and Definitions* (1952), New York, Vintage, 1963.
Kubie, Lawrence. « The Distorsion of the Symbolic Process in Neurosis and Psychosis », *J. Amer. Psychoanal. Ass.*, 1 (1953), 59-86.
Kuhn, T.S. *The Structure of Scientific Revolutions*, Chicago, University of Chicago Press, 1962.
Labarre, W. *The Human Animal*, Chicago, U. of Chicago Press, 1954.
Langer, S. *Philosophy in a New Key* (1942), New York, Mentor Books, 1948.
Lashley, K. *Brain Mechanisms and Intelligence* (1929), New York, Hafner, 1964.
Lecomte du Noüy, P. *Le Temps et la Vie*, Paris, N.R.F., 1936.
Lehmann, G. « Das Gesetz der Stoffwechselreduktion », in *Kükenthals Handbuch der Zoologie*, 8, 4 (5). Berlin, De Gruyter & Co., 1956.
Lennard, H., et Bernstein, A. *The Anatomy of Psychotherapy*, New York, Columbia U. Press, 1960.
Lersch, P., et Thomae, H., editors. *Handbuch der Psychologie*, Vol. 4 : *Persönlichkeitsforschung und Persönlichkeitstheorie*. Göttingen, Hogrefe, 1960.
Lewada, J. « Kybernetische Methoden in der Soziologie », (in Russian) *Kommunist* (Moscow, 1965), 14, 45.
Llavero, F. « Bemerkungen zu eininen Grundfragen der Psychiatrie », *Der Nervenarzt*, 28 (1967), 419-420.
Locker, A. « Das Problem der Abhängigkeit des Stoffwechsels von der Köpergrösse », *Die Naturwissenschaften*, 48 (1961 *a*), 445-449.
— « Die Bedeutung experimenteller Variabler für die Abhängigkeit der Gewebsatmung von der Körpergrösse. II. Die Bezugsbasis », *Pflügers Arch. ges. Physiol.*, 273 (1961 *b*), 345-352.

— « Reaktionen metabolisierender Systeme auf experimentelle Beeinflussung, Reiz und Schädigung », *Helgoländer wissenschaftliche Meeresuntersuchugen*, 9 (1964), 38-107.

— « Elemente einer systemtheoretischen Betrachtung des Stoffwechsels », *Helgoländer wissenschaftliche Meeresuntersuchungen*, 14 (1966 *a*), 4-24.

— « Aktuelle Beiträge zur systemtheoretischen Behandlung des Stoffwechsels. Netzwerk-, graphentheoretische und weitere Verfehren », *Studia biophysica*, 1 (1966 *b*), 405-412.

— et LOCKER, R.M. « Die Bedeutung experimenteller Variabler für die Abhängigkeit der Gewebsatmung von der Körpergrösse, III, Stimulation der Atmung und Auftrennung in Substratanteile », *Pflügers Arch. ges. Physiol.*, 274 (1962), 581-592.

LOEWE, S. « Die quantitativen Probleme der Pharmakologie », *Erg. Physiol.*, 27 (1928).

LORENZ, K. « Die angeborenen Formen möglicher Erfahrung », *Z. Tierpsychologie*, 5 (1943), 235.

LOTKA, A.J. *Elements of Physical Biology* (1925), New York, Dover, 1956.

LUMER, H. « The Consequences of Sigmoid Growth Curves for Relative Growth Functions », *Growth*, I (1937).

LURIA, Alexander. *The Role of Speech in the Regulation of Normal and Abnormal Behavior*, New York, Pergamon Press, 1961.

LUTHE, Wolfgang. « Neuro-humoral Factors and Personality », *Perspectives in Personality Theory*, Henry David and Helmut von Braken, editors, London, Tavistock, 1957.

MACCIA, E., STEINER, et MACCIA, G.S. *Development of Educational Theory Derived from Three Educational Theory Models*, Project 5-0638, Columbus, Ohio, The Ohio State Research Foundation, 1966.

MAGOUN, Horace. *The Waking Brain*, Springfield, Illinois, Charles C. Thomas, 1958.

MALEK, E., et al. *Continuous Cultivation of Microorganisms*. Prague : Czech. Acad. Sci., 1958, 1964.

MANNING, Hon, E.C. *Political Realignment — A Challenge to Thoughtful Canadians*, Toronto/Montreal, McClelland & Steward, Ltd., 1967.

MARTIN, A.W., et FUHRMAN, F.A. « The Relationship Between Summated Tissue Respiration and Metabolic Rate in the Mouse and Dog », *Physiol. Zool.*, 28 (1955), 18-34.

— *Mathematical Systems Theory*, edited by D. Bushaw *et al.*, New York : Springer, since 1967.

MATHER, K.F. « Objectives and Nature of Integrative Studies », *Main Currents in Modern Thought*, 8 (1951) 11.

MATSON, Floyd. *The Broken Image*, New York, George Braziller, 1964.

MAY, Rollo, ANGEL, Ernest, et ELLENBERGER, Henri, editors. *Existence : A New Dimension in Psychiatry and Psychology*, New York, Basic Books, 1958.

MAYER, J. « Growth Characteristics of Rats Fed a Synthetic Diet », *Growth*, 12 (1948), 341-349.

McCLELLAND, C.A. « Systems and History in International Relations-Some Perspectives for Empirical Research and Theory », *General Systems*, 3 (1958), 221-247.

McNEILL, W. *The Rise of the West*, Toronto, The University of Toronto Press, 1963.

MEIXNER, J.R., et REIK, H.G. « Thermodynamik der irreversiblen Prozesse », *Handbuch der Physik*, Bd. III/2, S. Flügge, editor, Berlin, Springer Verlag, 1959, pp. 413-523.

MENNINGER, Karl. « The Psychological Aspects of the Organism Under Stress », *General Systems*, 2 (1957), 142-172.

— ELLENBERGER, Henri, PRUYSER, Paul, et MAYMAN, Martin. « The Unitary Concept of Mental Illness », *Bull. Menninger Clin.* 22 (1958), 4-12.

— MAYMAN, Martin, et PRUYSER, Paul. *The Vital Balance*, New York, The Viking Press, 1963.

MERLOO, Joost. *The Rape of the Mind*, Cleveland, The World Publishing Compant, 1956.

MESAROVIC, M.D. « Foundations for a General Systems Theory », *Views on General Systems Theory*, M.S. Mesarovic, editor, New York, John Wiley & Sons, 1964, 1-24.

METZGER, W. « Psychologie », *Wissenschaftliche Forschungsberichte, Baturwissenschaftliche Reihe*, 52 (1941).

MEUNIER, K. « Korrelation und Umkonstruktion in den Grössenbeziehungen zwischen Vogelflügel und Vogelkörper », *Biol. Gen.*, 19 (1951), 403-443.

MILLER, J.G. et al. « Symposium : Profits and Problems of Homeostatic Models in the Behavioral Sciences », *Chicago Behavioral Sciences Publications*, 1 (1953).

MILLER, James. « Towards a General Theory for the Behavioral Sciences », *Amer. Psychol.*, 10 (1955), 513-531.

MILSUM, J.H. *Biological Control Systems Analysis*, New York, McGraw-Hill, 1966.

MINSKY, Marvin L. *Computation, Finite and Infinite Machines*, Englewood Cliffs, N.J., Prentice-Hall, Inc., 1967.

MITTASCH, A. *Von der Chemie zur Philosophie — Ausgewählte Schriften und Vorträge*, Ulm, 1948.

MITTELSTAEDT, H. « Regelung in der Biologie », *Regelungstechnik*, 2 (1954), 177-181.

— editor, *Regelungsvorgänge in der Biologie*, Oldenbourg, 1956.

MORCHIO, R. « Gli Organismi Biologici Come Sistemi Aperti Stazionari Nel Modello Teorico di L. von Bertalanffy », *Nuovo Cimento*, 10, Suppl., 12 (1959), 110-119.

MOSER, H., et MOSER-EGG, O. « Physikalisch-chemische Gleichgewichte im Organismus », *Einzeldarstellungen a.d. Gesamtgeb. d. Biochemie* (Leipzig), 4 (1934).

MUMFORD, L. *The Myth of the Machine*, New York, Harcourt, Brace, 1967.

MURRAY, Henry. « The Personality and Career of Satan », *Journal of Social Issues*, 18 (1962), 36-54.

NAGEL, E. *The Structure of Science*, London, Routledge & Kegan Paul, 1961.

NAROLL, R.S., et BERTALANFFY, von L. « The Principles of Allometry in Biology and the Social Sciences », *General Systems*, 1 (1956), 76-89.

NEEDHAM, J. « Chemical Heterogony and the Groundplan of Animal Growth », *Biol. Rev.*, 9 (1934), 79.

NETTER, H. « Zur Energetik der stationären chemischen Zustände in der Zelle », *Die Naturwissenschaften*, 40 (1953), 260-267.

— *Theoretische Biochemie*, Berlin, Springer, 1959.

NEUMANN, J., von. « The General and Logical Theory of Automata », *Cerebral Mechanisms in Behavior*, L.A. Jeffries, editor, New York, Wiley, 1951.

— et MORGENSTERN, O. *Theory of Games and Economic Behavior*, Princeton University Press, 1947.

NUTTIN, Joseph. « Personality Dynamics », in *Perspectives in Personality Theory*, Henry David and Helmut von Bracken, editors, London, Tavistock, 1957.

OPLER, Marvin. *Culture, Psychiatry and Human Values*, Springfield, Ill., Charles C. Thomas, 1956.

OSTERHOUT, W.J.V. « The Kinetics of Penetration », *J. Gen. Physiol.*, 16 (1933).

— « Bericht Über Vorträge auf dem 14. Internationalem Kongress für Physiologie, Rom 1932 », *Die Naturwissenschaften* (1933).

— et STANLEY, W.M. « The Accumulation of Electrolytes », *J. Gen. Physiol.*, 15 (1932).

PARETO, V. *Cours de l'économie politique*, Paris, 1897.

PATTEN, B.C. « An Introduction to the Cybernetics of the Ecosystem : The Trophic-Dynamic Aspect », *Ecology*, 40 (1959), 221-231.

PIAGET, Jean. *La construction du réel chez l'enfant*, Neuchâtel et Paris, Delachaux et Niestlé, 1937.

PRIGOGINE, I. *Etude thermodynamique des phénomènes irréversibles*, Paris, Dunod, 1947.

— « Steady States and Entropy Production », *Physica*, 31 (1965), 719-724.

PUMPIAN-MINDLIN, Eugene. « Propositions Concerning Energetic-Economic Aspects of Libido Theory », *Ann. N.Y. Acad. Sci.*, 76 (1959), 1038-1052.

PÜTTER, A. « Studien zur Theorie der Reizvorgänge », I-VII, *Pflügers Archiv* 171, 175, 176, 180 (1918-20).

— « Studien über physiologische Aehnlichkeit, VI. Wachstumsähnlichkeiten », *Pflügers Arch. ges. Physiol.*, 180 (1920), 298-340.

QUASTLER, H. (ed.). *Information Theory in Biology*, Urbana, The University of Illinois Press, 1955.

RACINE, G.E. « A Statistical Analysis of the Size-Dependence of Metabolism Under Basal and Non-Basal Conditions », Thesis, University of Ottawa, Canada, 1953.

RAPAPORT, D. *The Structure of Psychoanalytic Theory*, Psychol. Issues, Monograph 6, 2 (1960), 39-64.

RAPOPORT, A. « Outline of a Probabilistic Approach to Animal Sociology », I-III, *Bull. Math. Biophys.*, 11 (1949), 183-196, 273-281; 12 (1950), 7-17.

— « The Promise and Pitfalls of Information Theory », *Behav. Sci.*, I (1956), 303-315.

— « Lewis F. Richardson's Mathematical Theory of War », *General Systems*, 2 (1957), 55-91.

— « Critiques of Game Theory », *Behav. Sci.*, 4 (1959 *a*), 49-66.

— « Uses and Limitations of Mathematical Models in Social Sciences », *Symposium on Sociological Theory*, L. Gross, editor, Evanston, Illinois, Row, Peterson, 1959 *b*, pp. 348-372.

— *Fights, Games and Debates*, Ann Arbor, University of Michigan Press, 1960.

— « Mathematical Aspects of General Systems Theory », *General Systems*, 11 (1966), 3-11.

— et HORVATH, W.J. « Thoughts on Organization Theory and a Review of Two Conferences », *General Systems*, 4 (1959), 87-93.

RASHEVSKY, N. *Mathematical Biophysics*, Chicago, The University of Chicago Press, 1938. 3rd. ed. 1960.

— *Mathematical Biology of Social Behavior*, The University of Chicago Press, 1951.

— « The Effect of Environmental Factors on the Rates of Cultural Development », *Bull. Math. Biophys.*, 14 (1952), 193-201.

— « Topology and Life : In Search of General Mathematical Principles in Biology and Sociology », *General Systems*, I (1956), 123-138.

REIK, H.G. « Zur Theorie irreversibler Vorgänge », *Annalen d. Phys.*, 11 (1953), 270-284, 407-419, 420-428; 13 (1953), 73-96.

RENSCH, B. *Neuere Probleme der Abstammungslehre*, 2nd edition, Stuttgart, 1954.

— « Die Evolutionsgesetze der Organismen in naturphilosophischer Sicht », *Philosophia Naturalis*, 6 (1961), 288-326.

REPGE, R. « Grenzen einer informationstheoretischen Interpretation des Organismus », *Giessener Hochschulblätter*, 6 (1962).

RESCIGNO, A. « Synthesis for Multicompartmental Biological Models », *Biochem. Biophys. Acta.*, 37 (1960), 463-468.

— et SEGRE, G. *Drug and Tracer Kinetics*, Waltham, Massachusetts, Blaisdell, 1966.

RIEGL, A. *Die Spätrömische Kunstindustrie, Nach den Funden in Osterreich-Ungarn*. Wien, Hof- und Staatsdruekerei, -1901.

ROSEN, R. « A Relational Theory of Biological Systems », *General Systems*, 5 (1960), 29-44.

— *Optimality Principles in Biology*, London, Butterworths, 1967.

ROSENBROCK, H.H. « On Linear System Theory », *Proceedings IEEE*, 114 (1967), 1353-1359.

ROTHACKER, Erich. *Die Schichten der Persönlichkeit*, 3rd edition, Leipzig, Barth, 1947.

ROTHSCHUH, K.E. *Theorie des Organismus*, 2nd edition, München, Urban/Schwarzenberg, 1963.

ROYCE, Joseph, R. *The Encapsulatd Man*, New York, Van Nostrand, 1964.

RUESCH, J. « Epilogue », *Toward a Unified Theory of Human Behavior*, 2nd edition, R.R. Grinker, editor, New York, Basic Books, 1967.

RUSSELL, B. *Human Knowledge, Its Scope and Limits*, London, 1948.

SCHAFFNER, Kenneth F. « Antireductionism and Molecular Biology », *Science*, 157 (1967), 644-647.

SCHAXEL, J. *Grundzüge der Theorienbildung in der Biologie*, 2nd edition, Jena, Fischer, 1923.

SCHER, Jordan, editor. *Theories of the Mind*, New York, The Free Press, 1962.

SCHILLER, Claire. editor and translator. *Instinctive Behavior*, London, Methuen & Co., 1957.

SCHOENHEIMER, R. *The Dynamic State of Body Constituents*, 2nd edition, Cambridge (Mass.), Harvard University Press, 1947.

SCHULZ, G.V. « Über den makromolekularen Stoffwechsel der Organismen », *Die Naturwissenschaften*, 37 (1950), 196-200, 223-229.

— « Energetische und statistiche Voraussetzungen für die Synthese der Makromoleküle im Organismus », *Z. Elektrochem. angew. physikal Chem.*, 55 (1951), 569-574.

SCOTT, W.G. « Organization Theory : An Overview and an Appraisal », in *Organizations : Structure and Behavior*, J.A. Litterer, editor, New York, John Wiley & Sons, 1963.

SELYE, H. *Le Stress de la vie*, Paris, Gallimard, 1962.

SHANNON, Claude, et WEAVER, Warren. *The Mathematical Theory of Communication*, Urbana, University of Illinois Press, 1949.

SHAW, Leonard. « System Theory », *Science*, 149 (1965), 1005.

SIMON, H.A. « The Architecture of Complexity », *General Systems*, 10 (1965), 63-76.

SKINNER, B.F. « The Flight From the Laboratory », *Theories in Contemporary Psychology*, Melvin Marx, editor, New York, The Macmillan Company, 1963.

SKRABAL, A. « Von den Simultanreaktionen », *Berichte der deutschen chemischen Gesellschaft* (A), 77 (1944), 1-12.
— « Die Kettenreaktionen anders gesehen », *Monatshefte für Chemie*, 80 (1949), 21-57.
SKRAMLIK, E. von. « Die Grundlagen der haptischen Geometrie », *Die Naturwissenschaften*, 22 (1934), 601.
SMITH, Vincent E. (ed.). *Philosophical Problems in Biology*, New York, St. John's University Press, 1966.
SOROKIN, P.A. *Les théories sociologiques contemporaines*, Paris, Payot, 1938.
— *Modern Historical and Social Philosophies* (1950), New York, Dover, 1963.
— « Reply to My Critics », *Pitirim A. Sorokin in Review*, Philip Allen, editor, Durham, Duke University Press, 1963.
— *Sociological Theories of Today*, New York/Mondon, Harper & Row, 1966.
SPENGLER, O. *Le déclin de l'Occident*, vol. 1, Paris, Gallimard, 1948.
SPIEGELMAN, S. « Physiological Competition as a Regulatory Mechanism in Morphogenesis », *Quart. Rev. Biol.*, 20 (1945), 121.
SPRINSON, D.B., et RITTENBERG, D. « The Rate of Utilization of Ammonia for Protein Synthesis », *J. Biol. Chem.*, 180 (1949 *a*), 707-714.
— « The Rate of Interaction of the Amino Acids of the Diet with the Tissue Proteins », *J. Biol. Chem.*, 180 (1949 *b*), 715-726.
STAGNER, Ross. « Homeostasis as a Unifying Concept in Personality Theory », *Psychol. Rev.*, 58 (1951), 5-17.
STEIN-BELING, J. von. « Über das Zeitgedächtnis bei Tieren », *Biol. Rev.*, 10 (1935), 18.
STOWARD, P.J. « Thermodynamics of Biological Growth », *Nature, Lond.*, 194 (1962), 977-978.
SYZ, Hans. « Reflection on Group- or Phylo-Analysis », *Acta Psychotherapeutica*, 11 (1963), Suppl., 37-88.
SZENT-GYÖRGYI, A. « Teaching and the Expanding Knowledge », *Science*, 146 (1964), 1278-1279.
TANNER, James, et INDELDER, Bärbel, editors. *Discussions on Child Development*, vol. 4, London, Tavistock, 1960.
THOMPSON, J.W. « The Organismic Conception in Meteorology », *General Systems*, 6 (1961), 45-49.
THUMB, Norbert. « Die Stellung der Psychologie zur Biologie : Gedanken zu L. von Bertalanffy's *Theoretischer Biologie* », *Zentralblatt für Psychotherapie*, 15 (1943), 139-149.
TOCH, Hans, et HASTORE, Albert. « Homeostasis in Psychology : A review and Critique », *Psychiatry : Journal for the Study of Inter-Personal Processes*, 18 (1955), 81-91.

TOYNBEE, A. *A Study of History*, vol. IX, London and New York, Oxford University Press, 1954.
— *A Study of History*, vol. XII, *Reconsiderations*, London, New York : Oxford U. Press, 1961 (Galaxy), 1964.
TRIBIÑO, S.E.M.G. de. « Una Nueva Orientación de la Filosofia Biológica : El Organicismo de Luis Bertalanffy, Primer premio « Miguel Cané » », *Cursos y Conferencias* (Buenos Aires), 28 (1946).
TRINCHER, K.S. *Biology and Information : Elements of Biological Thermodynamics*, New York, Consultants Bureau, 1965.
TSCHERMAK, A. von. *Allgemeine Physiologie*, 2 vols., Berlin, Springer, 1916, 1924.
TURING, A.M. « On Computable Numbers, with an Application to the Entscheidungsproblem », *Proc. London. Math. Soc.*, Ser. 2, 42 (1936).
UEXKÜLL, J. von. *Umwelt und Imnenwelt der Tiere*, 2nd edition, Berlin, Springer, 1920.
— *Theoretische Biologie*, 2nd edition, Berlin, Springer, 1929.
— et KRISZAT, G. *Streifzüge durch die Umwelten von Tieren und Menschen*, Berlin, Springer, 1934.
UNGERER, E. *Die Wissenschaft vom Leben. Eine Geschichte der Biologie*, bd. *III*, Freiburg/München, Alber, 1966.
VICKERS, G. « Control, Stability, and Choice », *General Systems*, II (1957), 1-8.
VOLTERRA, V. *Leçons sur la Théorie Mathématique de la Lutte pour la Vie*, Paris, Gauthier-Villars, 1931.
WAGNER, Richard. *Probleme und Beispiele Biologischer Regelung*, Stuttgart, Thieme, 1954.
WAHL, O. « Neue Untersuchungen über das Zeitgedächtnis der Tiere », *Z. Vergl. Physiol.*, 16 (1932), 529.
WATT, K.E.F. « The Choice and Solution of Mathematical Models for Predicting and Maximizing the Yield of a Fishery », *General Systems*, 3 (1958), 101-121.
WEAVER, W. « Science and Complexity », *American Scientist*, 36 (1948), 536-644.
WEISS, P. « Experience and Experiment in Biology », *Science*, 136 (1962 a), 468-471.
— « From Cell to Molecule », *The Molecular Control of Cellular Activity*, J.M., ed., New York, 1962 b.
WERNER, G. « Beitrag zur mathematischen Behandlung pharmakologischer Fragen », *S.B. Akad. Wiss. Wien.*, *Math. Nat. Kl.*, 156 (1947), 457-467.
WERNER, Heinz. *Comparative Psychology of Mental Development*, New York, International Universities Press, 1957 a.
— « The Concept of Development from a Comparative and Organismic Point of View », *The Concept of Development*, Dale Harris, editor, Minneapolis, University of Minnesota Press, 1957 b.

WHÁTMOUGH, J. « Review of Logic and Language (Second Series) », A.G.N. Flew, editor, *Classical Philology*, 50 (1955), 67.

WHITEHEAD, A.N., *Science and the Modern World*, Lowell Lectures (1925), New York, The Macmillan Company, 1953.

WHITTACKER, R.H. « A Consideration of Climax Theory : The Climax as a Population and Pattern », *Ecol. Monographs*, 23 (1953), 41-78.

WHORF, B.L. *Collected Papers on Metalinguistics*, Washington, Foreign Service Institute, Department of State, 1952.

— *Language, Thought and Reality : Selected Writings of B.L. Whorf*, John Carroll, editor, New York, John Wiley & Sons, 1956.

WHYTE, Lancelot. *The Unconscious before Freud*, New York, Basic Books, 1960.

WIENER, Norbert. *Cybernétique et société*, Paris, Plon, 1962.

WOLFE, Harry B. « Systems Analysis and Urban Planning — The San Francisco Housing Simulation Model », *Trans. N.Y. Acad. Sci.*, Series II, 29 : 8 (June 1967), 1043-1049.

WOODGER, J.H. « The « Concept of Organism » and the Relation between Embryology and Genetics », *Quart. Rev. Biol.*, 5/6 (1930-31), 1-3.

— *The Axiomatic Method in Biology*, Cambridge, 1937.

WORRINGER, W. *Abstraktion und Einfühlung*, Munich, Piper, 1908.

— *Formprobleme der Gotik*, Munich, Piper, 1911.

YOURGRAU, W. « General System Theory and the Vitalism-Mechanism Controversy », *Scientia* (Italy), 87 (1952), 307.

ZACHARIAS, J.R. « Structure of Physical Science », *Science*, 125 (1957), 427-428.

ZEIGER, K. « Zur Geschichte der Zellforschung und ihrer Begriffe », *Handb. d. Allgem. Pathol.*, F. Büchner, E. Letterer, and F. Roulet, editors, Bd. 2, T. 1, 1-16, 1955.

ZERBST, E. « Eine Methode zur Analyse und quantitativen Auswertung biologischer steady-state Übergänge », *Experientia*, 19 (1963 *a*), 166.

— « Untersuchungen zur Veränderung energetischer Fliessgleichgewichte bei physiologischen Anpassungsvorgängen », I, II, *Pflügers Arch. ges. Physiol.*, 227 (1963 *b*), 434-445, 446-457.

— *Zur Auswertung biologischer Anpassungsvorgänge mit Hilfe der Fliessgleichgewichtstheorie. Habilitationsschrift.* Berlin, Freie Universität, 1966.

— *Eine Analyse der Sinneszellfunktion mit Hilfe der von Bertalanffy-Fliessgleichgewichtstheorie*, Berlin, Freie Universität, (in press).

— HENNERSDORF, C., et BRAMANN, von H. « Die Temperaturadaptation der Herzfrequenz und ihre Analyse mit Hilfe der Fliessgleichgewichtstheorie », 2nd International Biophysics Congress of the International Organization for Pure and Applied Biophysics, Vienna, Sept. 5-9, 1966.

ZUCKER, L., HALL, L., YOUNG, M., et ZUCKER, T.F. « Animal Growth and Nutrition, With Special Reference to the Rat », *Growth*, 5 (1941 *a*), 399-413.

— « Quantitive Formulation of Rat Growth », *Growth*, 5 (1941 *b*), 415-436.

ZUCKER, T.F., HALL, L., YOUNG, M., et ZUCKER, L. « The Growth Curve of the Albino Rat in Relation to Diet », *J. Nutr.*, 22 (1941), 123-138.

ZUCKER, L., ZUCKER, T.F. « A Simple Weight Relation Observed in Well-Nourished Rats », *J. Gen. Physiol.* 25 (1942), 445-463.

ZWAARDEMAKER, H. « Die im ruhenden Körper vorgehenden Energicwanderungen », *Erg. Physiol.*, 5 (1906).

— « Allgemeine Energetik des tierischen Lebens (Bioenergetik) », *Handbuch der normalen un pathologischen Physiologie*, I (1927).

LECTURES CONSEILLÉES

La liste suivante fournit des lectures suggérées pour une étude complémentaire de la théorie générale des systèmes telle qu'elle est définie dans ce livre, et de ses principaux domaines d'application. Pour cette raison, on s'est borné à puiser quelques exemples significatifs dans la vaste littérature technique existant dans des domaines variés tels que la cybernétique, les théories de l'information, des jeux et de la décision, la thermodynamique des processus irréversibles, l'analyse des systèmes, etc.

Théorie générale des systèmes; généralités, bases mathématiques

« Biologische Modelle », Symposium, *Nova Acta Leopoldina* (Halle, Germany), 1969. (Articles L. von Bertalanffy, H. Drischel, Benno Hess, etc.).

BOGUSLAW, W. *The New Utopians*, Englewood Cliffs (N.J.), Prentice-Hall, 1965.

BUCKLEY, W. (ed.). *Modern Systems Research for the Behavioral Scientist. A Sourcebook*, Chicago, Aldine Publishing Co., 1968.

General Systems, L. von Bertalanffy and A. Rapoport (eds.), Bedford (Mass.), P.O. Box 228, Society for General Systems Research, 12 vols. since 1956.

GORDON, Jr., Charles K. *Introduction to Mathematical Structures*, Belmont (Cal.), Dickenson, 1967.

JONES, R.D. (ed.), *Unity and Diversity*, Essays in Honor of Ludwig von Bertalanffy, New York, Braziller, 1969. (Articles A. Auersperg, W. Beier and R. Laue, R. Brunner, A. Koestler, A. Rapoport, R.B. Zuñiga, etc.).

KLIR, G.J. *An Approach to General Systems Theory*, Princeton (N.J.), Nostrand, 1968.

MACCIA, Elisabeth Steiner, et MACCIA, George S. *Development of Educational Theory Derived from Three Educational Theory Models*, Columbus (Ohio), The Ohio State University, 1966.

MESAROVIĆ, M.D. *Systems Research and Designs ; View on General Systems Theory*, New York, Wiley, 1961 and 1964; *Systems Theory and Biology*, New York, Springer-Verlag, 1968.

System Theory, Proceedings of the Sympsium on, Brooklyn (N.Y.), Polytechnic Institute, 1965.

Texty ke studiu teorie řízení. Řada : Teorie systému a jeji aplikace, Prague, Vysoka Škola Politická ÚV KSČ, 1966.

Biophysique

BEIER, Walter. *Einführung in die theoretische Biophysik*, Stuttgart, G. Fischer, 1965.

BERTALANFFY, L. von. *Biophysik des Fliessgleichgewichts*, translated by W.H. Westphal, Braunschweig, Vieweg, 1953. Revised ed. with W. Beier and R. Laue, in preparation.

BRAY, H.G., et WHITE, K. « Organisms as Physico-Chemical Machines », *New Biology*, 16 (1954), 70-85.

FRANKS, Roger G.E. *Mathematical Modeling in Chemical Engineering*, New York, Wiley, 1967.

Quantitative Biology of Metabolism, International Symposia, A. Locker and O. Kinne (eds.), Helgoländer Wissenschaftliche Meeresuntersuchungen, 9, 14 (1964), (1966).

RESCIGNO, Aldo, et SEGRE, Giorgio. *Drug and Tracer Kinetics*, Waltham (Mass.), Blaisdell, 1966.

YOURGRAU, Wolfgang, VAN DER MERWE, A., et, RAW, G. *Treatise on Irreversible and Statistical Thermophysics*, New York, Macmillan, 1966.

Biocybernétique

BAYLISS, L.E. *Living Control Systems*, San Francisco, Freeman, 1966.

Di STEFANO, III, Joseph J., STUBBERUD, A.R., et WILLIAMS, I.J. *Schaum's Outline of Theory and Problems of Feedback and Control Systems*, New York, Schaum, 1967.

FRANK, L.K. *et al. Teleological Mechanisms*, N.Y. Acad. Sc., 50 (1948).

GRODINS, Fred Sherman. *Control Theory and Biological Systems*, New York, Columbia University Press, 1963.

HASSENSTEIN, Bernhard. « Die bisherige Rolle der Kybernetik in der biologischen Forschung », *Naturwissenschaftliche Rundschau*, 13 (1960), 349-355, 373-382, 419-424.

— « Kybernetik und biologische Forschung », *Handbuch der Biologie*, L. von Bertalanffy and F. Gessner (eds.), Bd. I, Frankfurt a.M., Athenaion, 1966, pp. 629-730.

KALMUS, H. (ed.). *Regulation and Control in Living Systems*, New York, Wiley, 1966.

MILSUM, John H. *Biological Control Systems Analysis*, New Tork, McGraw-Hill, 1966.

WIENER, N. *Cybernétique et société*, Paris, Plon, 1962.

Ecologie et domaines apparentés

BEVERTON, R.J.H., et HOLT, S.J. « On the Dynamics of Exploited Fish Populations », *Fishery Investigation*, Ser. II, vol. XIX. London, Her Majesty's Stationery Office, 1957.

WATT, Kenneth E.F. *Systems Analysis in Ecology*, New York, Academic Press, 1966.

Psychologie et psychiatrie

BERTALANFFY, L. von. *Robots, Men and Minds*, New York, Braziller, 1967.
GRAY, W., RIZZO, N.D., et DUHL, F.D. (eds.). *General Systems Theory and Psychiatry*, Boston, Little, Brown, 1968.
GRINKER, Roy R. (ed.). *Toward a Unified Theory of Human Behavior*, 2nd ed., New York, Basic Books, 1967.
KOESTLER, A. *The Ghost in the Machine*, New York, Macmillan, 1968.
MENNINGER, K., avec MAYMAN, M., et PRUYSER, P. *The Vital Balance*, New York, Viking Press, 1963.

Sciences sociales

BUCKLEY, W. *Sociology and Modern Systems Theory*, Englewood Cliffs (N.J.), Prentice-Hall, 1967.
DEMERATH III, N.J., et PETERSON, R.A. (eds.). *System, Change, and Conflict. A Reader on Contemporary Sociological Theory and the Debate over Functionalism*, New York, Free Press, 1967.
HALL, Arthur D. *A Methodology for Systems Engineering*, Princeton (N.J.), Nostrand, 1962.
PARSONS, Talcott. *The Social System*, New York, Free Press, 1957.
SIMON, Herbert A. *Models of Man*, New York, Wiley, 1957.
SOROKIN, P.A. *Sociological Theories of Today*, New York, London, Harper & Row, 1966.

Addenda (1971)

BEIER, W. *Biophysik*. 3rd edition. Leipzig : Georg Thieme, 1968.
BEIER, W., et LAUE, W. « On the Mathematical Formulation of Open Systems and Their Steady States ». In *Unity Through Diversity*, l.c., Book II.
BERTALANFFY, L. von. « Chance or Law ». In *Beyond Reductionism*, l.c.
BERTALANFFY, L. von. « The History and Status of General System Theory ». In *Trends in General Systems Theory*, l.c.
Beyond Reductionism. Edited by A. Koestler and J.R. Smythies. London, New York : Hutchinson, 1969.
HAHN, W. *Theory and Application of Liapunov's Direct Method*. Englewood Cliffs, N.J. : Prentice-Hall, 1963.
HARVEY, D. *Explanation in Geography*. London : Arnold, 1969.
Hierarchical Structures. Edited by L.L. Whyte, A.G. Wilson and D. Wilson. New York : Elsevier, 1969.
Journal of General Systems. Edited by G.J. Klir and others. Starting, 1972.

KOESTLER, A. « The Tree and the Candle ». In *Unity Through Diversity*, l.c., Book II.

LA SALLE, J., et LEFSCHETZ. *Stability by Liapunov's Direct Method.* New York, London : Academic Press, 1961.

LASZLO, E. « Systems and Structures — Toward Bio-Social Anthropology ». In *Unity Through Diversity*, l.c., Book IV.

LASZLO, E. *Introduction to Systems Philosophy.* London, New York : Gordon and Berach, in press.

MILLER, J.G. « Living Systems : Basic Concepts ». In *General Systems Theory and Psychiatry*, l.c.

MILSTEIN, M., et BELASCO, J. *Educational Administration of the Behavioral Sciences : A Systems Perspective.* Boston : Allyn and Bacon, in press.

ROSEN, R. « Two-Factor Models, Neural Nets in Biochemical Automata ». *Journal of Theoretical Biology*, 15 (1967), 282-297.

ROSEN, R. *Dynamical System Theory in Biology*, Vol. I : *Stability Theory and its Applications.* New York : Wiley, 1970.

ROSEN, R. « A Survey of Dynamical Descriptions of Systems Activity ». In *Unity Through Diversity*, l.c., Book II.

SCHWARZ, H. *Einführung in die moderne Systemtheorie.* Braunschweig : Vieweg, 1969.

Systems Thinking. Edited by F.E. Emery. London : Penguin Books, 1969.

Trends in General Systems Theory. Edited by G.J. Klir. New York : Wiley. In press.

Unity Through Diversity. A Festschrift in Honor of Ludwig von Bertalanffy. Edited by W. Gray and N. Rizzo. Espec. Book II : « General and Open Systems », Book IV : « General Systems in the Behavioral Sciences ». London, New York : Gordon and Breach, 1971.

WEISS, P.A. *Life, Order and Understanding.* The Graduate Journal, The University of Texas, vol. VIII, Supplement, 1970.

WILBERT, H. « Feind-Beute-Systeme in kybernetischer Sicht », in *Œcologia* (Berlin), 5, (1970), 347-373.

INDEX DES MATIÈRES

Actes du corps animal ou humain (mécanismes de rétroaction dans la régulation des), 42

Action de masse (loi d'), 124, 126, 129

Adaptabilité (modèle d'), 44

Agriculture et Pêches (Ministère Britannique de l'), 108

Analogies en science :
définitions, 82
valeur, 32-34

Analogie organique en sociologie et en histoire, 120-22

Analyse factorielle, 95

Approche hypothético-déductive, 203

Aptitude (fitness) et téléologie, 75, 77

Atteindre un but (comportement visant à) 14, 41-42, 43, 77, 96, 135, 154

Automates (théorie des), 20, 23, 145

Auto-restauration (tendance à l'), des systèmes organiques, 25

Biculturalisme au Canada, 207

Biocénose, 66, 143, 153

Biologie :
moléculaire, 4
les plus hauts niveaux d'organisation, 4, 26, 29
la conception organique en, 4, 10, 29, 93, 106, 210, 213, 256-57
controverse mécanisme-vitalisme en, 93
aspects de la théorie des systèmes en, 159-89

Biologisme, 85

Calculateurs et cybernétique (technologie des), 13

Caractéristiques constitutives et sommatives, 52-53

Catégories :
Table des, de Kant, 43
Théorie des (N. Hartmann), 83-4
Introduction de nouvelles, dans la pensée scientifique et la recherche, 8, 16, 96, 98
relativité des, et hypothèse de Whorf, 227-32
relativité biologique des, 232-37
relativité culturelle des, 237-43
relativité des, et point de vue perspectivistes, 244-53

Causalité (lois de), 42-43

Centralisation :
définition, 69-72
en psychopathologie, 218-19

Chimie industrielle, 126, 146

Chimie-physique :
tendance vers des théories générales en, 30
cinétique et équilibre des systèmes chimiques, 124-26
de la réaction enzymaire, 147, 151
Voir aussi : Systèmes ouverts

Cinétique, 11, 54, 124, 145, 154, 160, 163

Cinétique des drogues, 54, 142, 152

Civilisation de Masse, 209

Civilisation Occidentale (expansion mondiale de la), 122

« Classique » (Théorie des systèmes), 17-18

Commande et puissance (technique de la), 1

Communication (technique de la), 20

Communication (théorie de la), 39
et flux d'information, 39
et concept de rétroaction, 40-42 (fig.)

Compartiments (théorie des), 19, 148

Compétition entre des parties :
équations de définition, 61-64, 153
« touts » fondés sur la, 64, 95
et allométrie, 167-68

Complexe d'« éléments », 52-53 (fig.)

Complexités inorganisées, 32

Complexités organisées, 32, 97

Comportement :
adaptation, but, recherche du but, 43, 77, 96, 135
conceptions unitaires et élémentalistes du, 68
schéma Stimulus-Réponse (S-R), 111, 193, 196, 198, 214
et principe de rationalité, 119
et environnementalisme, 194
le principe d'équilibre appliqué au, 195
le principe d'économie appliqué au, 195
Voir aussi : Comportement Humain

Comportement de masse, 118

Comportement humain :
théorie du, 109
modèle robot du, 193, 195, 211
aspects du c. h. issus des lois physiques, 204
Voir aussi : Comportement

Conditionnement, 50, 194

Conduite inconsciente, 120

Convergence de la recherche, 248

Copernicienne (Révolution), 103

Courbe logistique, 60-61 (fig.)

Croissance :
équations générales des systèmes, 58-61 (fig.)
exponentielle, 59-60
logistique, 60-61
modèle des équations de c. de Bertalanffy, 107

relative, 107, 153
Voir aussi : Equation allométrique
équifinalité de la, 146 (fig.), 152-53

Culture :
lois du développement de la, 204
concept de, 206-207
comme facteur psychohygiénique, 223
multiplicité des, 240

Cybernétique :
développement de la c. en technologie et en science, 14, 15, 21, 105
comme partie de la théorie générale des systèmes, 15, 19-20
dans les mécanismes de rétroaction, 42, 76, 94, 154, 165
et systèmes ouverts, 153-54

Darwinisme, 22, 156-158

Déanthropomorphisation de la science, 246-48, 251, 252

Décadence de l'Empire Romain, 208

Décision (théorie de la d., comme approche des problèmes de systèmes), 20, 94, 104, 118, 119, 203-204

Déclin de l'Ouest en tant que fait accompli (*cf.* index auteurs), 209

Dépression nerveuse, 197

Détermination linguistique des catégories de la connaissance, Hypothèse de Whorf, 199, 227-32

Déterminisme, 118, 226

Dixième théorème de Shannon, 102

Dualisme cartésien entre matière et esprit, 225

Dynamique des populations, 30, 104, 107-108, 142

Dynamique des populations biologiques (théorie de la), 30

Ecologie (théorie de), 30, 45, 104

Ecologie dynamique, 106

Economie et économétrie, 30

Education (Théorie Générale des systèmes appliquée à l'), 47-49, 198

Elément humain (comme composante de la technique des systèmes), 9

Emergence, 53

Energie atomique (développement de), 122, 192

Ensembles (approche des problèmes de système par la théorie des), 19

Entropie, 37, 39, 143, 148, 149, 155, 156, 163
Voir aussi : Thermodynamique

Equation allométrique :
définitions, 62-63
en biologie, 167-75 (Tableaux et fig.)
dans les phénomènes sociaux, 107

Equifinalité, 44, 106, 140, 148
définition, 38, 136-38
de la croissance, 146 (fig.), 152-53

Equilibre biologique (théorie de l'), 30, 45

Equilibre chimique, 125, 129

Equilibre dynamique, 135
Voir aussi : Etat stable

Espace (conquête de l'), 192

« Etat dynamique des constituants du corps » (Schönheimer), 164

Etat stable :
dans l'organisme, 39, 129, 130, 131, 138, 147, 152, 160-64, 214
définition de, 133-35

Evolution :
contraste entre totalité et somme en, 68
théorie synthétique de, 156, 157, 192

Excitation (phénomènes d'e. et concept de système ouvert), 141, 142

Existentialisme, 113, 198

Explication de principe, 34, 45, 110, 117

Exponentielle (loi), 59-60 (fig.), 80

Files d'attente (théorie des), approche des problèmes de systèmes, 21

Fin voulue, 221, 256
Voir aussi : Comportement

Finalité, 73-75, 95, 135
types de, 75-78

Fonction intégrative de la T.G.S., 46-47

Fonctionnalisme et théorie sociologique, 201

« Formation de généralistes scientifiques (La) », 47-48

Frontière du moi, en psychopathologie, 220

Futur (vision par la théorie des systèmes du), 208-09

General Systems, revue annuelle de la Société pour la Recherche Générale sur les Systèmes, 13

Généralistes scientifiques (production de) 47-49

Géomorphologie, 106

Graphes (théorie des), approche des problèmes de systèmes par la, 94, 216

Graphe orienté (diagraphe), théorie des, 19

Groupes (théorie des), 242-43

Hétérostase, 21

Histoire :
modèle cyclique de, 122, 208, 209
impact de la pensée systémique sur la conception de, 6-7
théorique, 113-23, 202-208
nature du processus historique, 205-206
théorie organique de, 207-208

Homéostase :
le concept d'h. de Cannon, 10, 14, 21, 76, 165
et rétroaction, 41, 76, 105, 154, 164-67, 188
en psychologie et en psychopathologie, 215-16

Homme :
image de l'h. dans la pensée contemporaine, 4, 192-97, 199
rôle de l'h. dans le Grand Système, 8
comme individu, précept ultime de la théorie de l'organisation, 50-51
le concept de système dans les sciences de l'h., 191-209
modèle de l'h. comme robot, 193, 195-96, 199, 210, 211
conception pécuniaire de l'h., 211
comme système à personnalité active, 212
position spéciale de l'h. dans la nature, 255-56
Homologie (logique), 82-89
Horloge physiologique, 235

« Immenses » (nombres) : problème des n.i. dans la T.G.S., 23-25
Individualisation à l'intérieur du système, 59-62
Inévitabilité historique, 6-7, 117-18, 122
Information (théorie de l'), 13, 20, 94, 97, 98, 104, 155, 156, 167, 203, 250
Instinct (théorie de l'), 110
« Integrative studies for general education » (Mather), 48
Interdisciplinaire (théorie) :
implication de la, 46-47
principes fondamentaux de la, 49
et nouveaux modèles conceptuels, 97-98
Isomorphismes :
dans divers domaines, 31-32, 46-47, 86, 107
en science, 78-84

Jeux (théorie des), 13, 20, 21, 94, 104, 114, 118, 119, 203, 242

Libre volonté, 118, 119, 120, 125
Linguistique (diversité des systèmes l. et réévaluation des concepts scientifiques), 230

Loi de croissance de la population de Verhulst, 60
Loi de Pareto en sociologie, 68, 80
Loi des populations de Malthus, 46, 60, 108
Loi de Rubner (règle de surface du métabolisme), 168-69, 178
Lois de Mendel, 187
Lois de la nature (concept moderne de), 117

Machine chimico-dynamique, 144
Machine de Turing, 20, 23, 145
Machines auto-contrôlées (développement des), 1, 13, 144
Machines cybernétiques, 144
Machines mécaniques, 144
Machines moléculaires, 144
« Macrohistoire », 204
Matérialisme, 94
Mathématique (approche m. de la T.G.S.), 17-21, 36, 94-95
Mathematical system theory, revue, 13
Mécanisation à l'intérieur d'un système, 42, 67-68, 70, 71, 95, 218
et perte de régulabilité, 68, 218
Mécaniste (vision du monde), 25, 43, 45, 47, 53, 85-86, 96, 256
Métabolisme, 37, 63, 125, 126, 139, 141, 145, 151, 152
auto-régulation du, 128, 135
règle de surface du m. (loi de Rubner), 168-69, 178
Météorologie, 106-107
Méthode idiographique en histoire, 6, 114, 115, 119, 203
« Microhistoire », 204
Modèle et réalité (incongruence entre), 21-22, 98, 204-05
Modèles « littéraires » en théorie des systèmes, 22
Modèles mathématiques (avantages des), 22

Moindre action (principe de), 73, 74, 78

Monde :
conception du m. comme chaos, 192
comme organisation, 193

Morphogénèse, 153

Motivations (recherche des), 120, 194, 196

Nation (concept de), aux Nations Unies, 207

Nature animée et inanimée (contraste apparent entre), 38-39, 143

Nature globale de notre civilisation, 209

Néopositivisme, 10

Nihilisme, 192

Nomothétique (méthode scientifique), 114, 115, 118, 203

Oligopoles (loi des) et organisation, 46, 108

Opinion (Recherche sur), 120

Ordre hiérarchique et T.G.S., 25-27 (tableau), 72, 218

Organique :
biologie, 4, 10, 29, 86, 87, 106-107, 210, 213, 256
Psychologie, 198
Révolution, 191-93

Organique (théorie) :
de la personnalité, 109, 213
de la sociologie et de l'histoire, 207-08

Organique (philosophie du mécanisme o.), 10

Organisation :
concept d', 44-46, 96, 98, 256
théorie générale de l', 32
caractéristiques de l', 45
aspects de l'o. non sujets à interprétation quantitative, 19, 45
théorie des o. formelles, 7-8
lois d'airain de l', 45-46, 51, 108
loi de la taille optimum, 46, 108

loi de l'oligopole, 46, 108
précept ultime de la théorie de l', 50-51

Organisme :
concept d', 65-66
et personnalité, 109, 213
comme système ouvert, 124-28, 138, 157-58
modèle mécanique de l'organisme et ses limites, 143-45
comme système actif, 213-15
Voir aussi : Organisme vivant

Organisme vivant :
comme système ouvert, 30, 37, 42, 125-27, 145, 160-64 (fig.), 196
et interaction dynamique des processus, 42
et conception mécaniste, 143-45
biophysique de l', 146, 162

Orientation des processus, 14, 15, 43, 44, 76, 96

Ouverts ou fermés (systèmes), 37-39, 125-29, 145

Parallélisme des principes de la connaissance dans divers domaines, 195

Perméabilité (cellule) et système ouvert, 138-39

Personnalité :
théorie de la, 109-113, 192, 198
et organisme, 109, 213
et environnementalisme, 194-95
dédoublement de la, 220
comme système, 224

Perspectivisme, 47, 252

Pharmacodynamique (lois fondamentales de la), 54, 142, 152

Physicalisme, 86

Physiologie sensorielle, 152

Physique :
impact de la pensée systémique sur la, 3-4
développements modernes de la, 3-4, 28, 29
théories générales en, 30

et théorie de la complexité inorganisée, 32, 91
Physique quantique, 29
Politiciens et application de l'approche systémique, 2
Population :
cycle périodique des, 46
loi de Malthus de la, 46, 60, 108
loi de croissance de la p. de Verhulst, 60
Population (explosion de la), 122
Positivisme, 98
Principe :
d'actualité, 120
de différenciation, en psychopathologie, 216-18
Voir aussi : Ségrégation (diffusion de la), 13-31
culturel, 206
d'économie dans le comportement humain, 195
d'environnementalisme, 194-95, 196
d'équilibre dans le comportement humain, 195
de Le Chatelier (en chimie-physique), 73, 78, 135
Principes phénoménologiques de la vie, 156
Procédure analytique en science, 16-17
Psychanalyse, 5, 22, 111, 192, 195
Psychiatrie :
concepts systémiques en, 213-225
intérêt croissant pour la T.G.S., 5, 198, 210
tendances modernes en, 198-99
ossature physico-psycho-sociologique, 222
Psychologie :
application de la T.G.S., 4, 109-111, 225
tendance vers la, 29, 198-99
du développement, 198
impasse de la p. moderne, 195, 210-12
orientation holistique en, 198
réorientation de la, 198

Voir aussi : Psychiatrie
Psychologie behavioriste, 6, 111, 193
Psychologie de la forme, 4, 29, 213
Psychologie humaniste, 198
Psychologie manipulatrice, 211-12

Rationnalité (principe de), 119
et comportement humain, 119-20
Recherche :
Voir : recherche générale sur les systèmes
motivations
recherche opérationnelle
opinion
Recherche générale sur les systèmes (méthodes de la), 98-103
méthode empirico-déductive, 99-100
approche déductive, 100-103
Recherche opérationnelle, 7, 95, 108
Réductionnisme, 46, 47, 84-85, 251
Règle de Lenz en électricité, 73, 78
Règles de M'Naughten et criminalité, 226
Régression (en psychopathologie), 219-20
Relativité (théorie de la), 103, 230, 231, 251
Relativité biologique des catégories, 232-37
Relativité culturelle des catégories, 237-43
Réseaux (théories des), comme approche des problèmes de systèmes, 19, 94
Responsabilité (question de r. morale et légale), 226
Rétroaction *(feedback)* :
concept de, 40-42 (fig.), 44, 154
et homéostase, 41, 76, 105, 154, 164-67, 188
et cybernétique, 42, 76, 77, 154, 165
critères de commande des systèmes, 165-67
Révolution de l'automatique, 191
Révolution industrielle, 122, 190-91

Révolutions scientifiques, 15-16, 206

Robot (modèle du comportement humain), 193, 195-96, 199, 210, 211

Sang (le s. comme système ouvert), 152

Science :
et évolution de problèmes et de conceptions similaires dans des domaines largement différents, 28-29
et problèmes fondamentaux de la théorie générale de l'organisation, 32
unité de la, 46-47, 84-86, 255-56
et société, 49-50
isomorphisme en, 78-84
limites de la s. classique, 96-97
généralisation des concepts s. de base, 98

Science des systèmes (approche et principaux buts en), 1-8, 93-98
historique de la, 8-15
tendances en, 15-27
approche mathématique de la, 17-21
Voir aussi : Théorie générale des Systèmes

Sciences de l'homme (le concept de système dans les), 191-209

Sciences sociales :
perspective systémique en, 5-6
et système socio-culturel, 5-6, 201, 202, 205, 206
développement de nouveaux concepts en, 29
au sens large, 199-200
systèmes en, 199-202

Seconde révolution industrielle, 2, 14

Ségrégation à l'intérieur d'un système, 66-67, 68, 69

Sélection naturelle (théorie de la), 45

Self-réalisation comme but de l'homme, 113

Servomécanisme (théorie des s. en technologie), 20, 76, 144

Sociaux (régularités statistiques et lois des phénomènes), 204

Société humaine :
application de la T.G.S. à la, 45-46
lois et science de la, 49-50
évaluation de l'homme en tant qu'individu dans la, 50-51
et lois statistiques, 120, 203

Socio-culturels (systèmes et sciences sociales), 5-6, 199-202, 205-07

Sociologie (théorie organique de la), 207-09

Sociologique (technologie), 49-50

Sommatives (caractéristiques s. dans un complexe), 52-53, 95

Sommativité, 65
au sens mathématique, 66

Sondages Gallup, 120, 203

Sous-développement (émergence des nations), 122

Spécialisation en science moderne, 28

Statistiques (lois) et société humaine, 120, 203

Stimulus Réponse (schéma S-R), 111, 193-94, 196, 198, 214

Suggestion de masse (méthodes de), 50

Surface (règle de s. du métabolisme), 168-69, 178

Symboliques (activités), 220, 223, 256

Système :
comme concept clé en recherche scientifique, 7
défini comme un complexe d'éléments en interaction, 17, 36, 53-54, 81-82
définition mathématique, 53-58 (fig.)
actif, 154
défini comme une machine avec intrant, 101

Système nerveux (nouvelle conception du), 110

Système de la personnalité active (modèle de l'homme selon), 197-98

Système-théorique (réorientation s.t. des sciences de l'homme), 197-99

Systèmes homme-machine, 95

Systèmes ouverts, 9, 11, 19, 21, 30, 37-39, 94, 106-107, 124-128, 145
caractéristiques générales des, 128-36, 145-49
applications biologiques du concept de, 138-42, 149-53
théorie cinétique des, 146, 152, 154
théorie thermodynamique des, 146, 148, 152, 154
état stable, faux départ et dépassement dans les, 147 (fig.), 164
théorie des s.o. en tant que partie de la T.G.S., 153, 157
et cybernétique, 153-54
problèmes non résolus, 155-57
et états stables, 160-64
en chimie technologique, 126, 146

Taux de renouvellement, 149-52 (tableaux)
Technique humaine, 95
Technique des systèmes, 1-2, 95, 108-09
Technologie :
développements de la t. contemporaine, 1-3, 7-8, 10, 192, 209
sociologique, 49-50
psychologique, 50
Technologie psychologique, 50
Téléologie, 43-44
statique, 75
dynamique, 76-77
Voir aussi : Fin, Directivité
Théorème de Prigogine, 155
« Théorie des couleurs » (Gœthe), 254
Théorie Générale des Systèmes :
histoire de la, 8-15, 93-94
tendance de la, 15-17
approche des problèmes méthodologiques de la, 17-21
axiomatisation, 19
besoin d'une, 28-34
tendance à des théories généralisées dans de nombreux domaines, 30
postulat d'une nouvelle discipline, 30, 35, 94
sens de la, 30-31

et isomorphismes dans divers domaines, 31-32
comme science générale de l'organisation et de la totalité, 32, 34-35
objections à la, 33-34
but précisé, 13, 36
exemples, 36-47
et unité de la science, 46-47, 84-86, 257
fonction intégrante de la, 46-47
en éducation, 47-49, 198
motifs conduisant au postulat d'une, 95-99
progrès de la, 103-123
Voir aussi : Systèmes, etc...
Théorie unifiée du comportement humain, 5
Thermodynamique, 11, 37, 144, 145, 147, 154, 155, 160, 163, 249
irréversible, 11, 98, 135, 147, 152, 155, 156, 157, 163, 167
second principe de la, 28, 32, 37, 38, 45, 97, 106, 129, 147-48, 163
Topologie, 94, 242
Totalitarisme (systèmes de t. modernes), 50
Totalité, 29, 53
science générale de la, 35, 43, 256
et somme (contraste entre) et évolution, 68, 98
Voir aussi : Organisation
« Tout ou rien » (appliqué à l'évaluation des modèles), 123
Transport (actif), 152
« Tree and the candle (the) » (Koestler), 27
Unité de la science et T.G.S., 46-47, 84-86, 256
Utilisation des ordinateurs et de la simulation comme approche de la recherche des systèmes, 18-19 (tableau), 148
Vitalisme, 38, 64, 75, 77, 128, 137, 145, 148, 149

INDEX DES NOMS D'AUTEURS

ACKOFF, R.L., 8, 95, 104, 105
ADAMS, H., 163
ADOLPH, E.F., 174
AFANASJEW, W.G., 11
ALEXANDER, Franz, 212
ALLESCH, G.J. von, 234
ALLPORT, Floyd, 210
ALPPORT, Gordon W., 197, 210, 211, 212, 213, 214, 217, 221
ANDERSON, Harold, 210
ANSCHÜTZ, G., 236
APPLEBY, Lawrence, 221
ARIETI, Silvano, 199, 210, 212, 216, 217, 219, 221, 222
ARISTOTE, 68, 77, 217, 221, 228, 230, 236, 250
ARROW, K.J., 117, 119
ASHBY, W.R., 24, 44, 99, 100, 101, 102, 103, 248
Association Américaine pour le Progrès de la Science (AAAS), 13
Association Psychiatrique Américaine (APA), 6
ATTNEAVE, F., 104
AUSUBEL, David P., 199

BACKMAN, G., 235
BAVINK, B., 74, 247
BAYLISS, L.E., 20
BECKNER, M., 11
BEER, S., 100
BEIER, W., 149, 153
BELL, E., 104
BENDMANN, A., 11
BENEDICT, Ruth, 206, 224
BENTLEY, E.F., 40

BERG, K., 186
BERLIN, Sir Isaiah, 7, 118, 119
BERLYNE, D.E., 214, 217
BERNAL, J.D., 4, 11
BERNARD, Claude, 10
BERNSTEIN, A., 210
BERTALANFFY, Felix D., 149
BERTALANFFY, Ludwig von, 5, 6, 8, 10, 11, 12, 13, 36, 44, 65, 66, 68, 70, 71, 75, 76, 78, 88, 99, 100, 102, 103, 107, 108, 109, 110, 120, 122, 125, 140, 141, 145, 152, 155, 157, 163, 164, 175, 179, 185, 188, 212, 213, 214, 215, 217, 218, 220, 221, 222, 223, 224, 225, 226, 231, 234, 236, 241, 247, 249, 252, 253, 254, 256, 258
BETHE, Albert, 213
BEVERTON, R.J.H., 108, 153
Biochimie théorique (Netter), 162
Biologie théorique (Bertalanffy), 11
BLANDINO, G., 11
BLASIUS, W., 162
BLEULER, Eugen, 213, 219
BODE, H., 48
BOFFEY, Philip M., 2
BOGUSLAW, W., 1, 8
BOHR, Niels, Henrik, David, 188
BOLTZMANN, Ludwig, 29, 156
BORELLI, Giovanni Alfonso, 144
BOULDING, K.E., 13, 26, 46, 107, 109, 203
BRADLEY, D.F., 100, 151
Brave New World (A. Huxley), 8, 50, 112, 123
BRAY, H.J., 106
BRAY, J.R., 106

BRODY, S., 169, 235
BRONOWSKI, J., 22
BRUNER, Jerôme, 217
BRUNNER, R., 153
BRUNSWICK, Egon, 210
BUCKEY, W., 6, 15, 201
BÜHLER, Charlotte, 112, 210, 212
BÜHLER, K., 214
BURTON, A.C., 145, 148, 151
BUTENANDT, A., 162

CALVIN, M., 100, 151
CANNON, W.B., 11, 15, 21, 76, 165, 216
CANTRIL, Hadley, 199, 217
CARLYLE, Thomas, 115
CARMICHAEL, Léonard, 214
CARNAP, R., 84, 85
CARTER, L.J., 2
CASEY, E.J., 165
CASSIRER, Ernst, 199, 217, 221
Centre des études avancées des sciences du comportement (Palo Alto), 12
Cercle de Vienne, 10
CHANCE, B., 151, 167
CHOMSKY, N., 194
CHORLEY, R.J., 106
CLAUSIUS, Rudolph, J.E., 155
COGHILL, G.E., 213
COMMONER, B., 11
Conflict and defense (Boulding), 204
Les Contes d'Hoffmann (Offenbach), 144
Critique de la raison pratique (Kant), 191
CONKLIN, E.W., 216
COWDRY, Edmund, 216
Crime and criminologists (Anon), 212
CUMMINGS, J., 221
CUSA, Nicolas da, 9, 252
Cybernétique (Wiener), 13

DAMUDE, E., 5
D'ANCONA, V., 54, 55, 74, 78, 138, 142
Decline of the west (The) (Spengler), 122, 208
De Ludo Globi (Nicolas da Cusa), 9
DEMERATH, N.J., 201
DENBIGH, K.G., 148, 155
DESCARTES, René, 17, 144, 217, 239, 244
DE SHALIT, A., 4
DOBZHANSKY, T., 11
DONNAN, F.G., 55, 138
DOST, F.H., 152, 162, 179
DRIESCH, Hans, 24, 25, 38, 70, 137, 148
DRISCHEL, H., 18
DRUCKERY, H., 152
DUBOS, R., 11
DUNN, M.S., 186

EDDINGTON, Sir Arthur Stanley, 155
EINSTEIN, Albert, 159, 230, 251
ELSASSER, W.M., 24, 165
EULER, Leonhard, 73
EYSENK, Hans, 219

FAGEN, R.E., 99
FEARING, F., 227
FECHNER, Gustav Theodor, 111
Fights, Games and Debates (Rapoport), 204
FLANNERY, Kent V., 7
FOERSTER, H. von, 167
Foundation for integrated Education, 48
FOSTER, C.A., 155
FRANK, L.K., 14, 15, 16
FRANKL, Victor, 216, 221, 222, 224
FRANKS, R.G.E., 148
FREEMAN, Graydon, 215
FREUD, Sigmund, 109, 111, 119, 194, 195, 199, 217, 219, 221
FRIEDELL, Egon, 197
FURRMANN, F.A., 172

GALILÉE, 17, 188, 191
GARAVAGLIA, C., 151
GAUSE, G.F., 45, 54, 107
GAUSS, Karl Friedrich, 94
GAZIS, Denos, C., 18
GEERTZ, Clifford, 217
GERERD, Ralph W., 13, 32
GESSNER, F., 107
GEYL, Peter, 114
Ghost in the machine (the) (Koestler), 219n
GIBSON, J.J., 216n
GILBERT, Albin, 218
GILBERT, E.N., 20
GLANSDORFF, P., 155
Glasperlenspiel (Hesse), 9
GOETHE, Johann Wolfgang von, 149, 253
GOLDSTEIN, Kurt, 109, 212, 213, 221, 222
GRAY, William, 5
GRINKER, Roy R., 5
GRODIN, F.S., 165
GROSS, J., 75
GUERRA, E., 175
GÜNTHER, B., 175

HACKER, Frederick, 212
HAHN, Erich, 5, 8
HAIRE, M., 100, 107, 118, 122
HALL, A.D., 95, 99, 109
HALL, C.S., 109
HART, H., 24
HARTMANN, E. von, 75
HARTMANN, M., 128
HARTMANN, Nicolai, 69, 83
HARVEY, William, 140
HASTORF, Albert, 216
HAYEK, F.A., 34, 117
HEARN, G., 99
HEARON, J.F., 148
HEBB, Donard O., 110, 214
HECHT, S., 141, 152

HEGEL, Georg Wilhelm Friedriech, 9, 114, 203, 204
HEISENBERG, Werner, 29
HEMINGSEN, A.M. 188
HEMPEL, C.G., 10
HENRY, Jules, 211
HERACLITE, 164, 251
HERING, Ewald, 141
HERRICK, Charles, 214, 220
HERSCH, A.H., 60, 107
HERZBERG, A., 11
HESS, B., 18, 148, 151, 167
HESS, W.R., 14
HESSE, Hermann, 9
HILL, A.V., 141
HIPPOCRATE, 241
HOAGLAND, H., 235
HÖBER, R., 231
HÖFLER, Otto, 79
HOIJER, H., 231
HOLST, Erich von, 14, 110, 214
HOLST, S.J., 108, 152
HOOK, Sydney, 224
HORVATH, W.J., 121
HUMBOLDT, Wilhelm von, 199, 217, 237
HUXLEY, Aldous, 47, 50, 236
HUXLEY, Sir Julian, 153

IBN-KHALDOUN, 9
INHELDER, Bärbel, 226
Institut d'études avancées de Princeton, 3

JEFFRIES, L.A., 25
JONES, R.W., 165
JUNG, Carl, 109
JUNG, F., 107

KAFKA, Franz, 75
KALMUS, H., 20, 235
KAMARYT, J., 11
KANAEV, I.I., 11

KANT, Emmanuel, 43, 105, 191, 192, 230, 232, 234, 236, 244
KEITER, F., 99, 107
KELVIN, William Thomson, 38
KLEIBER, M., 169
KLUCKHOHN, C., 206, 229, 253
KMENT, H., 105, 165
KOESTLER, Arthur, 27, 217, 219n
KÖHLER, W., 9, 10, 135, 213
KOTTJE, F., 128
KRECH, David, 39, 109, 210
KREMIANSKIY, V.I., 100
KRISZAT, G., 233
KROEBER, A.L., 160, 203, 206
KUBIE, Lawrence, 222
KUEPFMÜLLER, K., 152
KUHN, T.S., 16, 23, 206

LA BARRE, W., 229, 230
LANGER, S., 221
LAPICQUE, L., 142
LAPLACE, Pierre Simon, 19, 24, 28, 85, 117
LASHLEY, K., 25, 213
LAU, C., 151
LAUE, R., 149
LECOMTE DE NOÜY, P., 236
LEHMANN, G., 169
LEIBNIZ, Gottfried Wilhelm, 9, 254
LEIGHTON, D., 229
LENNARD, H., 210
LERSCH, P., 218
LEWADA, J., 8
LINDZEY, G., 109
LLAVERO, F., 212
LOCKER, A., 22, 148, 149, 170, 172, 173
LOEWE, S., 142, 152
LORENZ, K., 110, 244, 252, 253
LOTKA, A.J., 9, 30, 45, 54, 107
LUMER, H., 62
LURIA, Alexandr., 221
LUTHE, Wolfgang, 218

MACCIA, E.S. et G.S., 19
MAGOUN, Horace, 214
MALEK, E., 153
MANNING, Hon. E.C., 2
MARTIN, A.W., 172
MARX, Karl, 9, 114, 203, 204
MASLOW, A.H., 109, 113, 198, 212
MATHER, K.F., 48, 49
MATSON, Floyd, 211, 217
MAUPERTUIS, Pierre Moreau de, 73
MAY, Rollo, 223
MAYER, J., 186
MAC CLELLAND, C.A., 122
MAC CULLOCH, W.S., 23
MAC NEILL, W., 7
MEIXNER, J.R., 146
MENNINGER, Karl, 5, 109, 210, 216
MERLOO, Joost, 217
MERTON, Robert K., 201
MESAROVIC, M.D., 19
METZGER, W., 71
MEUNIER, K., 176
MICHEL-ANGE, 197
MILLER, James, 210
MILSUM, J.H., 20
MINSKY, Marvin L., 21
MITTASCH, A., 69
MITTELSTAEDT, H., 165
MORCHIO, R., 106
MORGENSTEIN, O., 14, 21
MORRIS, Charles, 94
MOSER-EGG, O., 124
MOSER, H., 124
MOSTELLER, F., 47
MÜLLER, I., 185
MUMFORD, L., 201
MURPHY, Gardner, 113
MURRAY, Henry, 211, 212, 221

NAGEL, E., 11
NAPOLÉON, 115
NAROLL, R.S., 108
NETTER, H., 106, 162

NEUMANN, J. von, 13, 20, 23, 25, 250
NEWTON, Sir Isaac, 191
NICOLAS DA CUSA, 9, 252
NIETZSCHE, Friedriech Wilhelm, 192
NUTTIN, Joseph, 221

ONSAGER, L., 146
OPLER, Marvin, 212
Organisation pour l'alimentation et l'agriculture des Nations Unies, 108
Organisational revolution (The) (Boulding), 45
ORTEGA Y GASSET, José, 122
ORWELL, Georges, 50
OSTERHOUT, W.J.V., 138
OXENSTIERNA, Conte Axel Gustaffson, 120

PARACELCUS, 9
PARSEVAL, August von, 11
PARSONS, Talcott, 201
PATTEN, B.C., 106
Patterns of culture (Benedict), 206
PAVLOV, Ivan Petrovitch, 195, 221
PETERSON, R.E., 201
PIAGET, Jean, 5, 198, 199, 212, 217, 226
PICARD, E., 137
PIROZYNSKY, W.J.P., 176
PITTS, W.H., 23
PLATON, 50, 239, 244
PÖTZL, Otto, 12
PRIBRAM, K.H., 216n
PRIGOGINE, I., 107, 146, 148, 155, 236
Process School of Archeology, 8
PUMPIAN-MINDLIN, Eugène, 210
PÜTER, A., 141, 175

QUASTLER, H., 20

RAMEAUX, 168
RAPAPORT, D., 111, 210
RAPOPORT, A., 13, 17, 20, 23, 104, 105, 108, 117, 118, 121, 203

RASHEVSKY, N., 20, 117, 137, 138, 141, 148
Reafferenzprinzip (Holst), 14
REICHENBACH, Hans, 11
RIEGL, A., 237
REIK, H.G., 146, 155
REINER, J.H., 148
RENSCH, B., 158
REPGE, R., 24
RESCIGNO, A., 19, 148, 151
Revolt of the Masses (Ortega y Gasset), 122
RICHERDSON, Lewis F., 108, 118, 210
Rise of the west (Mc Neill), 7
RITTENBERG, D., 182
ROGERS, Carl R., 212
ROSEN, R., 19
ROSTOVTZEFF, Michael Ivanovitch, 208
ROTHACKER, Erich, 218
ROUX, Wilhelm, 64
ROYCE, Joseph, R., 220
RUESCH, J., 8
RUSSEL, Bertrand, 65, 66

SARRUS, P.F., 168
SCHACHTEL, E.G., 199
SCHAFFNER, Kenneth F., 11
SCHAXEL, J., 12, 236
SCHER, Jordan, 221, 225
SCHILLER, Claire, 214, 220
SCHLICK, Moritz, 11, 75
SCHÖNHEIMER, R., 164
SCHRÖDINGER, Erwin, 102, 148
SCHULZ, G.V., 152, 155
Scott, W.G., 7
SEGRE, C., 19, 148
SELYE, H., 197
Senses Considered as perceptual Systems (The), (Gibson), 216n
SHANNON, Claude, 13, 20, 104
SHAW, Leonard, 15
SIMON, H.A., 17, 27
SKINNER, B.F., 194

SKRABAL, A., 54
SKRAMLIK, E. von, 234
SMITH, Vincent E., 11
Société de Philosophie Empirique (Groupe de Berlin), 10-11
SOROKIN, P.A., 6, 9, 200, 201, 203, 205, 206, 212
SPEMANN, Hans, 70
SPENGLER, Oswald, 7, 11, 114, 116, 120, 121, 122, 203, 204, 205, 206, 207, 208, 228, 238, 242, 253
SPIEGELMAN, R., 54, 63
SPRINSON, D.B., 182
STAGNER, Ross, 216
STEIN-BELING, J. von, 235
STOWARD, P.J., 154
Study of History (Toynbee), 205
SYZ, Hans, 210
SZENT-GYÖRGYI, A., 3

TANNER, James, 226
THOMPSON, J.W., 106
THUMB, Norbert, 221
TOCH, Hans, 216
TOLSTOÏ, Léon, 115
TOYNBEE, Arnold, 7, 114, 116, 121, 122, 203, 204, 205, 206, 208, 253
TRININO, S.E.M.G. de, 11
TRINKER, K.S., 156
TSCHERMAK, A., 128
TUKEY, F., 47

UEXKÜLL, Jacob von, 199, 232, 233, 234, 235, 240, 244, 245, 246, 248
UMRATH, K., 141
UNGERER, E., 11

VICKERS, Sir Geoffrey, 121
VICO, Giovanni Battista, 9, 114, 121, 203, 204
VOLTERRA, V., 30, 45, 46, 54, 55, 63, 64, 74, 78, 105, 107, 108, 117, 137, 138, 142

WAGNER, Richard, 14, 105, 165
WAHL, O., 235
WATSON, John B., 194
WATT, K.E.F., 108
WEAVER, Warren, 14, 20, 32, 97, 104
WEISS, P., 25, 104
WERNER, G., 54, 152
WERNER, Heinz, 198, 199, 212, 214, 216, 217
WHATMOUGH, J., 252
WHITE, K., 106
WHITEHEAD, A.N., 10, 45, 213
WHITTACKER, R.H., 39, 106
WHORF, B.L., 199, 218, 227, 228, 229, 230, 242
WHYTE, Lancelot, 219, 226
WIENER, Norbert, 13, 42, 76, 105, 165
WINSOR, C., 47
WOLFE, Harry B., 2
WOODGER, J.H., 27, 213
WORRINGER, W., 237

ZACHARIAS, J.R., 97
ZEIGER, K., 162
ZERBST, E., 148, 151
ZOPF, G.W. Jr, 167
ZUCKER, L., 186
ZUCKER, T.F., 186
ZWAARDEMAKER, H., 125

Imprimé en FRANCE par OFFSET-AUBIN, 86000-Poitiers.
Dépôt légal, 4ᵉ trimestre 1976 . — Imprimeur n° P 6781.